Sir Arthur
Conan Doyle
L'intégrale/9

Sir Arthur Conan Doyle

L'intégrale/9

Le Professeur Challenger/2:
Au pays des brumes
La machine à désintégrer
Quand la Terre hurla

Introduction
par *Richard D. Nolane*

Jaquette et frontispice
originaux
par *Jean-Michel Nicollet*

Cette édition
de l'Intégrale
de Conan Doyle
est publiée sous la direction
de Jean-Baptiste Baronian.

Maquette : NéO

Si vous souhaitez être tenu au courant de nos publications, il vous suffit d'envoyer vos nom et adresse à NéO, 5, rue Cochin, 75005 Paris.

ISBN : 2-7304-0449-X

Conan Doyle et la science-fiction

Père de Sherlock Holmes, le plus logique des détectives, Conan Doyle aurait pu devenir un auteur d'une importance capitale dans le domaine de la science-fiction. Il avait tout pour cela: une imagination fertile, une culture scientifique importante, une curiosité inlassable et une écriture qui a défié le temps. Cependant, et fort paradoxalement, ce furent le spiritualisme et l'occultisme qui le fascinèrent, au point d'occuper la presque totalité de son temps durant la dernière période de sa vie. Il ira même parfois jusqu'à abandonner tout esprit critique et se laissera aller à des excès de crédulité incroyables (exemple: les «photographies de fées» prétendument prises par Elsie Wright...). Etrange dérive donc, pour un homme épris de logique et d'exactitude...

Malgré tout, et c'est heureux pour l'amateur de science-fiction, Conan Doyle se laissa tenter plus d'une fois par la littérature conjecturale (comme aime à la désigner Pierre Versins) et, avec Le monde perdu, *signa un classique du genre.*

En fait, les ouvrages où Conan Doyle s'engage sur le terrain de la science-fiction se divisent en deux parties bien distinctes: ceux où apparaît le professeur Challenger et les autres.

Personnage irascible et génial, Challenger est un de ces héros plus grands que nature qui touchent au mythe et qui rendent une œuvre inoubliable, même si celle-ci recèle, çà et là, quelques faiblesses. S'embarquer avec ce savant hors du commun, c'est prendre un billet pour l'aventure la plus débridée aux quatre coins du monde, sinon au-delà de l'univers connu. D'ailleurs Challenger est, avec Sherlock Holmes, le seul des personnages créés par Conan Doyle à avoir vaincu le temps, ce que l'on doit essentiellement au Monde perdu *qui, même s'il n'est pas le seul, reste le meilleur récit de la saga qui lui a été consacrée. Car on rencontre cet impétueux explorateur non seulement dans ce prodigieux voyage à travers une contrée préhistorique miraculeusement conservée au cœur de la jungle amazonienne, mais aussi dans deux autres romans,* La ceinture empoisonnée[1] *et* Au pays des brumes, *ainsi que dans deux longues nouvelles:* La machine à désintégrer *et* Quand la Terre hurla[2]. *Cependant ces quatre histoires souffrent quelque peu de la comparaison avec* Le monde perdu, *même si le génie de l'auteur en fait bien évidemment des œuvres plus qu'attachantes, et l'on pourra regretter qu'*Au pays des brumes, *qui voit l'incroyable conversion de Challenger au spiritualisme, ait été victime de la passion dévorante de son auteur pour l'Au-delà…*

Un peu lassé par ce personnage tonitruant, Conan Doyle créa ensuite, l'espace d'un court roman, Le gouffre Maracot[3], *celui d'un autre savant, plus classique, en la personne du professeur Maracot à qui il fait découvrir les restes de l'Atlantide. Pourtant un lien entre les deux personnages fut maintenu, ce roman ayant originellement paru dans le même volume que les deux nouvelles déjà citées.*

Les autres textes de Conan Doyle ressortissant expressément à la science-fiction sont en fait assez rares et un seul d'entre eux, la nouvelle L'horreur du plein-ciel[4], *une histoire que l'on dirait*

1. Egalement traduit sous le titre *Le ciel empoisonné*.
2. Connue également sous le titre *L'homme qui fit hurler le monde*.
3. Autre titre français: *La ville du gouffre*.
4. Egalement traduite sous le titre *L'horreur des altitudes*.

issue d'un cauchemar de Charles Fort, peut prétendre à juste titre au label de chef-d'œuvre.

On y ajoutera le court roman Raffles Haw *où un «faiseur d'or» détruit à la fois son invention et lui-même dans un accès de désespoir, ainsi que les nouvelles* Le fiasco de Los Amigos *(un conte plutôt humoristique sur une conséquence assez inattendue de l'utilisation de la chaise électrique),* Le trou de Blue John, *qui relate la rencontre entre un homme et l'horrible habitant d'un monde souterrain inconnu, et* Danger! *qui, parue en 1914, prophétisait l'utilisation intensive des sous-marins dans la guerre moderne, hypothèse qui, rejetée par l'Amirauté britannique, fut malheureusement vérifiée dès l'année suivante...*

Pour conclure, on remarquera que, hormis Le monde perdu *et* L'horreur du plein-ciel, *l'œuvre de science-fiction de Conan Doyle n'atteint pas la puissance de ses récits de fantastique et d'horreur, lesquels constituent un ensemble aussi cohérent du point de vue thématique que redoutablement efficace. Peut-être est-ce dû au fait que, très tôt hanté par l'occultisme, il était plus à l'aise dans le monde sombre et tortueux de l'irrationnel...*

Avec Jacques Bergier (et nous inscrivant radicalement en faux contre la vision de Pierre Versins qui tente de démontrer, dans son «Encyclopédie de l'Utopie et de la science-fiction» que Conan Doyle n'était qu'un vulgaire plagiaire d'auteurs français), nous regretterons «qu'il n'ait pas consacré plus de temps à la science-fiction», car «il avait des idées plus originales que Wells et il écrivait mieux que Jules Verne» et il ne fait aucun doute qu'il aurait pu, dans ce domaine, devenir l'égal de J.-H. Rosny aîné, l'auteur majeur du genre avant que celui-ci soit monopolisé par les Américains, à la fin des années 30.

Mais peut-on vraiment reprocher à un auteur de n'avoir publié que *deux classiques de la science-fiction, même si l'on reste convaincu qu'il aurait pu faire... mieux et plus?*

Richard D. Nolane

Au Pays des Brumes

The Land of Mist

Traduction française de
André ALGARRON

CHAPITRE PREMIER

Nos envoyés spéciaux prennent le départ

Le grand professeur Challenger vient d'être victime d'une mésaventure: son personnage a inspiré, aussi abusivement que maladroitement, un romancier audacieux, et celui-ci l'a placé dans des situations impossibles dans le seul but de voir comment il réagirait. Oh! les réactions n'ont pas tardé! Il a intenté un procès en diffamation, engagé une action judiciaire – qui fut déclarée non recevable – pour que le livre fût retiré de la circulation, il s'est livré – deux fois – à des voies de fait, enfin il a perdu son poste de maître de conférences à l'Ecole londonienne d'hygiène subtropicale. Ces broutilles mises à part, l'affaire s'est terminée plus paisiblement qu'on ne l'aurait cru.

Il est vrai que le professeur Challenger n'avait plus le même feu sacré. Ses épaules de géant s'étaient voûtées. Sa barbe noire assyrienne taillée en bêche était parsemée de fils gris. L'agressivité de ses yeux avait diminué. Son sourire arborait moins de complaisance envers soi. Il avait gardé une voix tonitruante, mais elle ne balayait plus aussi promptement les contradicteurs. Certes, il continuait d'être dangereux, et son entourage le savait. Le volcan n'était pas éteint; de sourds grondements laissaient constamment planer la menace d'une éruption. La vie avait encore beaucoup à lui enseigner, mais il témoignait d'un peu plus de tolérance pour apprendre.

Un changement pareil avait une origine précise: la mort de sa femme. Ce petit oiseau avait fait son nid dans le cœur du grand homme, qui lui accordait toute la tendresse, toute la galanterie que le faible mérite de la part du fort. En cédant sur tout, elle avait gagné sur tout, comme peut le réussir une femme douce et pleine de tact. Quand elle mourut subitement d'une pneumonie contractée à la suite d'une grippe, le professeur avait chancelé, plié les genoux. Il s'était relevé, avec le sourire triste du boxeur groggy, et prêt à disputer encore beaucoup de rounds avec le Destin. Toutefois il n'était plus le même homme. S'il n'avait pas bénéficié de l'appui secourable et de l'affection de sa fille Enid, il ne se serait jamais remis du choc. C'est elle qui, avec une habileté intelligente, le détourna vers tous les sujets qui pouvaient exciter son naturel combatif et allumer dans son esprit une étincelle, afin qu'il vécût pour le présent et non plus dans le passé. Lorsqu'elle le revit bouillant dans la controverse, écumant contre les journalistes, et généralement désagréable à l'égard de ses interlocuteurs, alors elle le sentit en bonne voie de guérison.

Enid Challenger était une jeune fille très remarquable, et elle mérite un paragraphe spécial. Elle avait les cheveux noirs de son père, de sa mère les yeux bleus et le teint clair: son genre de beauté ne passait pas inaperçu. Elle était douée d'une force tranquille. Depuis son enfance, elle avait eu à choisir entre deux perspectives: conquérir l'autonomie contre son père, ou bien consentir à être broyée, réduite à l'état d'automate. Elle avait su conserver sa personnalité, mais avec gentillesse et surtout par élasticité: elle s'inclinait devant les humeurs du professeur et elle se redressait aussitôt après. Plus tard, elle avait trouvé trop oppressante cette contrainte perpétuelle: elle y avait échappé en cherchant à se faire une situation personnelle. Elle travailla pour la presse de Londres et elle exécuta toutes sortes de travaux qui lui valurent une certaine notoriété dans Fleet Street. Pour ses débuts, elle avait été aidée par un vieil ami de son père (et peut-être du lecteur) M. Edward Malone, de la *Daily Gazette*.

Malone était toujours le même Irlandais athlétique qui avait jadis gagné sa cape d'international de rugby; mais la vie avait arrondi les angles de son caractère; il était plus maître de lui, plus réfléchi. Le jour où il avait remisé pour de bon ses chaussures de football, il avait également relégué bien d'autres choses. Ses muscles avaient peut-être perdu de leur vigueur, ses jointures n'étaient plus aussi souples; mais son esprit avait gagné en agilité et en profondeur. L'homme avait succédé à l'enfant. Physiquement, son aspect avait peu changé. Mettons que sa moustache était plus fournie, ses épaules moins carrées; son front s'était enrichi de quelques lignes creusées par la méditation, les nouveaux problèmes de l'après-guerre qui se posaient au monde y ayant imprimé leur marque. Pour le reste, ma foi, il s'était taillé un nom dans le journalisme et un début de réputation dans la littérature. Il n'était pas marié. Selon certains, sa condition de célibataire ne tenait qu'à un fil, qui casserait le jour où les petites mains blanches de Mlle Enid Challenger consentiraient à s'en occuper. Et ceux qui l'affirmaient ne lui voulaient que du bien.

En ce dimanche soir d'octobre, les lumières commençaient à trouer le brouillard qui depuis les premières heures de l'aube enveloppait Londres d'un voile opaque. L'appartement du professeur Challenger, à Victoria West Gardens, était situé au troisième étage. Une brume épaisse collait aux carreaux. En bas, la chaussée demeurait invisible: on ne la devinait que grâce à la ligne de taches jaunes régulièrement espacées; la circulation, réduite comme tous les dimanches, faisait entendre un bourdonnement assourdi. Le professeur Challenger, au coin du feu, avait étiré ses jambes courtes et arquées, enfoui les mains profondément dans les poches de son pantalon. Sa tenue portait la marque de l'excentricité qui accompagne toujours le génie: une chemise à col ouvert, une grande cravate marron en soie, une veste de smoking en velours noir; avec sa barbe fleuve, il ressemblait à un vieil artiste en pleine vie de bohème. A côté de lui, sa fille était assise, habillée pour une promenade: chapeau cloche, courte robe noire, bref, tout l'appareil à la mode qui dénature si bien les beautés naturelles. Malone, le chapeau à la main, attendait près de la fenêtre.

— Je crois que nous devrions partir, Enid. Il est presque sept heures, dit-il.

Ils s'étaient mis à écrire des articles en collaboration sur les diverses sectes religieuses de Londres: tous les dimanches soir, ils sortaient ensemble pour en visiter une nouvelle, ce qui leur procurait de la bonne copie pour la *Gazette*.

— La séance ne commence pas avant huit heures, Ted! Nous avons tout le temps.

— Asseyez-vous, monsieur! Asseyez-vous! tonna Challenger, qui tira sur sa barbe comme il en avait l'habitude quand sa patience était à bout. Rien ne m'agace davantage que de sentir quelqu'un debout derrière moi: prenez cela pour un legs de mes ancêtres, qui redoutaient le poignard; cette crainte persiste... Parfait! Pour l'amour du Ciel, posez votre chapeau! Vous avez toujours l'air de vouloir prendre un train au vol!

— Telle est la vie du journaliste, soupira Malone. Si nous ne prenons pas le train, nous restons sur le quai. Enid elle-même commence à s'en rendre compte. Mais elle a raison: nous avons le temps.

— Combien d'églises avez-vous visitées? demanda Challenger.

Enid consulta un petit agenda avant de répondre:

— Nous en avons visité sept. D'abord l'Abbaye de Westminster, qui est l'église rêvée pour le décoratif. Ensuite Sainte-Agathe pour le haut clergé et Tudor Place pour le bas clergé. Puis nous avons visité la Cathédrale de Westminster pour les catholiques, Endell Street pour les presbytériens, Gloucester Square pour les unitariens. Mais ce soir, nous allons essayer d'introduire un peu de variété dans notre enquête: nous visitons les spirites.

Challenger renifla comme un buffle en colère.

— Et la semaine prochaine les asiles de fous, je présume? Vous n'allez pas me faire croire, Malone, que ces gens qui croient aux revenants ont des églises pour leur culte?

— Je me suis renseigné. Avant de partir en enquête, je me préoccupe toujours de réunir des chiffres et des faits; eux au moins sont froids, objectifs. En Grande-Bretagne, les spirites ont plus de quatre cents temples recensés.

Les reniflements de Challenger évoquèrent alors tout un troupeau de buffles.

— Décidément, il n'y a pas de limites à l'idiotie et à la crédulité de l'espèce humaine. *Homo sapiens! Homo idioticus!* Et qui prie-t-on dans ces temples? Les fantômes?

— C'est justement ce que nous désirons éclaircir. Nous devrions tirer la matière de bons articles. Je n'ai pas besoin de vous dire que je partage entièrement votre point de vue, mais j'ai bavardé récemment avec Atkinson, de l'Hôpital Sainte-Marie: c'est un chirurgien qui monte; le connaissez-vous?

— J'ai entendu parler de lui. Un spécialiste du cérébro-spinal, n'est-ce pas?

— Oui. Un type équilibré. Il est considéré comme une autorité pour tout ce qui a trait à la recherche psychique... Vous avez compris que c'est ainsi qu'on appelle la nouvelle science qui s'est spécialisée dans ces questions.

— Une science, vraiment?

— Du moins on l'appelle une science. Atkinson paraît prendre ces gens-là au sérieux. Quand j'ai besoin d'une référence, c'est lui que je consulte: il connaît leur littérature sur le bout du doigt. Il les dépeint comme des « pionniers de l'espèce humaine ».

— Les pionniers d'un monde de mabouls! gronda Challenger. Et vous parlez de leur littérature. Quelle littérature, Malone?

— Hé bien! voilà une autre surprise. Atkinson a réuni plus de cinq cents volumes, et il regrette que sa bibliothèque psychique soit très incomplète. Il possède des ouvrages français, allemands, italiens, sans compter ceux écrits par des Anglais.

— Alors rendons grâces à Dieu que cette stupidité ne soit pas une exclusivité de notre pauvre vieille Angleterre. Il s'agit d'une absurdité pestilentielle, Malone, entendez-vous?

— Est-ce que vous les avez lus, papa? interrogea Enid.

— Les lire? Moi, alors que je ne dispose pas de la moitié du temps nécessaire pour lire ce qui a de l'intérêt? Enid, tu es trop bête, ma fille!

— Pardon, papa. Mais vous en parliez avec une telle assurance: je croyais que vous les aviez lus.

La grosse tête de Challenger oscilla comme un pendule, mais son regard de lion resta fixé sur sa fille.

— Imaginerais-tu par hasard qu'un esprit logique, un cerveau de premier ordre, a besoin de lire et d'étudier pour détecter une imbécillité manifeste? Est-ce que j'approfondis les mathématiques pour confondre l'homme qui m'affirme que deux et deux font cinq? Et dois-je réapprendre la physique, me replonger dans mes *Principia* parce qu'un coquin ou un fou m'assure qu'une table peut s'élever dans les airs en dépit de la loi de la pesanteur? Faut-il cinq cents volumes pour nous renseigner sur une chose que jugent les tribunaux correctionnels chaque fois qu'un imposteur est traîné devant eux? Enid, j'ai honte de toi!

Sa fille se mit à rire gaiement.

— Allons, papa, ne vous mettez plus en colère! J'abandonne. En fait, je partage vos sentiments.

— Il n'en reste pas moins, objecta Malone, que de bons esprits soutiennent la cause du spiritisme. Je ne pense pas que vous puissiez rire devant les noms de Lodge, Crookes, etc.

— Ne soyez pas stupide, Malone! Quel grand esprit n'a pas sa faiblesse? C'est une sorte de réaction contre la facilité du bon sens. Seulement, tout d'un coup, vous vous trouvez dans une disposition de non-sens positif. Voilà ce qui s'est produit chez ces types-là... Non, Enid, je n'ai pas lu leurs thèses, et je ne les lirai pas; il y a des choses qui dépassent les bornes. Et puis, si nous rouvrons tous les vieux débats, quel temps nous restera-t-il pour aller de l'avant et élucider les nouveaux problèmes? L'affaire est réglée: par le bon sens, par la loi anglaise, et par le consentement général des Européens sains d'esprit.

— Après cela, dit Enid, plus rien à ajouter!

— Toutefois, poursuivit Challenger comme s'il n'avait pas entendu, je dois admettre que des malentendus peuvent surgir, et qu'ils méritent des excuses...

Il baissa de ton, et ses grands yeux gris regardèrent tristement dans le vague.

— J'ai connu des exemples où l'intelligence la plus lucide, même la mienne, pouvait quelque temps vaciller.

Malone flaira de la copie possible:

— Vraiment, monsieur?

Challenger hésita. Il donnait l'impression de lutter contre lui-même. Il avait envie de parler, mais parler lui était pénible. Pourtant, avec un mouvement brusque, impatient, il se lança:

— Je ne t'en ai jamais parlé, Enid... C'était trop... trop intime! Peut-être aussi trop absurde. J'ai eu honte d'avoir été bouleversé. Mais après tout, cela montrera que les gens les mieux équilibrés peuvent être surpris...

— Vous croyez, monsieur?

— Ma femme venait de mourir. Vous la connaissiez, Malone. Vous savez ce que sa mort représentait pour moi. C'était le soir après l'incinération... horrible, Malone! Horrible!... J'ai vu le cher petit corps descendre en glissant, descendre... Et puis la clarté de la flamme. Et la porte qui s'est refermée...

Il frissonna et passa sur ses yeux une grosse main velue.

— Je ne sais pas pourquoi je vous dis tout cela; le tour de la conversation m'y a mené. Peut-être le prendrez-vous pour un avertissement. Ce soir-là donc, le soir après l'incinération, je tombai assis dans le salon. Cette pauvre fille m'imita, et elle ne tarda pas à s'endormir: elle n'en pouvait plus. Vous êtes venu à Rotherfield, Malone. Vous vous rappelez le grand salon? J'étais assis près de la cheminée; la pièce était noyée d'ombre, et l'ombre noyait aussi mon esprit. J'aurais dû envoyer Enid se coucher, mais elle s'était installée dans un fauteuil, et je n'ai pas voulu la réveiller. Il était une heure du matin, à peu près... Je revois la lune qui brillait derrière les vitres de couleur. J'étais assis, je ruminais mon chagrin. Puis soudain il y a eu un bruit.

— Un bruit, monsieur?

— Oui. D'abord très faible: juste une sorte de tic-tac. Puis il devint plus fort, plus distinct: nettement toc, toc, toc. Maintenant, voici la bizarre coïncidence, le genre de choses d'où naissent les légendes quand vous les racontez à des gens crédules. Apprenez que ma femme avait une façon spéciale de frapper à une porte: c'était vraiment un petit air qu'elle tambourinait avec ses doigts. Et moi je l'avais imitée, si bien que nous savions toujours tous les deux quand l'un de nous frappait. Bon. Hé bien! il m'a semblé... J'étais tendu, n'est-ce pas? anormalement surtendu... Il m'a semblé que ce toc-toc-toc reproduisait le petit air que tambourinaient ses doigts. Et j'étais incapable de le localiser. Pensez si j'ai essayé! C'était au-dessus de moi, quelque part dans la charpente. J'avais perdu la notion du temps, mais j'affirme que ce signal s'est répété au moins une douzaine de fois.

– Oh! papa, vous ne me l'aviez jamais dit!

– Non, mais je t'ai réveillée. Je t'ai demandé de rester assise près de moi sans bouger pendant quelques instants.

– Oui, je m'en souviens.

– Hé bien! nous sommes restés assis, mais le bruit ne s'est plus fait entendre. Evidemment, c'était une hallucination. Ou bien un insecte dans le bois. Ou le lierre sur le mur extérieur. Et mon propre cerveau a fourni le rythme. Voici comme nous faisons de nous-mêmes des fous et des sots. Mais j'ai découvert quelque chose: j'ai réalisé jusqu'où un homme intelligent pouvait être trompé par ses propres émotions.

– Mais comment savez-vous, monsieur, que ce n'était pas Mme Challenger?

– Absurde, Malone! Absurde, réellement absurde! Je vous dis que je l'avais vue dans le four crématoire. Que restait-il d'elle ensuite?

– Son âme, son esprit...

Challenger secoua tristement la tête.

– Quand ce cher corps a été dissous en ses éléments, quand les éléments gazeux se sont mêlés à l'air et quand les éléments solides ont été transformés en une poussière grise, tout était consommé, fini. Il ne restait plus rien. Elle avait joué son rôle; elle le joua magnifiquement, avec noblesse. C'était terminé. La mort termine tout, Malone! Cette histoire d'âme n'est pas autre chose que l'animisme des sauvages: une superstition, un mythe. En tant que physiologue, je puis produire le crime ou la vertu par simple contrôle vasculaire ou excitation cérébrale. Par une opération chirurgicale je puis transformer un Jekyll en un Hyde. Un autre le fera par une suggestion psychologique. Et l'alcool en est capable. Et les stupéfiants aussi... Non, Malone, votre hypothèse est absurde! Là où l'arbre tombe, là il reste couché. Il n'y a pas de lendemain... Il y a la nuit: une nuit éternelle... et un très long repos pour le travailleur fatigué.

– C'est une philosophie maussade!

– Mieux vaut qu'elle soit maussade qu'erronée.

– Peut-être... Il y a de la virilité à envisager le pire. Je ne vous apporte pas la contradiction. Ma raison est d'accord avec vous.

– Mais mes instincts sont contre! s'écria Enid. Non, non, jamais je ne pourrai croire à cela!

Elle enlaça le cou de taureau de son père pour lui dire:

– Ne prétendez pas, papa, que vous, avec votre cerveau puissant et votre si merveilleuse personnalité, vous ne vaudrez pas mieux qu'une horloge cassée!

– Quatre seaux d'eau et un sachet de sel! sourit Challenger en se libérant de l'étreinte de sa fille. Voilà ce qu'est ton père, fillette! Accommode ton esprit à cette pensée. Maintenant, il est huit heures moins vingt. Si vous le pouvez, Malone, revenez ici ce soir, et vous me raconterez vos aventures au royaume des fous.

CHAPITRE II

Une soirée en bizarre compagnie

Les affaires de cœur entre Enid Challenger et Edward Malone ne présentent pas le moindre intérêt pour le lecteur, pour la bonne raison qu'elles n'en présentent aucun pour l'auteur. Tomber dans le piège invisible de l'amour est le sort commun à toute la jeunesse. Or, dans cette relation, nous entendons traiter des sujets moins banals et d'une importance plus haute. Nous n'avons indiqué les sentiments naissants des deux jeunes gens que pour expliquer leurs rapports de camaraderie franche et intime. Si l'espèce humaine a réalisé quelques progrès, au moins dans les pays anglo-celtiques, c'est parce que les manières hypocrites et sournoises du passé se sont corrigées, et que de jeunes hommes et de jeunes femmes peuvent aujourd'hui se rencontrer sous les auspices d'une amitié saine et honnête.

Le taxi que héla Malone conduisit nos deux envoyés spéciaux en bas d'Edgware Road, dans une rue latérale appelée Helbeck Terrace. A mi-chemin en descendant, la morne rangée des maisons en brique était interrompue par une porte voûtée d'où s'échappait un flot de lumière. Le taxi freina et le chauffeur ouvrit la portière.

— Voici le temple des spirites, monsieur, annonça-t-il. Et il ajouta d'une voix d'asthmatique comme en ont souvent ceux qui sortent par tous les temps:

— Bêtise et compagnie, voilà comment j'appelle ça, moi! Ayant soulagé sa conscience, il remonta sur son siège, et bientôt son feu rouge arrière ne fut plus qu'un petit cercle blafard dans la nuit. Malone éclata de rire.

— Vox populi, Enid! Le public en est à ce stade.

— Nous aussi!

— Oui, mais nous allons jouer franc jeu. Je ne pense

pas que ce chauffeur soit un champion d'objectivité. Sapristi, nous n'aurions vraiment pas de chance si nous ne pouvions pas entrer!

Devant la porte, il y avait beaucoup de monde; un homme, sur les marches, faisait face à la foule, et agitait ses bras pour la contenir:

— Inutile, mes amis! Je suis très désolé, mais il n'y a rien à faire. Deux fois déjà on nous a menacés de poursuites parce que nous embouteillons la circulation.

Il se fit moqueur:

— Jamais je n'ai entendu dire qu'une église orthodoxe avait eu des ennuis parce qu'elle attirait trop de monde... Non, monsieur, non!

— Je suis venue à pied de Hammersmith! gémit une voix.

La lumière éclaira le visage ardent, anxieux, d'une petite bonne femme en noir qui portait un bébé dans ses bras.

— Vous êtes venue pour la clairvoyance, madame? dit l'introducteur, qui avait compris. Tenez, inscrivez là votre nom et votre adresse; je vous écrirai, et Mme Debbs vous donnera une consultation gratuite. Cela vaudra mieux que d'attendre dans la foule; d'autant plus que, avec la meilleure volonté du monde, vous ne pourrez pas entrer. Vous l'aurez pour vous toute seule. Non, monsieur, ce n'est pas la peine de pousser... Qu'est-ce que c'est?... La presse?

Il avait pris Malone par le coude.

— La presse, avez-vous dit? La presse nous boycotte, monsieur. Si vous en doutez, jetez un coup d'œil sur la liste des services religieux dans le *Times* du samedi: ce n'est pas là que vous apprendriez que le spiritisme existe... Quel journal, monsieur?... La *Daily Gazette*. Bon, bon, nous faisons des progrès, je vois!... Et la dame aussi?... Un article spécial, quel horreur! Collez à moi, monsieur; je vais voir ce que je peux faire. Fermez les portes, Joe! N'insistez pas, mes amis. Quand la caisse sera plus riche, nous aurons plus de place pour vous. Maintenant, mademoiselle, par ici, s'il vous plaît.

Par ici, c'était en descendant la rue et en contournant une ruelle latérale jusqu'à une petite porte au-dessus de laquelle brillait une lampe rouge.

— Je vais être obligé de vous placer sur l'estrade: il ne reste plus une place debout dans la salle.

— Bonté divine! s'exclama Enid.

— Vous serez aux premières loges, mademoiselle, et, si vous avez de la chance, peut-être bénéficierez-vous d'une lecture. Il arrive souvent que ce sont les personnes qui sont le plus près du médium qui sont favorisées. Entrez, monsieur, s'il vous plaît.

Ils entrèrent dans une petite pièce sentant le renfermé; aux murs d'un blanc douteux des chapeaux et des pardessus étaient accrochés. Une femme maigre, austère, dont les yeux étincelaient derrière les lunettes, était en train de chauffer ses mains décharnées au-dessus d'un petit feu. Dans l'attitude anglaise traditionnelle, le dos à la cheminée, se tenait un homme grand et gros avec une figure blême, une moustache rousse et des yeux d'un curieux bleu clair — les yeux d'un marin au long cours. Un petit homme chauve, chaussé d'énormes lunettes à monture en corne, et un jeune garçon athlétique en complet bleu complétaient le groupe.

— Les autres sont déjà sur l'estrade, monsieur Peeble. Il ne reste plus que cinq sièges pour nous, dit le gros homme.

— Je sais, je sais! répondit l'homme qui s'appelait M. Peeble et qui, à la lumière, révélait un physique sec, tout en nerfs et en muscles. Mais c'est la presse, monsieur Bolsover. La *Daily Gazette*. Un article spécial... Malone et Challenger. Je vous présente M. Bolsover, notre président. Et voici Mme Debbs, de Liverpool, la fameuse voyante. Voici M. James, et ce jeune gentleman est notre énergique secrétaire M. Hardy Williams. M. Williams est un as pour collecter de l'argent. Ayez l'œil sur votre portefeuille si M. Williams rôde autour de vous!

Tout le monde se mit à rire.

— La quête viendra plus tard, dit M. Williams.

— Un bon article vibrant serait la meilleure contribution! intervint le président. Vous n'avez jamais assisté à une séance, monsieur.

— Non, répondit Malone.

— Vous n'êtes donc pas très informé, je suppose?

— Non, je ne suis pas informé du tout.

— Alors nous devons nous attendre à un éreintement! D'abord on ne voit les choses que sous l'angle humoristique. Vous écrirez donc un compte rendu très amusant. Remarquez que pour ma part je ne vois rien de comique dans l'esprit d'un époux décédé ou d'une épouse défunte; c'est affaire de goût, sans doute, et aussi de culture. Quand on ne sait pas, comment parler sérieusement? Je ne blâme personne. Jadis, nous étions pour la plupart comme ceux qui nous critiquent aujourd'hui. J'étais l'un des hommes de Bradlaugh, et j'étais sous les ordres de Joseph MacCabe jusqu'à ce que mon vieux père vînt et me sortît de là.

— Heureusement pour lui! fit la médium de Liverpool.

— Ce fut la première fois que je me découvris un pouvoir personnel. Je l'ai vu comme je vous vois maintenant.

— C'est l'heure! intervint M. Peeble en refermant le boîtier de sa montre. Vous êtes à la droite du fauteuil, madame Debbs; voulez-vous passer la première? Puis vous, monsieur le président. Ensuite vous deux, et moi enfin. Tenez-vous sur la gauche, monsieur Hardy Williams, et conduisez les chants. Les esprits ont besoin d'être échauffés, et vous êtes capable de le faire. Maintenant allons-y, s'il vous plaît!

L'estrade était déjà comble, mais les nouveaux arrivants se frayèrent un chemin, au milieu d'un murmure décent de bienvenue. M. Peeble donna quelques coups d'épaule, supplia, et deux places apparurent sur le banc du dernier rang: Enid et Malone s'y installèrent. Ils s'y trouvaient fort bien, car ils pouvaient se camoufler pour prendre des notes.

— Qu'est-ce que vous en pensez? chuchota Enid.

— Aucune impression pour l'instant.

— Moi non plus, dit-elle. Mais c'est très intéressant tout de même.

Que vous soyez ou non d'accord avec eux, les gens sérieux sont toujours intéressants. Or cette foule, sans aucun doute, était extrêmement sérieuse. La salle était bondée; sur tous les rangs les visages étaient tournés vers l'estrade; ils avaient un air de famille; les femmes étaient légèrement plus nombreuses que les hommes. On n'aurait pas pu dire que l'assistance était distinguée, ni composée d'intellectuels; mais la moyenne avait un aspect sain, honnête, raisonnable: petits commerçants, chefs de rayon des deux sexes, artisans aisés, femmes appartenant aux classes moyennes avec des responsabilités familiales, et, bien entendu, quelques jeunes gens en quête de sensation, telle était sa structure sociale vue par l'œil exercé de Malone.

Le gros président se leva et tendit la main.

— Mes amis, dit-il, nous avons dû encore une fois refuser l'entrée à beaucoup de gens qui désiraient être des nôtres ce soir. Mais avec des moyens plus larges nous aurions plus de place; M. Williams, à ma gauche, sera heureux de s'en entretenir avec tous ceux que la question intéresserait. J'étais la semaine dernière dans un hôtel; au-dessus du bureau de réception, il y avait un écriteau: « Les chèques ne sont pas acceptés. » Notre frère Williams ne tiendrait pas de pareils propos: faites-en l'expérience.

Un rire parcourut l'assistance. L'atmosphère ressemblait davantage à celle d'une salle de conférences qu'à celle d'une église.

— Il y a encore une chose que je désire vous dire avant de me rasseoir. Je ne suis pas ici pour parler. Je suis ici pour me taire, et j'entends le faire le plus tôt possible. Mais je voudrais demander aux spirites convaincus de ne pas venir le dimanche soir: ils occupent les places qui pourraient être occupées par des profanes. Le service du matin est à votre disposition. Il est préférable pour la cause que les curieux puissent entrer le soir. Vous avez trouvé de la place: remerciez-en Dieu. Mais donnez aux autres leur chance!

Et le président retomba dans son fauteuil.

M. Peeble sauta sur ses pieds. De toute évidence, il jouait l'homme utile qui émerge de chaque société et qui prend plus ou moins le commandement. Avec son visage ascétique et passionné, ses mains élancées, il avait l'air d'un pylône vivant: l'électricité devait jaillir du bout de ses doigts.

— L'hymne N° 1! cria-t-il.

Un harmonium bourdonna et le public se leva. C'était un beau cantique, qui fut chanté avec vigueur:

De l'éternel rivage du Ciel
Un souffle rapide est passé sur le monde.
Les âmes qui ont triomphé de la Mort
Retournent une fois de plus vers la terre.

La vigueur s'accrut pour le refrain:

C'est pourquoi nous sommes en fête,
Pourquoi nous chantons avec joie,
O tombeaux, où sont vos victoires,
O Mort, où est ton aiguillon?

Oui, ces gens-là étaient sérieux! Et ils ne paraissaient pas avoir l'esprit particulièrement débile. Cependant, Enid et Malone ne purent se défendre contre un sentiment de grande pitié en les contemplant. Quelle tristesse d'être trompés, dupés par des imposteurs utilisant les sentiments les plus sacrés et des morts bien-aimés pour tricher! Que savaient-ils, ces pauvres malheureux, des lois froides et immuables de la science?

– Et maintenant, hurla M. Peeble, nous allons demander à M. Munro, d'Australie, de nous dire l'invocation.

Un homme âgé, auquel une barbe hirsute et le feu qui couvait dans ses yeux donnaient l'air d'un sauvage, se mit debout; pendant quelques secondes, il demeura la tête basse. Puis il commença à prier; et c'était une prière très simple, pas du tout préparée à l'avance. Malone prit en note la première phrase:

– *O Père, nous sommes un peuple très ignorant et nous ne savons pas comment entrer en communication avec toi! Mais nous te prierons du mieux que nous le pouvons...*

Tout était dans cette note humble. Enid et Malone échangèrent un coup d'œil de connaisseurs.

Il y eut un autre cantique, moins réussi que le premier, après quoi le président annonça que M. James Jones, de la Galles du Nord, allait publier un message hypnotique

que lui transmettait son contrôle bien connu Alasha l'Atlantéen.

M. James Jones, petit homme vif et décidé dans un costume à carreaux, s'avança et commença par demeurer une bonne minute plongé dans une méditation profonde. Puis un violent frisson le secoua, et il se mit aussitôt à parler. Force fut d'admettre que, mis à part une certaine fixité dans le regard et l'éclat vide des yeux, rien n'indiquait que l'orateur pouvait être quelqu'un d'autre que M. James Jones, de la Galles du Nord. Il convient également de signaler qu'après le frisson qui agita au début M. Jones, ce fut au tour de l'assistance de frémir, tant il devint rapidement évident qu'un esprit atlantéen pouvait assommer un auditoire de Londres. Les platitudes s'entassaient sur les inepties, ce qui poussa Malone à dire à Enid que si Alasha était un représentant authentique de la population atlantéenne, il n'était que juste que sa terre natale eût été engloutie au fond de l'océan Atlantique. Quand, avec un nouveau frisson plutôt mélodramatique, M. Jones sortit de son état d'hypnose, le président se leva avec empressement: visiblement, il était résolu à empêcher l'Atlantéen de se manifester encore.

– Nous avons parmi nous ce soir, s'écria-t-il, Mme Debbs, la célèbre voyante de Liverpool. Mme Debbs, comme le savent beaucoup d'entre vous, est généreusement gratifiée de plusieurs de ces dons de l'esprit dont parle saint Paul et, en particulier, de celui de voir les esprits. De tels phénomènes dépendent de lois qui nous dépassent, mais une atmosphère de communion sympathique est essentielle: Mme Debbs réclame donc vos vœux et vos prières pendant qu'elle s'efforcera d'entrer en relation avec l'une de ces lumières de l'au-delà qui pourraient nous honorer ce soir de leur présence.

Le président se rassit, et Mme Debbs se leva parmi des applaudissements discrets. Très grande, très pâle, très maigre, elle avait le visage aquilin, et ses yeux brillaient avec éclat derrière ses lunettes cerclées d'or. Elle se plaça en face de l'assistance. Elle baissa la tête. Elle semblait écouter.

– Des vibrations! cria-t-elle enfin. J'ai besoin de vibrations secourables. Donnez-moi un verset sur l'harmonium, s'il vous plaît.

L'instrument entama: « Jésus, vous qui aimez mon âme... » L'auditoire était tout silence: à la fois impatient et craintif. La salle disposait d'un éclairage assez maigre, et des ombres noires baignaient les angles. La voyante baissa davantage la tête, comme si elle tendait l'oreille. Puis elle leva la main, et la musique s'arrêta.

— Bientôt! Bientôt! Chaque chose en son temps! dit Mme Debbs, qui s'adressait à un compagnon invisible, puis qui se tourna vers l'assistance pour ajouter:

» Je ne sens pas que ce soir les conditions soient très bonnes. Je ferai de mon mieux, et eux aussi. Mais d'abord, il faut que je vous parle.

Et elle parla. Ce qu'elle dit fit aux deux profanes l'impression d'être un bredouillis incompréhensible. Son discours était sans suite; pourtant de temps à autre une phrase ou quelques mots s'en détachaient curieusement pour retenir l'attention. Malone remit son stylo dans sa poche. A quoi bon prendre en note les propos d'une maboule? Un habitué, assis à côté de lui, remarqua son air dégoûté et murmura:

— Elle règle son poste. Elle est en train d'accrocher sa longueur d'onde. Tout est affaire de vibration. Ah! nous y voilà!

Elle s'était interrompue en plein milieu d'une phrase. Son long bras, terminé par un index tremblant, jaillit en avant. Elle désignait une femme entre deux âges au deuxième rang.

— Vous! Oui, vous, avec la plume rouge. Non, pas vous! La dame forte devant. Oui, vous! Je vois un esprit qui prend forme derrière vous. C'est un homme. C'est un homme grand: un mètre quatre-vingts au moins. Il a le front haut, des yeux gris ou bleus, le menton allongé, une moustache brune, des rides. Est-ce que vous le reconnaissez, amie?

La dame forte parut émue, mais elle secoua négativement la tête.

— Bon. Voyons si je peux vous aider. Il tient un livre... un livre brun avec un fermoir. Un registre comme il y en a dans les bureaux. Je lis les mots : « Assurances écossaises. » Est-ce que cela vous dit quelque chose?

La dame forte se mordit les lèvres et secoua la tête.

— Bien. Je peux vous confier aussi qu'il est mort après une longue maladie. On me suggère: un mal dans la poitrine... de l'asthme.

La dame forte s'opiniâtra dans la négative, mais une petite personne au visage enluminé, deux rangs derrière, se leva furieuse.

— C'est mon homme m'dame. Dites-y que j'veux plus rien avoir avec lui.

Elle se rassit d'un air décidé.

— Oui, vous avez raison. Il se déplace vers vous maintenant. Tout à l'heure, il était plus près de l'autre. Il voudrait dire qu'il a de la peine. Ce n'est pas bien, vous savez, de se montrer dure envers les défunts! Pardonnez et oubliez, un point c'est tout. J'ai reçu un message pour vous. Le voici: « Fais-le, et ma bénédiction t'accompagnera! » Est-ce qu'il a pour vous une signification quelconque?

La femme furieuse parut soudain enchantée, et fit un signe de tête affirmatif.

— Très bien, fit la voyante qui, soudain, étendit son bras en direction de la foule vers la porte.

» Pour le soldat!...

Un soldat en kaki, au visage très ahuri, se tenait en effet près de la porte.

— Quoi, pour le soldat? demanda-t-il.

— C'est un militaire. Il a des galons de caporal. C'est un gros homme avec des cheveux poivre et sel. Sur les épaules, il a un écusson jaune. Je lis les initiales: J. H. Le connaissez-vous?

— Oui, mais il est mort! répondit le soldat.

Il n'avait pas compris qu'il se trouvait dans un temple du spiritisme, et la séance était restée pour lui un mystère. Ses voisins entreprirent de lui expliquer de quoi il s'agissait.

— Bon Dieu! s'exclama-t-il.

Et il disparut sous les rires de l'assistance. Dans l'intervalle, Malone entendait le médium chuchoter constamment à quelqu'un d'invisible.

— Oui, oui, attendez votre tour! Parlez, femme! Hé bien! prenez place à côté de lui. Comment le saurais-je?... Bon. Si je le peux, je le ferai.

Elle ressemblait à un portier de théâtre qui réglementerait une file d'attente.

Sa tentative suivante se solda par un échec complet. Un solide gaillard à pattes tombantes refusa formellement de s'intéresser à un gentleman âgé qui prétendait être son cousin. Le médium opéra avec une patience admirable, revenant sans cesse à l'assaut avec un nouveau détail, mais l'homme demeura sur ses positions.

— Etes-vous spirite, ami?

— Oui, depuis dix années.

— Alors vous n'ignorez pas qu'il y a des difficultés.

— Oui, je le sais.

— Réfléchissez encore. Cela peut vous revenir plus tard. Laissons-le pour l'instant. Simplement, je regrette, pour votre ami...

Une pause s'ensuivit, que Malone et Enid mirent à profit pour échanger quelques impressions.

— Qu'est-ce que vous en pensez, Enid?

— Je ne sais plus. Mes idées s'embrouillent.

— Je crois qu'il s'agit pour moitié d'un jeu de devinettes, et pour l'autre moitié d'une histoire de compères. Ces gens appartiennent tous à la même paroisse, et naturellement ils connaissent réciproquement leurs petites affaires. Et s'ils ne les connaissent pas, ils peuvent toujours se renseigner.

— Quelqu'un a déclaré que c'était la première fois que Mme Debbs venait ici.

— Oui, mais ils peuvent facilement la diriger. Tout est charlatanisme et bluff. Intelligemment appliqués d'ailleurs! Mais il faut que ce soit des charlatans; sinon, pensez à ce que tout cela impliquerait!

— La télépathie, peut-être?

— Oui, elle doit entrer un peu en ligne de compte. Ecoutez-la: voici qu'elle redémarre!

La tentative qu'elle engagea fut mieux réussie que la précédente. Dans le fond de la salle, un homme lugubre reconnut sa femme et la revendiqua.

— J'ai le nom de Walter.
— Oui, c'est le mien.
— Elle vous appelait Wat?
— Non.
— Hé bien! maintenant, elle vous appelle Wat. « Dites à Wat de transmettre aux enfants tout mon amour. » Voilà comment j'ai eu Wat. Elle se tourmente au sujet des enfants.
— Ça été toujours son tourment.
— Alors elle n'a pas changé. Ils ne changent pas. Le mobilier. Quelque chose à propos du mobilier. Elle dit que vous vous en êtes défait. Est-ce exact?
— Ben! je m'en déferai peut-être.
L'auditoire sourit. C'était étrange de voir à quel point le solennel et le comique se mêlaient éternellement. Etrange, et cependant très naturel, très humain...
— Elle a un message: « L'homme paiera et tout ira bien. Sois un brave homme, Wat, et nous serons plus heureux ici que nous ne l'avons jamais été sur la terre. »
L'homme passa une main sur ses yeux. Comme la prophétesse semblait indécise, le jeune secrétaire se souleva de sa chaise pour lui murmurer quelques mots. Elle lança aussitôt un regard vif par-dessus son épaule gauche dans la direction des deux journalistes.
— J'y viendrai! dit-elle.
Elle gratifia l'assistance de deux nouveaux portraits, l'un et l'autre plutôt vagues, et reconnus avec quelques réserves. Malone observa qu'elle donnait des détails qu'il lui était impossible de voir à distance. Ainsi, travaillant sur une forme qu'elle proclamait apparue à l'autre bout de la salle, elle indiquait néanmoins la couleur des yeux et de petites particularités du visage. N'y avait-il pas là une preuve de supercherie? Malone le nota. Il était en train de griffonner sur son carnet quand la voix de la voyante se fit plus forte; il leva les yeux: elle avait tourné la tête; les lunettes scintillaient dans sa direction.
— Il ne m'arrive pas souvent de lire pour quelqu'un placé sur l'estrade, commença-t-elle en regardant alternativement Malone et l'assistance. Mais nous avons ici ce soir des amis qui seront peut-être intéressés à entrer en

communication avec le peuple des esprits. Une présence se compose actuellement derrière ce monsieur à moustache... Oui, le gentleman qui est assis à côté de cette dame... Oui, monsieur, derrière vous. C'est un homme de taille moyenne, plutôt petit. Il est âgé. Il a plus de soixante ans, des cheveux blancs, un nez busqué et une petite barbe blanche, un bouc. Il n'est pas de vos parents, je crois, mais c'est un ami. Est-ce que cela vous suggère quelque chose, monsieur?

Malone secoua la tête avec un dédain visible, tout en murmurant à Enid que cette description était valable pour n'importe quel vieillard.

— Alors nous irons un peu plus près. Il a des rides profondes sur le visage. Lorsqu'il vivait, c'était un homme irascible, avec des manières vives, nerveuses. Est-ce que vous voyez mieux?

Une nouvelle fois, Malone secoua la tête.

— Quelle blague! Quelles imbécillités! chuchota-t-il pour Enid.

— Bien. Mais il me semble angoissé. Alors nous allons faire pour lui tout ce qui est en notre pouvoir. Il tient un livre à la main. Un livre de science. Il l'ouvre, et je vois dedans des graphiques, des schémas. Peut-être l'a-t-il écrit lui-même? Peut-être a-t-il enseigné d'après ce livre? Oui, il me fait signe que oui. Il a enseigné d'après ce livre. C'était un professeur.

Malone persévéra dans son mutisme.

— Je ne vois pas comment je pourrais l'aider davantage. Ah! voilà un détail. Il a un grain de beauté au-dessus du sourcil droit.

Malone sursauta comme s'il avait été piqué.

— Un grain de beauté? s'écria-t-il.

Les lunettes étincelèrent.

— Deux grains de beauté: un gros, un petit.

— Seigneur! haleta Malone. C'est le professeur Summerlee!

— Ah! vous l'avez trouvé? Il y a un message: « Salutations au vieux... » Le nom est long; il commence par un C. Je ne l'ai pas identifié. Est-ce qu'il vous dit quelque chose?

— Oui.

L'instant d'après, elle s'était détournée de lui et décrivait quelque chose ou quelqu'un d'autre. Mais sur l'estrade derrière elle, la voyante laissait un homme complètement désemparé.

C'est alors que la tranquillité du cérémonial fut troublée par une interruption qui frappa de surprise l'auditoire autant que les deux visiteurs. A côté du président apparut subitement un homme grand, au visage clair, barbu, habillé comme un commerçant aisé, qui leva une main dans un geste tranquille, à la manière d'un chef habitué à exercer son autorité. Puis il se pencha vers M. Bolsover et lui dit quelques mots.

— Voici M. Miromar, de Dalston, annonça le président. M. Miromar a un message à transmettre. Nous sommes toujours heureux d'entendre parler M. Miromar.

Les journalistes, de leur place, voyaient assez mal le nouvel arrivant; mais tous deux furent impressionnés par sa noble allure et par la forme massive de la tête, qui laissait supposer une puissance intellectuelle peu commune. Sa voix résonna dans la salle avec une agréable clarté.

— J'ai reçu l'ordre de communiquer ce message partout où je crois qu'il y a des oreilles pour l'entendre. Ici j'en vois plusieurs, voilà pourquoi je suis venu. Il est souhaitable que l'espèce humaine comprenne progressivement la situation, afin que soient évités toute frayeur ou tout bouleversement. Je suis l'un de ceux qui ont été élus pour vous informer.

— Un cinglé, j'en ai peur! murmura Malone, qui griffonnait fiévreusement sur ses genoux.

L'assistance avait dans sa majorité envie de sourire; toutefois, l'aspect et la voix de l'orateur les retinrent suspendus à chaque mot.

— Les choses sont maintenant à leur comble. L'idée même du progrès s'est enfoncée dans la matière. Le progrès consiste à aller vite, à communiquer rapidement les uns avec les autres, à construire de nouvelles machines. Tout ceci constitue une diversion à la véritable ambition. Il n'y a qu'un progrès réel et juste: le progrès spirituel.

L'humanité lui a payé tribut du bout des lèvres, mais fonce au contraire sur la route illusoire du progrès matériel.

» L'intelligence centrale a reconnu que dans toute cette apathie il entrait aussi un grand doute honnête, qui avait ébranlé les vieilles croyances et qui avait droit à un témoignage neuf. En conséquence, un nouveau témoignage a été envoyé: un témoignage qui rend la vie visible après la mort aussi clairement que le soleil dans les cieux. Les savants s'en sont moqués, les Eglises ont prononcé des condamnations et lancé des anathèmes, les journaux ont plaisanté, le mépris a été général. Ça été la plus récente et la plus grosse bévue de l'humanité.

L'assistance avait relevé la tête. Des spéculations générales auraient passé au-dessus de son horizon mental. Mais ces phrases simples étaient faciles à comprendre. Un murmure d'assentiment et de sympathie parcourut les rangs.

– Bévue désespérante! Irréparable! Le don du Ciel ayant été dédaigné, un avertissement plus sévère devint alors nécessaire. Un coup terrible fut assené. Dix millions de jeunes hommes tombèrent sur les champs de bataille et moururent. Deux fois autant furent mutilés. Tel fut l'avertissement de Dieu à l'humanité; vous le savez, il a été donné en vain! Le même matérialisme épais continue à prévaloir. Pourtant des années de grâce nous avaient été accordées! Or, excepté les mouvements spirituels que l'on voit dans des temples comme celui-ci, nulle part un changement n'a pu être enregistré. Les nations accumulent de nouvelles quantités de péchés; or le péché doit toujours être expié. La Russie est devenue un cloaque d'iniquité. L'Allemagne ne s'est pas repentie du terrible matérialisme qui a été à l'origine de la guerre. L'Espagne et l'Italie ont sombré alternativement dans l'athéisme et la superstition. La France a perdu tout idéal religieux. L'Angleterre, troublée, regorge de sectes sans intelligence et sans vie. L'Amérique a abusé d'occasions glorieuses: au lieu de se conduire en frère plus jeune et affectueux de l'Europe blessée, elle entrave tout relèvement économique en réclamant le paiement de ses créances; elle a déshonoré la signature de son propre président en refusant de se joindre à la Société des Nations, qui représentait l'un des espoirs pour demain. Toutes les nations ont péché: quelques-unes davantage que d'autres; leur punition sera exactement en proportion de leurs péchés.

» Et cette punition va venir bientôt. J'ai été prié de vous le dire. Les mots qui m'ont été donnés pour vous, je vais les lire de façon à ne pas en altérer le sens.

Il tira de sa poche un feuillet de papier et lut:

— « Nous ne voulons pas que ce peuple soit épouvanté. Mais nous voulons qu'il commence à se transformer: à développer sa personnalité selon une ligne plus spirituelle. Nous n'essayons pas d'exciter ce peuple; simplement nous tentons de le préparer pendant qu'il en est temps encore. Le monde ne peut pas continuer sur la voie qu'il a suivie jusqu'ici; s'il persévérait, il se détruirait. Surtout nous devons tous balayer ce nuage de théologie qui est venu s'interposer entre l'homme et Dieu. »

Il plia le papier et le remit dans sa poche.

— Voilà ce qu'il m'a été ordonné de vous dire. Répandez-en la nouvelle partout où vous apercevrez une ouverture dans une âme. Répétez: « Repentez-vous! Réformez-vous! Le temps est proche! »

Il s'était interrompu, et il semblait sur le point de partir. Le charme se rompit. L'assistance s'ébroua et se renfonça dans les sièges. Du fond jaillit une voix:

— Est-ce la fin du monde, m'sieur?

— Non! répondit sèchement l'étranger.

— Est-ce le deuxième avènement? s'enquit une autre voix.

— Oui.

Avec de rapides pas légers, il se faufila parmi les chaises de l'estrade et il arriva à la porte. Quand Malone se retourna un peu plus tard, il avait disparu.

— C'est l'un de ces fanatiques du deuxième avènement, chuchota-t-il à l'oreille d'Enid. Il en existe beaucoup: des christiadelphiens, des russellistes, des étudiants de la Bible, etc. Mais celui-ci était impressionnant.

— Très impressionnant! confirma Enid.

— Nous avons écouté avec un vif intérêt, j'en suis sûr,

reprit le président, ce que nous a dit notre ami. M. Miromar est de cœur avec notre mouvement, quoique à la vérité il n'en fasse pas partie. Il sera toujours le bienvenu sur nos estrades. Quant à sa prophétie, il me semble à moi que le monde a eu assez de difficultés sans que nous ayons à en prédire d'autres. Si les choses en sont au point qu'a indiqué notre ami, nous ne pouvons pas faire grand-chose pour les arranger. Nous pouvons seulement poursuivre l'accomplissement de nos tâches quotidiennes, les accomplir le mieux possible et attendre l'événement en nous fiant au secours que nous espérons d'en haut.

» Si le jour du Jugement est pour demain, ajouta-t-il en souriant, j'entends aujourd'hui poursuivre comme chaque jour l'approvisionnement de mon magasin. Et maintenant reprenons notre service.

Le jeune secrétaire lança alors un vigoureux appel réclamant de l'argent et de quoi alimenter le fonds de construction:

— N'est-ce pas une honte qu'il soit resté dans la rue ce soir plus de gens qu'il n'y en a dans cette salle? Et cela un dimanche soir! Tous nous donnons gratuitement notre temps. Mme Debbs se fait payer uniquement ses frais de voyage. Mais il nous faut mille livres avant que nous puissions démarrer. Je connais l'un de nos frères qui a hypothéqué sa maison de famille pour nous venir en aide. Seul l'esprit peut vaincre. A présent, voyons ce que vous pouvez faire ce soir pour nous.

Une douzaine d'assiettes à soupe circulèrent, pendant que l'assistance entonnait un cantique qu'accompagnait le tintement des pièces de monnaie. Enid et Malone en profitèrent pour discuter à mi-voix.

— Vous savez que le professeur Summerlee est mort à Naples l'année dernière?

— Oui, je me souviens très bien de lui.

— Et le « vieux C » était, évidemment, votre père.

— Cela a vraiment été extraordinaire!

— Pauvre vieux Summerlee! Il affirmait que la survie était une absurdité. Et ce soir il était là... ou du moins il avait l'air d'être là.

Les assiettes à soupe revinrent sur l'estrade après avoir

fait le tour de l'assistance. C'était une soupe brune, malheureusement, qui fut déposée sur la table, et l'œil vif du secrétaire l'évalua rapidement. Puis le petit homme hirsute d'Australie dit une bénédiction sur le même ton simple que la prière du début. Point n'était besoin d'être le successeur des apôtres ou d'avoir reçu l'imposition des mains pour sentir que ses paroles jaillissaient d'un cœur humain et pouvaient pénétrer directement un cœur divin. Enfin l'assistance se leva pour chanter l'hymne d'adieu: une hymne qui avait une musique obsédante et un refrain doux et triste: « Que Dieu vous garde en sûreté jusqu'à notre prochaine rencontre! » Des larmes coulaient sur les joues d'Enid. Ces gens sérieux, simples, avaient des méthodes directes plus impressionnantes que n'importe quelles pompes de cathédrale avec les grandes orgues.

M. Bolsover, le gros président, était dans le vestiaire en compagnie de Mme Debbs.

— Hé bien! je pense que maintenant vous allez nous régler notre compte! s'écria-t-il en riant. Nous en avons l'habitude, monsieur Malone. Cela nous est égal. Mais un jour votre tour viendra, et vos articles ne seront plus de la même encre: vous nous rendrez justice.

— Je vous assure que je traiterai le sujet équitablement.

— Nous n'en demandons pas davantage.

La voyante s'était accoudée à la cheminée: elle avait le visage sévère et distant.

— Je crains que vous ne soyez fatiguée! lui dit Enid.

— Non, jeune demoiselle. Je ne suis jamais fatiguée quand je fais le travail du peuple des esprits. Ils y veillent.

— Puis-je vous demander, hasarda Malone, si vous avez connu le professeur Summerlee?

Le médium secoua la tête.

— Non, monsieur, non! Toujours on croit que je les connais. Je n'en connais aucun. Ils viennent et je les décris.

— Comment entendez-vous leurs messages?

— Je les entends. Une deuxième ouïe, comme une deuxième vue. Je les entends tout le temps. Ils veulent tous parler, ils me tirent par la manche, ils me tourmentent sur l'estrade: « Moi ensuite!... Moi!... Moi!... » Voilà ce que j'entends. Je fais pour le mieux, mais je ne peux pas les contenter tous.

Malone s'adressa au président:

— Qu'est-ce que vous pouvez me dire sur ce personnage qui prophétisait?

M. Bolsover haussa les épaules avec un sourire de désapprobation.

— C'est un indépendant. Nous le voyons apparaître de temps à autre: une sorte de comète qui passe parmi nous. Il m'est revenu qu'il avait prédit la guerre. Mais je suis moi-même un homme pratique: les maux d'aujourd'hui suffisent! Et nous avons aujourd'hui à payer cash suffisamment! Nous n'avons pas besoin de traites sur l'avenir... Bon, maintenant je vous souhaite une bonne nuit. Traitez-nous aussi bien que possible.

— Bonne nuit! répondit Enid.

— Bonne nuit! dit Mme Debbs. D'ailleurs, jeune demoiselle, vous êtes vous-même un médium. Bonne nuit!

Ils se retrouvèrent tous deux dans la rue et aspirèrent de fortes goulées de l'air frais de la nuit. Cela leur sembla bon après cette salle bondée! Une minute plus tard, ils furent repris par la foule d'Edgware Road; alors Malone héla un taxi pour rentrer à Victoria Gardens [1].

[1] Cf. Appendice.

CHAPITRE III

Le professeur Challenger donne son avis

Enid était déjà montée dans le taxi; Malone allait la suivre quand il entendit quelqu'un l'appeler. Un gentleman de grande taille, entre deux âges, bien habillé et ayant belle mine, accourait.

— Hello! Malone! Attendez!

— Mais c'est Atkinson! Enid, je vais vous le présenter... M. Atkinson, de Sainte-Marie, dont je parlais tout à l'heure à votre père. Est-ce que nous pouvons vous déposer quelque part? Nous allons à Victoria...

— Parfait!...

Le chirurgien s'installa à son tour dans le taxi avant d'ajouter:

— J'ai été surpris de vous voir à une réunion de spirites!

— Nous ne nous y sommes intéressés que professionnellement. Mlle Challenger et moi sommes journalistes.

— Oh! vraiment? Le *Daily Gazette,* je suppose, comme autrefois... Hé bien! vous aurez demain un lecteur de plus, car je suis curieux de savoir ce que vous direz de la réunion de ce soir.

— Il vous faudra patienter jusqu'à dimanche prochain. Cet article fait partie d'une série hebdomadaire...

— Ah! mais je ne veux pas attendre si longtemps, moi! Dites-moi tout de suite ce que vous en pensez.

— Je ne sais pas. Demain je relirai mes notes avec soin et j'y réfléchirai; puis je comparerai mes impressions avec celles de ma consœur. Elle a l'intuition de son sexe, comprenez-vous? Et l'intuition, pour tout ce qui touche à la religion, joue un rôle considérable.

— Alors quelle est votre intuition, mademoiselle Challenger?

— Favorable... Oh! oui, favorable! Mais quel mélange extraordinaire!

— C'est vrai. Je suis déjà venu plusieurs fois, et chaque séance m'a laissé dans l'esprit cette impression mêlée. Il y a du grotesque, il y a peut-être du malhonnête, et cependant, il y a aussi quelque chose de tout bonnement merveilleux.

— Mais vous n'êtes pas journaliste, vous! Pourquoi donc assistez-vous à leurs réunions?

— Parce qu'elles me passionnent. Vous savez, je me suis mis depuis quelques années à l'étude des phénomènes psychiques. Je ne suis pas un convaincu; simplement un sympathisant du spiritisme. Et j'ai suffisamment le sens des proportions pour comprendre une nuance capitale: tandis que c'est moi qui ai l'air de me poser en juge, c'est peut-être moi qui suis jugé.

Malone fit un signe de tête approbateur.

— Il s'agit d'un sujet immense. Vous vous en rendrez compte lorsque vous l'approcherez de plus près. Un sujet qui en contient une demi-douzaine d'autres très importants. Et tout repose depuis plus de soixante-dix ans entre les mains de ces braves et humbles gens. On pourrait parler d'une réédition des premiers âges du christianisme. Le christianisme a été pratiqué à l'origine par des esclaves et des subalternes jusqu'à ce qu'il eût atteint les rangs supérieurs de la société. Entre l'esclave de César et César touché par la grâce, trois cents ans se sont écoulés.

— Mais ce prédicateur! protesta Enid.

M. Atkinson se mit à rire.

— Vous voulez parler de notre ami atlantéen? Ah! l'ennuyeux personnage! J'avoue que je n'ai rien compris à son numéro. En tout cas, ce n'est certainement pas un habitant d'Atlantis qui accomplit ce long voyage pour nous gratifier d'une telle cargaison de platitudes. Ah! nous voici arrivés.

— Il faut que je ramène cette jeune fille saine et sauve à son père, dit Malone. Au fait, Atkinson, venez avec nous. Le professeur sera réellement enchanté de vous voir.

— Me voir, et à cette heure? Il va me jeter du haut de l'escalier!

— On vous a raconté des histoires! sourit Enid. Je vous assure qu'il n'est pas si méchant. Il y a des gens qui l'ennuient, mais je parie que vous n'êtes pas de ceux-là. Voulez-vous risquer votre chance?

— Puisque vous m'y encouragez, certainement!

Tous trois montèrent donc jusqu'à l'appartement du professeur.

Challenger, qui avait revêtu une robe de chambre d'un bleu étincelant, les attendait avec impatience. Il dévisagea Atkinson comme un bouledogue de combat regarde un chien qu'il ne connaît pas. Son examen dut cependant le satisfaire, car il grogna qu'il était heureux de faire sa connaissance.

— J'ai entendu votre nom, monsieur, et on m'a parlé de votre réputation qui monte. Votre résection du cordon, l'an dernier, a fait quelque bruit, si je me souviens bien. Mais seriez-vous allé vous aussi chez les fous?

— Puisque vous les appelez ainsi, alors oui! répondit Atkinson en riant.

— Grands dieux, et comment pourrais-je les appeler autrement? Je me rappelle à présent que mon jeune ami...

(Challenger, lorsqu'il faisait allusion à Malone, le traitait toujours comme un gamin de dix ans qui promettait.)

— ... que mon jeune ami m'a dit que vous étudiiez ce sujet...

De sa barbe jaillit un rire insultant:

— L'étude la plus utile à l'humanité est sans doute celle des revenants, hé! monsieur Atkinson?

Enid intervint:

— Papa n'y connaît absolument rien! Alors je vous prie de ne pas vous formaliser... Mais je suis sûre, papa, que vous auriez été intéressé!

Elle commença un résumé de la séance et de leurs aventures; récit qui fut interrompu par d'incessants grognements, grondements et ricanements. Mais lorsqu'elle en arriva à l'épisode Summerlee, Challenger fut incapable de se contenir plus longtemps. Le vieux volcan se réveilla, et un torrent d'invectives brûlantes se déversa sur ses interlocuteurs.

– Coquins de l'enfer! Maudits blasphémateurs! cria-t-il. Quand je pense qu'ils ne peuvent pas laisser ce vieux Summerlee se reposer dans son tombeau!... Nous avons eu autrefois nos querelles, et j'admets qu'il m'a contraint à ne lui accorder qu'un crédit modéré; mais s'il sortait du cimetière, ce serait assurément pour nous dire quelque chose de valable. Quelle absurdité! Absurdité méchante, indécente! Je m'élève de toutes mes forces contre le fait qu'un ami à moi soit transformé en pantin qui fasse rire un auditoire de fous... Quoi! Ils n'ont pas ri? Ils auraient dû bien rire en entendant un homme cultivé, un homme avec lequel je me suis trouvé sur un pied d'égalité, proférer de telles inepties! Je répète: des inepties! Et ne me contredites pas, Malone, s'il vous plaît! Son message aurait pu être aussi bien le post-scriptum d'une lettre écrite par une écolière de douze ans! Est-ce que ce n'est pas idiot, de la part d'un tel homme? Voyons, monsieur Atkinson, n'êtes-vous pas d'accord avec moi? Non! Je m'attendais à mieux de votre part.

– Mais la description de Summerlee?

– Seigneur! Mais où avez-vous une cervelle?... Les noms de Summerlee et de Malone n'ont-ils pas été associés avec le mien dans de minables livres qui ont déjà acquis une certaine notoriété? N'est-il pas connu que vous deux, pauvres innocents, visitez chaque semaine une secte nouvelle? N'était-il pas fatal que tôt ou tard vous assistassiez à une séance chez les spirites? Ceux-ci ont vu une chance de conversion! Ils ont appâté le pauvre goujon Malone, qui s'est précipité et a avalé l'hameçon. Tenez, regardez-le: le crochet est encore enfoncé dans sa bouche idiote. Oh! oui, Malone, idiote! Vous avez besoin qu'on vous dise vos vérités; vous les entendrez!

La crinière noire du professeur était hérissée. Ses yeux jetaient des éclairs: ils se portaient alternativement sur Enid, Malone et Atkinson.

– Bien! Chaque point de vue devant être exposé, dit Atkinson, vous me semblez particulièrement qualifié, monsieur, pour exprimer le point de vue négatif. Quant à moi, je ferai mienne une parole de Thackeray, qui disait à un contradicteur: « Ce que vous dites est naturel, mais si vous aviez vu ce que j'ai vu, peut-être modifierez-vous votre opinion. » Il est possible qu'un jour vous soyez à même de vous intéresser à ces questions; en tout cas, la place élevée que vous occupez dans le monde scientifique donnerait à votre opinion un grand prix.

— Si j'occupe une place élevée dans le monde scientifique comme vous dites, c'est parce que je me suis concentré sur ce qui est utile, et que j'ai laissé de côté ce qui est nébuleux ou absurde. Mon intelligence, monsieur, n'a pas d'arêtes émoussées: elle tranche net. Et elle a tranché net sur ceci: dans le spiritisme, il n'y a que de la fraude, de l'imposture et de l'idiotie.

— On les trouve en effet parfois réunies, dit Atkinson. Et pourtant, pourtant... Ah! Malone, je ne suis pas encore rendu chez moi, et il est tard. Voulez-vous m'excuser, professeur? Je suis très honoré de vous avoir rencontré.

Comme Malone s'en allait également, les deux camarades bavardèrent quelques instants avant de se séparer: Atkinson habitait Wimpole Street, et Malone South Norwood.

— Un grand bonhomme! dit Malone avec un petit rire. On ne doit jamais se sentir offensé par ce qu'il dit. Il n'est pas méchant. C'est un type formidable!

— Bien sûr! Toutefois cette sorte de sectarisme ferait de moi le plus enragé des spirites. Remarquez que ce sectarisme est très commun, mais il s'exprime de préférence par le ricanement. A tout prendre, le rugissement me plaît davantage. Dites, Malone, si vous avez l'intention de creuser plus profondément le sujet, je pourrais vous aider. Connaissez-vous Linden?

— Linden, le médium professionnel? On m'a affirmé qu'il était la plus belle canaille qui n'ait pas encore été pendue.

— Oui, c'est généralement ainsi qu'on parle de lui. Vous en jugerez vous-même. L'hiver dernier, il s'était déboîté la rotule et je la lui ai remise, ce qui a créé entre nous un lien d'amitié. Il n'est pas toujours libre et, naturellement, il se fait payer: une guinée, je pense, ferait l'affaire. Si vous désirez une séance, je m'en arrangerai.

– Vous le croyez sincère?

Atkinson haussa les épaules.

– Ils choisissent tous la ligne de moindre résistance! Mais je ne l'ai jamais surpris en train de frauder. Il faut que vous jugiez par vous-même.

– Entendu! répondit Malone. Cette piste m'intéresse. Elle fournira de la bonne copie. Quand j'aurai un peu éclairci mes idées, je vous écrirai, Atkinson, afin que nous approfondissions le problème.

CHAPITRE IV

Dans Hammersmith, il s'en passe de drôles!

L'article signé « de nos envoyés spéciaux » suscita autant d'intérêt que de controverses. Il était précédé d'un « chapeau » qu'avait rédigé le rédacteur en chef adjoint pour calmer les susceptibilités de la clientèle orthodoxe, et qu'on pourrait résumer ainsi: « Ces choses méritaient d'être observées et exactement rapportées; mais, entre nous, ça sent le roussi! » Un courrier considérable s'abattit aussitôt sur Malone. Les correspondants étaient pour ou contre, et leur abondance montrait quelles passions entraient en jeu. Les articles précédents n'avaient provoqué que des réactions insignifiantes: de temps à autre un grognement que poussait soit un bigot, soit un protestant évangélique zélé. Mais cette fois la boîte aux lettres de Malone ne désemplissait pas. La plupart de ses correspondants mettaient en doute l'existence des forces psychiques, dont ils faisaient des gorges chaudes; beaucoup d'ailleurs, quoi qu'ils pensassent des forces psychiques, n'avaient jamais appris l'orthographe! Les tenants du spiritisme n'étaient guère moins sévères: car Malone n'avait pas dénaturé la vérité, mais il avait usé du privilège journalistique de mettre l'accent sur les aspects humoristiques qui n'avaient pas manqué.

Dans la semaine qui suivit la publication de l'article, Malone, qui se trouvait à son bureau de la *Gazette,* prit subitement conscience d'une présence imposante qui s'était installée devant lui. Il leva ses yeux, qui découvrirent d'abord une carte de visite portant ces mots: « James Bolsover, marchand de comestibles, High Street, Hammersmith. » Il les leva plus haut: derrière la carte se tenait plutôt en chair qu'en os, le président de l'assemblée qu'il avait visitée dimanche soir. Bolsover agita vers

Malone un journal accusateur, mais son visage lui tressait des sourires.

— Allons! allons! lui dit-il. Je vous avais dit que vous seriez séduit par le côté amusant...

— Trouveriez-vous que mon compte rendu n'est pas loyal?

— Ma foi, monsieur Malone, je crois que la jeune demoiselle et vous avez fait pour nous de votre mieux. Mais vous ignoriez tout, et vous avez été impressionné par le pittoresque. Réfléchissez pourtant qu'il serait bien surprenant que tous les hommes intelligents qui ont quitté la terre n'aient pas mis au point un procédé pour venir nous dire un mot par-ci par-là.

— C'est souvent un mot bien stupide!

— Hé! oui, mais il n'y a pas que des gens intelligents qui aient quitté notre monde. Il y a aussi quantité de médiocres: ils ne changent pas. Et puis, qui peut savoir de quel message on a le plus besoin? Hier, un clergyman est venu voir Mme Debbs. Il avait le cœur brisé parce qu'il avait perdu sa fille. Mme Debbs a alors obtenu plusieurs messages: la jeune fille était heureuse; seul le chagrin de son père lui faisait véritablement de la peine. Le clergyman a alors déclaré que ces messages ne l'intéressaient pas, que n'importe qui aurait pu les prononcer, que ce n'était pas sa fille, etc. Alors, subitement, Mme Debbs a eu le message suivant: « Mais je vous en supplie, papa, ne portez jamais un col blanc avec une chemise de couleur. » C'était un message plutôt banal, n'est-ce pas? Hé bien! le clergyman a commencé à crier: « C'est elle! C'est elle! Je la reconnais: elle me taquinait toujours au sujet de mes cols! » Ce sont les petites choses qui comptent dans cette vie, monsieur Malone, simplement les choses intimes, modestes...

Malone ne s'avoua pas vaincu:

— N'importe qui aurait protesté contre une chemise de couleur et un col blanc chez un clergyman!

M. Bolsover se mit à rire:

— Vous vous cramponnez solidement à votre position! Mais je ne saurais vous en blâmer car, autrefois, j'étais comme vous... Dites-moi, je suis venu ici dans un but déterminé: vous êtes un homme occupé, je le suis aussi, alors limitons-nous aux faits. D'abord, je voulais vous dire que tous les gens sensés qui ont lu votre article en ont été satisfaits. M. Algernon Mailey m'a écrit qu'il nous ferait du bien: s'il est content, nous le sommes tous.

— Mailey l'avocat?

— Mailey le réformateur religieux, c'est sous ce titre qu'il sera célèbre.

— Bien. Quoi d'autre?

— Simplement que nous ne demandons pas mieux que de vous aider, vous et la jeune demoiselle, à approfondir le problème. Pas pour une publicité, vous comprenez, mais juste pour votre propre bien... Quoique évidemment nous ne crachions pas sur la publicité! Dans ma maison, j'organise des séances consacrées aux phénomènes psychiques sans médium professionnel. Si vous vouliez vous joindre à nous...

— Rien ne me plairait davantage.

— Alors venez! Venez tous les deux. Je n'ai pas beaucoup de profanes. Je ne voudrais pas recevoir chez moi, par exemple, l'un de ces personnages de la recherche psychique. Pourquoi risquerais-je d'être insulté par des soupçons et par des pièges? On croirait, ma parole, que nous sommes dépouvus de toute sensibilité! Vous, vous avez du bon sens: nous n'en demandons pas plus.

— Mais je ne suis pas un convaincu. Est-ce que mon incroyance ne constituera pas un obstacle?

— Pas du tout. Aussi longtemps que vous serez impartial et que vous ne détruirez pas l'ambiance, tout ira bien. Les esprits hors des corps sont comme les esprits dans les corps; ils n'aiment pas les gens désagréables. Soyez aimables et courtois, ainsi que vous le seriez dans toute autre société.

— Cela, je puis vous le promettre.

— Ils sont parfois curieux, dit encore M. Bolsover, en veine de réminiscences. Il vaut mieux se tenir sur leur droite. Ils n'ont pas la permission de faire du mal aux humains, mais nous faisons tous des choses défendues, et ils sont très humains, vous verrez! Rappelez-vous comment le correspondant du *Times* eut la tête fendue d'un coup de tambourin au cours d'une séance chez nos frères de Davenport. Bien dommage, sans doute! Mais la chose arriva. Aucun ami n'a eu la tête fendue. Il y a eu, au bas de Steppy Way, un autre cas. Un usurier se rendit à une séance. L'une de ses victimes, qu'il avait acculée au suicide, entra dans le médium: celui-ci prit l'usurier à la gorge, et il s'en fallut de peu qu'il ne l'étranglât... Mais je pars, monsieur Malone. Nous tenons séance une fois par semaine depuis quatre ans sans interruption. Le jeudi à huit heures. Prévenez-nous un jour à l'avance, et je demanderai à M. Mailey de venir pour que vous vous rencontriez. Mieux que moi il saura répondre à vos questions... Jeudi prochain? Parfait!

Et M. Bolsover sortit de la pièce.

Il est possible, après tout, que Malone et Enid Challenger aient été plus impressionnés qu'ils n'aient voulu l'admettre par leur brève expérience. Mais c'étaient tous deux des gens sensés, qui estimaient que toute cause naturelle du possible devait être épuisée, et très complètement épuisée, avant que ne fussent élargies les limites de ce possible. Tous deux professaient un profond respect pour l'intelligence formidable de Challenger, et ses vues puissantes les influençaient. Toutefois Malone se trouva obligé de convenir, au cours de fréquentes discussions, que l'opinion d'un homme intelligent sans expérience avait réellement moins d'importance et de valeur que celle de l'homme de la rue « qui y était allé ».

Des discussions, il en eut, par exemple avec Mervin, le directeur de la revue psychique *L'Aube,* qui s'occupait des différents aspects de l'occultisme à travers les âges. Mervin était un petit homme ardent, avec un cerveau de premier ordre qui l'aurait porté au faîte de sa profession s'il n'avait pas décidé de sacrifier les gloires de ce monde pour voler au secours de ce qui lui semblait être une grande vérité. Comme Malone était désireux d'apprendre, et Mervin disposé à enseigner, les maîtres d'hôtel du Club littéraire avaient du mal à leur faire quitter le coin de table près de la fenêtre où ils déjeunaient ensemble. Tout en contemplant la grande courbe de la Tamise et son panorama de ponts, ils s'attardaient devant leur café, fumaient des cigarettes, et ils ne manquaient point d'aborder tous les aspects de ce problème gigantesque et absorbant. De nouveaux horizons s'ouvraient déjà pour Malone.

Un avertissement donné par Mervin éveilla de l'impatience et presque de la colère dans l'esprit de Malone. Il était trop Irlandais pour ne pas se dresser contre toute contrainte; or cet avertissement lui donna l'impression qu'on cherchait à exercer sur lui une contrainte sournoise et particulièrement regrettable.

– Vous allez assister à l'une des séances familiales de Bolsover? lui dit Mervin. Elles sont, naturellement, fort connues parmi nous, quoique à la vérité elles n'aient lieu que pour un petit nombre d'élus. Aussi pouvez-vous vous considérer comme un privilégié. Il s'est entiché de vous!

– Il a pensé que j'avais écrit sur eux des choses équitables.

– Oh! votre article ne cassait rien! Pourtant, au sein de la stupidité obtuse et morne qui est notre lot quotidien, il réflétait un souci de dignité, d'équilibre, avec un certain sens des valeurs.

Malone secoua la cendre de sa cigarette d'un geste de désapprobation.

– Les séances de Bolsover et autres sont des éléments qui importent peu dans l'édifice de la véritable science psychique. Elles ressemblent à ces fondations grossières qui aident certainement à soutenir le temple, mais qu'on oublie dès qu'on y est entré et qu'on l'habite. C'est à la superstructure plus haute que nous nous intéressons. Si vous ajoutez foi à la littérature bon marché dont se repaît l'amateur de sensations fortes, vous allez croire que les phénomènes physiques – ceux que vous avez décrits, plus quelques histoires de revenants ou de maisons hantées – constituent tout le problème. Bien sûr, lesdits phénomènes physiques ont leur utilité: ils attirent l'attention de l'enquêteur et l'encouragent à aller de l'avant. Personnellement, je les ai tous vus, mais je ne traverserais pas la rue pour les revoir une autre fois! En revanche, je ferais des kilomètres sur les grandes routes pour obtenir des messages supérieurs de l'au-delà.

– Oui, je comprends la distinction. Mais pour moi,

c'est différent; car, personnellement, je ne crois ni aux messages ni aux phénomènes physiques.

– D'accord! Saint Paul était un bon docteur en sciences psychiques. Il argumente là-dessus avec une telle habileté que ses traducteurs ont été incapables de déguiser le sens réel, alors qu'en d'autres cas ils y ont très bien réussi.

– Pouvez-vous me donner la référence?

– Je connais assez bien mon Nouveau Testament, mais je ne le sais pas par cœur. Il s'agit du passage dans lequel il dit que le don des langues, qui était évidemment une chose sensationnelle, était destiné aux non instruits mais que les prophéties, qui sont de véritables messages spirituels, étaient le don des élus [1]. En d'autres termes, cela veut dire qu'un spirite expérimenté n'a pas besoin des phénomènes physiques.

– Je vérifierai ce passage.

– Vous le trouverez dans les Epîtres aux Corinthiens, je crois. D'ailleurs, la moyenne de l'intelligence dans ces vieilles congrégations doit avoir été assez élevée pour que les épîtres de Paul aient été lues à haute voix et parfaitement comprises.

– Ceci est généralement admis, non?

– En tout cas, c'est un exemple concret... Mais je m'engage sur une ligne secondaire. Ce que je voulais vous recommander, c'est de ne pas prendre trop au sérieux ce petit cercle de Bolsover. Ses voies sont honnêtes, mais elles sont diablement courtes! Cette chasse aux phénomènes, moi, j'appelle cela une maladie. Je connais des femmes qui s'activent constamment dans ces séances en chambre, qui revoient toujours la même chose: parfois réelle, parfois, je le crains, imitée... Non, quand vous avez le pied bien assuré sur le premier échelon, ne vous attardez pas: montez à l'échelon supérieur; et là, assurez bien votre pied.

– Je vous comprends. Mais moi, je suis encore sur la terre ferme.

– Ferme? s'écria Mervin. Seigneur!... Hélas! mon journal est aujourd'hui sous presse, et il faut que j'aille à l'im-

[1] Dans la première Epître aux Corinthiens, chap. 14.

primerie. Avec un tirage de dix mille exemplaires environ, nous agissons modestement... pas comme vous, les ploutocrates de la presse quotidienne! Pratiquement, c'est moi qui fais tout.

– Vous avez parlé d'un avertissement...

– Oui, oui! Je voulais vous avertir de quelque chose...

La figure de Mervin, mince et passionnée, se fit extrêmement sérieuse.

– Si vous avez des préjugés enracinés, religieux ou autres, qui vous amèneraient à démolir ce sujet après enquête, alors n'enquêtez pas: ce serait dangereux.

– Dangereux! En quoi?

– Ils sont indifférents au doute honnête, à la critique honnête, mais s'ils sont maltraités, ils deviennent dangereux.

– Qui « ils »?

– Ah! qui? Je me le demande! Les guides, les contrôles, les entités psychiques en quelque sorte. Qui sont les agents chargés de la vengeance, ou plutôt de la justice devrais-je dire? Ce n'est pas là le point essentiel. Le point essentiel est qu'ils existent.

– Allons, Mervin, vous déraisonnez!

– Ne le croyez pas.

– Ce sont d'absurdes bêtises! Les vieilles histoires moyenâgeuses de revenants auraient-elles donc encore cours? Je suis étonné que vous, un homme si sensé...

Mervin sourit; il avait un sourire bizarre. Mais ses yeux, sous leurs gros sourcils jaunes, étaient demeurés sérieux.

– Peut-être modifierez-vous votre opinion. Ce problème comporte des données étranges. Amicalement, je vous en indique une.

– Allons, informez-moi tout à fait!

Ainsi encouragé, Mervin esquissa la carrière et la destinée d'un certain nombre d'hommes qui avaient, selon lui, joué un jeu déloyal avec ces puissances, étaient devenus autant d'obstacles et en avaient été punis. Il parla de juges qui avaient rendu des décisions contraires à la cause, de journalistes qui avaient monté de toutes pièces des affaires sensationnelles pour jeter le discrédit sur le mouvement; il insista sur le cas de reporters qui avaient interviewé des médiums pour les tourner ensuite en dérision, ou qui, ayant amorcé une enquête, avaient reculé, effrayés, et conclu sur une note négative alors qu'en leur âme et conscience ils savaient que les faits étaient vrais. Mervin en dressa une liste imposante et précise, mais Malone n'était pas disposé à se laisser bluffer.

— En choisissant soigneusement des exemples, on pourrait dresser une liste pareille sur n'importe quel sujet. M. Jones a dit que Raphaël était un barbouilleur, et M. Jones est mort d'une angine de poitrine; donc il est dangereux de critiquer Raphaël. C'est bien votre syllogisme, n'est-ce pas?

— Manière de parler! Mais enfin...

— Par ailleurs, considérez le cas de Morgate. Il a toujours été un adversaire puisqu'il professe un matérialisme déclaré. Pourtant il prospère: regardez son collège...

— Ah! c'est un sceptique honnête! Oui, certainement. Pourquoi pas?

— Et Morgan, qui en une occasion a démasqué des médiums?

— Si c'étaient de faux médiums, il a rendu un grand service.

— Et Falconer, qui a écrit sur vous des choses si désagréables?

— Ah! Falconer! Ne connaissez-vous rien de la vie privée de Falconer? Non? Hé bien! croyez-moi si je vous affirme qu'il a reçu son dû! Il n'en soupçonne pas la raison. Un jour, ces messieurs se mettront à établir certaines relations de cause à effet, et ils comprendront peut-être. En attendant, ils paient.

Il poursuivit en racontant l'histoire horrible d'un homme qui avait consacré des talents considérables à attaquer le spiritisme — bien qu'au fond de lui-même il fût convaincu de la vérité qui y était incluse — parce qu'il y trouvait matériellement son compte. Sa fin avait été atroce... Trop atroce au goût de Malone.

— Oh! finissons-en, Mervin! s'écria-t-il. Je dirai ce que je pense, ni plus ni moins, et ni vous ni vos revenants ne me feront changer d'avis.

— Je ne vous l'ai jamais demandé.

— Presque!... Tous vos propos relèvent de la superstition pure et simple. S'ils étaient vrais, vous devriez avoir la police aux trousses.

— Oui, si c'était nous qui l'avions faite. Mais les choses se sont passées en dehors de nous... Bref, Malone, je vous ai mis en garde; prenez mon avertissement pour ce que vous voulez; suivez votre chemin comme vous l'entendez. *Bye bye!...* Vous pourrez toujours me joindre à mon bureau de *L'Aube*.

Voulez-vous savoir d'un homme s'il a dans les veines du sang irlandais? Il y a un test infaillible; vous le placez en face d'une porte sur laquelle est écrit: *Tirez,* ou: *Poussez.* L'Anglais obéira à l'injonction comme tout homme sensé. L'Irlandais, avec moins de bon sens mais avec plus de personnalité, accomplira aussitôt et violemment le geste opposé. Avec Malone, ce fut ce qui se passa. La mise en garde significative de Mervin le révolta. Quand il alla chercher Enid pour l'emmener à la séance de Bolsover, sa sympathie pour le spiritisme s'était échauffée. Challenger leur souhaita une bonne soirée en déversant sur eux une avalanche de brocards; sa barbe pointait en avant, il avait presque fermé les yeux tout en relevant les sourcils: c'était la mine qu'il prenait quand il cherchait à être facétieux.

— Tu as ton poudrier, n'est-ce pas, ma chère Enid? Si au cours de la soirée tu aperçois un spécimen d'ectoplasme particulièrement bien constitué, n'oublie pas ton père. J'ai un microscope, des réactifs chimiques, tout ce qu'il faut. On ne sait jamais, peut-être rencontreras-tu un petit *poltergeist*[1]. J'accueillerai avec joie toute bagatelle de ce genre.

Son énorme rire les pourchassa jusque dans l'ascenseur.

Le magasin de M. Bolsover, marchand de comestibles, était tout simplement une épicerie classique, située dans la partie la plus populeuse de Hammersmith. L'église proche carillonnait les trois quarts de l'heure quand le taxi s'arrêta devant la boutique encore pleine de monde. Enid et Malone firent donc les cent pas sur le trottoir. D'un autre

[1] Mot à mot: esprit frappeur.

taxi émergea bientôt un homme de grande taille, ébouriffé, plutôt gauche, barbu, vêtu d'un costume de tweed. Il regarda sa montre et arpenta lui aussi le trottoir. Il ne tarda pas à remarquer nos deux promeneurs, et il alla droit vers eux.

– Puis-je vous demander si vous êtes les journalistes qui désirent assister à la séance?... Je ne m'étais pas trompé. Le vieux Bolsover est terriblement occupé; nous voilà forcés d'attendre. A sa manière, il est l'un des saints de Dieu.

– M. Algernon Mailey, je suppose?

– Oui. Je suis le monsieur dont la crédulité provoque une angoisse considérable chez mes amis...

Il éclata d'un rire si contagieux que Malone et Enid se joignirent à lui. Sa taille athlétique, son visage puissant quoique banal, sa voix mâle, étaient autant d'indices de stabilité.

– Nous sommes tous étiquetés par nos adversaires, ajouta-t-il. Je me demande quelle sera votre étiquette.

– Nous ne naviguons pas sous un faux pavillon, répondit Enid. Nous ne figurons pas encore au nombre des croyants.

– Parfait! Prenez votre temps. C'est la chose la plus importante au monde; il vaut donc mieux ne pas se presser. Moi-même, cela m'a pris plusieurs années. La négligence serait coupable; la prudence, non. Maintenant, je me donne corps et âme, vous le savez, parce que je sais que la vérité est là. Il y a une si grande différence entre croire et savoir! Je fais beaucoup de conférences. Mais je ne cherche jamais à convertir. Je ne crois pas aux conversions soudaines. Ce sont des phénomènes peu profonds, superficiels. Je ne cherche qu'à exposer à mon public les choses aussi clairement que je le puis. Je lui dis simplement la vérité, et pourquoi nous savons que c'est la vérité. Ensuite, mon travail est achevé. Le public peut choisir: il prendra ou il laissera. S'il est sage, il explore les chemins que je lui ai indiqués. S'il ne l'est pas, il passe à côté de sa chance. Je n'exerce sur lui aucune pression, je ne fais pas de prosélytisme. C'est son affaire, pas la mienne.

– Hé bien! voilà qui me semble bien raisonné! fit Enid,

qui était séduite par les manières franches de leur nouvelle connaissance.

Ils se tenaient à présent sous la lumière d'un candélabre. Par conséquent, elle pouvait le regarder à son aise: elle détailla le front large, les yeux curieusement gris, à la fois réfléchis et ardents, la barbe couleur de paille qui soulignait le profil du menton agressif. Il était la solidité personnifiée; pas du tout le fanatique qu'elle s'était imaginé. Son nom figurait dans les journaux parmi ceux des champions de ce long combat, et elle se rappela que son père ne le prononçait jamais sans l'accompagner d'un ricanement désobligeant.

– Je me demande, dit-elle à Malone, ce qui adviendrait si M. Mailey était enfermé avec papa dans une chambre!

Malone sourit.

– Cela me rappelle un problème d'écolier, dit-il. Qu'est-ce qui se produirait si une force irrésistible butait sur un obstacle insurmontable?

– Oh! vous êtes la fille du professeur Challenger? interrogea Mailey, intéressé. C'est un nom retentissant dans le monde de la science. Quel grand monde, celui-là, s'il consentait à reconnaître ses propres limites!

– Je ne vous suis pas très bien...

– Le monde de la science est à la base de notre matérialisme. Il nous a aidés à nous procurer du confort; la question est de savoir si ce confort nous sert à quelque chose. Mais par ailleurs le monde scientifique s'est comporté pour nous comme une véritable malédiction: il s'est surnommé le progrès, et il nous a communiqué l'impression fausse que nous progressons, alors qu'au contraire nous sommes en pleine régression.

– Là vraiment, monsieur Mailey, je ne suis pas d'accord avec vous! dit Malone, qui se hérissait devant ce qui lui apparaissait comme une assertion dogmatique. Songez à la TSF. Songez aux SOS en pleine mer. L'humanité n'en a-t-elle pas bénéficié?

– Oh! parfois le progrès travaille bien! J'apprécie fort ma lampe électrique de bureau, et c'est un produit de la science. La science nous donne, comme je vous l'ai dit, du confort, et occasionnellement de la sécurité.

— Alors pourquoi la dédaignez-vous?

— Parce qu'elle met sous le boisseau la lumière principale: l'objet de notre existence. Nous n'avons pas été créés sur cette planète pour faire une moyenne de quatre-vingts kilomètres à l'heure en voiture sur les routes, ni pour traverser l'Atlantique en avion, ni pour communiquer avec ou sans fil. Ce sont là de simples accompagnements de la vie, des garnitures... Mais les savants ont tellement rivé notre attention sur ces détails que nous avons oublié notre but essentiel.

— Je ne vous comprends pas.

— Ce qui importe, ce n'est pas la vitesse à laquelle vous voyagez, c'est le but de votre voyage. Ce n'est pas la façon dont vous expédiez un message, c'est la valeur propre de ce message. A tous égards ce soi-disant progrès peut être une calamité, en ce sens que chaque fois que nous utilisons ce mot nous l'identifions faussement avec le progrès réel, et nous nous imaginons à tort que nous accomplissons la mission pour laquelle Dieu nous a mis au monde.

— Et cette mission ce serait...?

— De nous préparer à la phase suivante de la vie. Cette préparation doit être et mentale et spirituelle, or nous les négligeons autant l'une que l'autre. Nous sommes au monde pour devenir plus tard meilleurs, moins égoïstes, plus larges d'esprit, plus cultivés, moins sectaires. La terre est une fabrique d'âmes, et elle produit un article de médiocre qualité. Mais...

» Hello! s'écria-t-il avec son rire contagieux. Voilà que je fais une conférence dans la rue. La force de l'habitude, vous voyez! Mon fils déclare que si on appuie sur le troisième bouton de mon gilet, je fais automatiquement une conférence. Heureusement, voici le bon Bolsover qui vient vous sauver!

L'épicier les avait aperçus à travers la vitrine, et il sortait de sa boutique en détachant son tablier blanc.

— Bonsoir à tous! Je n'aurais pas voulu que vous attendiez au froid... Mais il est l'heure. Et il ne faut pas les faire attendre. Soyons ponctuels envers tout le monde: tel est mon refrain et le leur. Mes garçons fermeront le magasin. Par ici! Attention au tonneau de sucre!

Ils se faufilèrent parmi des caisses de fruits séchés et des montagnes de fromages, passèrent entre deux énormes fûts et franchirent une porte étroite qui ouvrait sur la partie résidentielle de la maison. Bolsover les engagea dans un escalier au haut duquel il poussa une porte: dans une grande pièce, des gens étaient assis autour d'une table de bonne taille. Il y avait Mme Bolsover, forte, fraîche et enjouée comme son mari, et trois filles bâties sur le même moule agréable. Il y avait aussi une femme âgée, sans doute une parente, et deux autres dames banales, qui furent présentées comme des voisines ferventes du spiritisme. Le seul autre représentant du sexe fort était un petit bonhomme à cheveux gris, au visage ouvert, au grand regard vif, qui était assis devant un harmonium placé dans un angle.

— M. Smiley, notre musicien, dit Bolsover. J'ignore ce que nous pourrions faire sans M. Smiley. Ce sont des vibrations, comprenez-vous? M. Mailey pourrait vous en parler. Mesdames, vous connaissez M. Mailey, notre très bon ami. Et voici les deux reporters, Mlle Challenger et M. Malone.

La famille Bolsover communia dans un même sourire, mais la dame âgée se leva d'un bond et inspecta les nouveaux venus d'un œil sévère.

— Soyez ici les très bienvenus, vous les deux étrangers! fit-elle. Mais nous tenons à vous dire que nous exigeons du respect extérieur. Nous respectons les êtres de lumière, et nous ne les laisserons pas insulter.

— Je vous assure que nous sommes très sérieux et impartiaux, répondit Malone.

— Nous avons eu une leçon. Nous n'oublions pas l'affaire de Meadow, monsieur Bolsover.

— Non, non, madame Seldon. Cela ne se reproduira plus! Nous en avons été assez émus, poursuivit-il en se tournant vers ses visiteurs. Un homme vint ici en qualité d'invité; et, quand les lumières furent éteintes, il poussa du doigt les autres assistants pour leur faire croire que c'était la main d'un esprit. Puis il alla raconter cela dans un journal, alors que la seule fraude commise ici l'avait été par lui.

Malone fut choqué.

— Je puis vous donner ma parole que nous sommes incapables de nous conduire de la sorte! assura-t-il.

La vieille dame se rassit, sans toutefois chasser de son regard l'ombre d'un soupçon persistant. Bolsover s'affaira pour quelques préparatifs.

— Asseyez-vous ici, monsieur Mailey. Monsieur Malone, voulez-vous prendre place entre ma femme et ma fille? Quant à la jeune demoiselle, où désire-t-elle s'asseoir?

Enid commençait à sentir la nervosité la gagner.

— Je crois, dit-elle, que je voudrais m'asseoir à côté de M. Malone.

Bolsover eut un petit rire et fit un signe à sa femme.

— D'accord! Tout à fait naturel!

Ils s'installèrent à leurs places respectives. M. Bolsover avait éteint l'électricité, mais une bougie brûlait au milieu de la table. Malone songea que ç'aurait été un tableau rêvé pour Rembrandt: de grandes ombres baignant la pièce, mais la lueur jaune éclairant ce cercle de visages. Le monde entier semblait s'être réduit à leur petit groupe qui se concentrait intensément.

Sur la table étaient éparpillés divers objets curieux qui paraissaient avoir beaucoup servi: un porte-voix cabossé en cuivre très décoloré, un tambourin, une boîte à musique, et quelques objets plus petits.

— On ne sait jamais ce qu'ils peuvent demander, dit Bolsover en promenant sa main au-dessus d'eux. Si notre Petite réclame une chose qui n'est pas ici, elle nous le fait savoir à tous d'une manière... oh! oui, désagréable!

» C'est qu'elle a son caractère, notre Petite! observa M. Bolsover.

— Et pourquoi ne l'aurait-elle pas, cette chérie? dit la dame austère. Elle doit en avoir assez de tomber sur des enquêteurs ou des je-ne-sais-quoi! Je me demande souvent pourquoi elle vient encore.

— Notre Petite est notre petit guide, dit Bolsover. Vous l'entendrez bientôt.

— J'espère qu'elle va venir, dit Enid.

— Elle ne nous a jamais manqué de parole, sauf

quand ce Meadow s'est emparé du porte-voix et l'a placé hors de notre cercle.

— Qui est le médium? demanda Malone.

— Ma foi, nous n'en savons rien nous-mêmes. Nous aidons tous, je crois. Peut-être est-ce que je donne autant que n'importe qui. Et maman est une auxiliaire précieuse aussi.

— Notre famille est une coopérative, dit Mme Bolsover. Tout le monde rit.

— Je croyais qu'un médium était nécessaire.

— La coutume réclame un médium, mais pas la nécessité, fit Mailey de sa voix grave, autoritaire. Crawford l'a montré assez nettement dans les séances de Gallagher, quand il a prouvé, sur des bascules, que tous les membres du cercle perdaient entre une demi-livre et deux kilos au cours d'une séance, tandis que la médium, Mlle Kathleen, perdait cinq ou six kilos. Ici une longue succession de séances... Depuis combien de temps ont-elles lieu, monsieur Bolsover?

— Depuis quatre ans sans interruption.

— Cette longue succession de séances a développé chaque participant jusqu'à un certain point: le rendement de chacun est ici d'une moyenne supérieure, au lieu que ce soit un seul qui fournisse tout l'effort.

— Le rendement en quoi?

— En magnétisme animal. En fait: en énergie. Le mot d'énergie est le plus compréhensible. Le Christ a dit: « Une grande énergie est sortie de moi. » C'est la *dunamis* des Grecs, mais les traducteurs se sont trompés et l'ont traduite par « vertu ». Si un bon élève de grec, doublé d'un sérieux étudiant en occultisme, se mettait à retraduire le Nouveau Testament, nous aurions les yeux ouverts sur bien des choses! Le cher vieil Ellis Powell a fait quelques pas dans cette direction. Sa mort a été une perte cruelle pour le monde.

— Oui, vraiment! confirma Bolsover d'une voix pleine de considération. Mais maintenant, monsieur Malone, avant de nous mettre au travail, je voudrais vous signaler deux ou trois choses. Vous voyez les points blancs sur le porte-voix et le tambourin? Ce sont des points lumineux qui nous permettent de les suivre des yeux. La table est la table sur laquelle nous mangeons, en brave chêne anglais. Vous pouvez l'examiner si le cœur vous en dit. Mais vous allez voir des phénomènes qui ne dépendent pas de la table. A présent, monsieur Smiley, j'éteins la bougie, et nous vous demandons de jouer le *Rocher des Ages*.

Dans l'obscurité, l'harmonium bourdonna et le cercle se mit à chanter. A chanter très juste, même, car les filles avaient des voix fraîches et de l'oreille. Le rythme solennel, grave et vibrant, devint d'autant plus impressionnant pour les assistants que leur seul sens libre de s'exercer était l'ouïe. Leurs mains conformément aux instructions reçues, étaient étendues légèrement au-dessus de la table; on leur avait recommandé de ne pas croiser les jambes. Malone avait une main qui touchait celle d'Enid, et il sentait de petits tremblements qui en disaient long sur sa tension nerveuse. La voix joviale de Bolsover détendit l'atmosphère.

— Cela devrait aller, dit-il. J'ai l'impression que ce soir les conditions doivent être bonnes. Je vais vous demander de vous joindre à moi dans une prière.

Elle était saisissante, cette prière simple, sérieuse, dans l'obscurité... Une obscurité noire comme de l'encre, troublée uniquement par la lueur rougeoyante d'un feu à l'agonie.

— O Père très grand de nous tous, dit la voix de Bolsover, toi qui te tiens au-delà de nos pensées et qui cependant animes nos existences, veuille que tout mal s'écarte de nous ce soir et que nous jouissions du privilège de communiquer, même pendant une seule heure, avec ceux qui habitent sur un plan supérieur au nôtre. Tu es notre Père aussi bien que le leur. Permets-nous, pour un bref instant, de nous rencontrer fraternellement afin que nous puissions accroître notre connaissance de la vie éternelle qui nous attend, ce qui nous aidera même à l'attendre sur cette terre.

Il termina par le *Notre Père*, que tous récitèrent avec lui. Puis ils demeurèrent silencieux. Dehors mugissait la circulation; par intermittence, une voiture exhalait au klaxon sa mauvaise humeur. Mais à l'intérieur de la pièce le calme et le silence étaient absolus.

— Rien à faire, maman, dit enfin Bolsover. C'est à cause des profanes. Il y a des vibrations nouvelles. Ils doivent donc s'accorder sur elles pour être en harmonie. Jouez-nous un autre air, monsieur Smiley.

A nouveau l'harmonium vrombit. Il jouait encore quand une voix de femme cria:

— Arrêtez-vous! Arrêtez-vous! Ils sont là!

Ils attendirent encore sans résultat.

— Si! Si! J'ai entendu notre Petite. Elle est ici, j'en suis sûre!

Le silence retomba, et puis soudain cela vint: une chose extraordinaire pour les visiteurs, et pour le cercle habituel une chose toute naturelle.

— *Bonsoâr!* s'écria une voix.

Du cercle jaillirent compliments et joyeux rires. Ils parlaient tous à la fois: « Bonsoir, notre Petite! » — « Ah! vous voilà, chérie? » — « Je savais bien que vous viendriez! » — « Bravo, petit guide! »

— Bonsoir, *bonsoâr* à tous! répondit la voix. La Petite est heureuse de voir papa, maman et les autres. Oh! ce gros homme avec une barbe! Mailey, monsieur Mailey, je vous ai déjà rencontré auparavant. Lui gros Mailey, moi petite Femmeley. Heureuse de vous revoir, monsieur Gros Homme.

Enid et Malone écoutaient stupéfaits, mais il était impossible d'être nerveux, étant donné la manière parfaitement normale dont la société se comportait. La voix était très fluette et très haute, plus fluette et plus haute qu'aucune voix de tête artificielle. C'était la voix d'une petite fille. Incontestablement. Et il était incontestable qu'il n'y avait pas de petite fille dans la pièce. A moins qu'après l'extinction de la bougie?... Mais la voix semblait venir du milieu de la table. Comment un enfant aurait-il pu se loger là?

— C'est facile de venir ici, monsieur Nouveau Venu, dit la voix qui répondit à la question informulée de Malone. Papa est un homme fort. Papa a fait venir sa Petite dans la table. Maintenant, je montre ce que papa n'est pas capable de faire.

— Le porte-voix monte! cria Bolsover.

Le petit cercle de peinture lumineuse s'élevait sans

bruit dans l'air, et il se balançait au-dessus de leurs têtes.

— Monte et frappe le plafond! cria Bolsover.

Il monta plus haut, et tous entendirent le choc du métal contre le plafond. Alors la voix fluette parla d'au-dessus d'eux:

— Comme il est malin, mon papa! Papa avait une canne à pêche, et il a monté le porte-voix jusqu'au plafond. Mais comment a-t-il fabriqué la voix, ah? Qu'est-ce que vous en dites, gentille demoiselle anglaise? Tenez, voici un cadeau de la Petite.

Quelque chose de léger tomba sur les genoux d'Enid. Elle posa une main dessus.

— C'est une fleur, un chrysanthème. Merci Petite!

— Est-ce un apport? demanda Mailey.

— Non, non, monsieur Mailey! répondit Bolsover. Les chrysanthèmes étaient dans le vase sur l'harmonium. Parlez-lui, mademoiselle Challenger! Maintenez les vibrations.

— Qui êtes-vous, Petite! interrogea Enid, les yeux tournés vers la tache qui se déplaçait au-dessus d'elle.

— Une petite fille noire. Une petite fille noire de huit ans.

— Allons, ma chérie! protesta Mme Bolsover de sa voix chaude et câline. Vous aviez déjà huit ans quand vous êtes venue ici pour la première fois, il y a des années de cela.

— Des années pour vous. Mais pour moi tout ne fait qu'un seul temps. Mais je dois faire mon travail comme une petite fille de huit ans. Quand j'aurai fait tout mon travail, alors la Petite deviendra la Grande. Nous n'avons pas un temps, ici, comme vous, vous le comptez. J'ai toujours huit ans.

— D'ordinaire, ils grandissent exactement comme nous sur cette terre, dit Mailey. Mais s'ils ont à accomplir un travail spécial qui nécessite un enfant, ils restent enfants. C'est une sorte de développement suspendu.

— C'est moi. Moi, le développement suspendu, dit fièrement la voix. J'apprends du bon vocabulaire quand le M. Gros Homme est ici.

Ils se mirent tous à rire. C'était l'association la plus ingénue, la plus libre du monde. Malone entendit la voix d'Enid qui lui chuchotait à l'oreille:

— Pincez-moi de temps en temps, Edward. Juste pour que je sois sûre que je ne rêve pas.

— Mais il faut que je me pince aussi, moi!

— Et votre chanson, Petite? demanda Bolsover.

— Oh! oui, c'est vrai! La Petite va chanter pour vous.

Elle entama une chanson simplette, mais la voix faiblit, poussa un couic, tandis que le porte-voix retombait sur la table.

— Ah! l'énergie est en perte de vitesse! dit Mailey. Je pense qu'un peu de musique nous remettra en forme. *Conduis-nous, Douce Lumière,* Smiley!

Ils chantèrent ensemble ce beau cantique. A la fin du verset, une chose stupéfiante survint... Stupéfiante au moins pour les novices, quoiqu'elle ne suscitât aucun commentaire de la part du cercle.

Le porte-voix brillait encore sur la table, mais deux voix, apparemment celles d'un homme et d'une femme, fusèrent dans l'air au-dessus d'eux et se joignirent harmonieusement au chœur. Le cantique terminé, tout redevint une fois de plus silence et attente tendue.

Une voix grave s'éleva de l'obscurité. C'était la voix d'un Anglais cultivé; une voix bien modulée qui s'exprimait d'une manière que le pauvre Bolsover aurait été bien incapable de contrefaire.

— Bonsoir, mes amis. L'énergie semble bonne aujourd'hui.

— Bonsoir, Luc, bonsoir! crièrent-ils tous.

— C'est notre guide qui nous enseigne, expliqua Bolsover. Un esprit supérieur qui vient de la sixième sphère pour nous instruire.

— Je vous semble peut-être supérieur, dit la voix. Mais que suis-je en revanche à l'égard de ceux qui m'instruisent? Il ne s'agit pas de ma sagesse. Ne me créditez point d'une sagesse personnelle. Je ne fais que la transmettre.

— C'est toujours comme cela, dit Bolsover. Jamais de prétention ni d'épate. Voilà un signe de supériorité!

— Je vois que vous avez avec vous deux journalistes. Bonsoir, jeune demoiselle! Vous ne savez rien de votre propre pouvoir ni de votre destinée. Vous les découvrirez! Bonsoir, monsieur. Vous voici au seuil du grand savoir. Y a-t-il un sujet sur lequel vous désireriez que je dise quelques mots? Je vois que vous prenez des notes...

De fait, Malone avait libéré sa main dans l'obscurité, et il notait en sténo les divers épisodes de la soirée.

– De quoi parlerai-je?

– De l'amour et du mariage, suggéra Mme Bolsover, en poussant son mari du coude.

– Hé bien! je dirai donc quelques mots là-dessus. Je ne parlerai pas longtemps car d'autres attendent: la pièce est bondée d'esprits. Je voudrais vous faire comprendre qu'il existe un homme, mais seulement un, pour chaque femme; et seulement une femme pour chaque homme. Quand ces deux êtres se rencontrent, ils s'envolent ensemble et ne font qu'un à travers la chaîne sans fin de l'existence. Jusqu'à leur rencontre, toutes leurs unions respectives ont été de simples accidents sans signification. Plus ou moins tôt chaque couple se compose. Il se peut que ce ne soit pas ici. Il se peut que ce soit dans la sphère suivante, où les sexes se rencontrent comme sur la terre. Ou encore plus tard. Mais chaque homme, chaque femme possède sa propre affinité et la trouvera. Des mariages sur la terre, à peine un sur cinq demeure éternel. Les autres sont des accidents. Le mariage réel est celui de l'âme et de l'esprit. Les actes sexuels sont des symboles purement externes, qui ne signifient rien et sont ridicules, voire pernicieux, quand manque l'objet qu'ils devraient symboliser. Suis-je clair?.

– Très clair, répondit Mailey.

– Certains, dans cette pièce, ont un mauvais partenaire. D'autres n'en ont pas du tout, ce qui est préférable à ne pas avoir le bon. Mais tous, tôt ou tard, auront le bon partenaire. Ne croyez pas que vous serez obligatoirement accompagnée de votre mari actuel quand vous changerez de sphère.

– Ah! que Dieu en soit loué! Dieu soit béni! cria une voix.

– Madame Melder, ici c'est l'amour, l'amour réel et vrai, qui nous unit. En bas, votre mari va son chemin. Vous allez du vôtre. Vous êtes sur des plans séparés. Un jour vous trouverez chacun votre partenaire, quand votre jeunesse sera revenue... ici!

— Vous parlez de l'amour. Entendez-vous par là l'amour sexuel?

— Où allons-nous! grommela Mme Bolsover.

— Ici, il n'y a pas d'enfants qui naissent. Ils ne naissent que sur le plan de la terre. C'est à cet aspect du mariage que se référait le Grand Professeur quand il disait: « Il n'y aura plus de mariages, ni de dots de mariage! » Non, il s'agit de quelque chose de plus pur, de plus merveilleux: une unité d'âmes, une fusion d'intérêts et de savoir sans que l'individu en pâtisse. Quand vous en approchez-vous le plus près? A la première passion élevée, trop belle pour s'exprimer physiquement, qu'éprouvent deux amants à l'âme supérieure lorsqu'ils se rencontrent. Ils trouvent ensuite une expression moins haute, mais toujours ils sauront au fond de leurs cœurs que leur première communion d'âmes était la plus belle. Ainsi en est-il pour nous. Avez-vous une question à me poser?

— Et si une femme aime également deux hommes, qu'advient-il? demanda Malone.

— Cela arrive rarement. Presque toujours elle sait lequel est le plus proche d'elle. Si elle en aime pourtant deux également, ce serait alors la preuve qu'aucun de ces deux n'est son affinité réelle, car celui qui lui est « promis » se tient très au-dessus de tous les autres hommes. Bien sûr, si elle...

Ici la voix s'évanouit, et le porte-voix tomba.

— Chantons *Les Anges sont tout autour de nous,* cria Bolsover. Smiley, tapez sur ce vieil harmonium. Les vibrations sont à zéro!

Un peu de musique, un peu de silence, puis une voix lugubre. Jamais Enid n'avait entendu de voix aussi triste. Les sons s'égrenaient comme des mottes de terre retombant sur un cercueil. D'abord ce ne fut qu'un murmure grave, qui se transforma en une prière, sans doute une prière en latin, car par deux fois revint le mot *Domine* et une fois le mot *peccavimus*. La pièce baignait dans une atmosphère indescriptible de désolation.

— Au nom du Ciel, qu'est-ce que c'est ça? cria Malone.

Le cercle partageait son étonnement.

— Un pauvre diable qui est sorti des sphères inférieures, j'imagine! répondit Bolsover. Les orthodoxes disent que nous devrions les éviter. Moi, je pense que nous devrions les aider.

— Bien parlé! fit Mailey. Essayons, vite!

— Pouvons-nous faire quelque chose pour vous, ami?

Un silence fut la seule réponse.

— Il ne sait pas. Il ne comprend pas ce qui se passe. Où est Luc? Lui saura quoi faire.

— Qu'y a-t-il, ami? demanda aussitôt la voix agréable du guide.

— Il y a ici un pauvre type. Nous voudrions l'aider.

— Ah! oui. Il est venu des ténèbres extérieures, expliqua Luc avec un intérêt sympathique. Il ne sait pas. Il ne comprend pas. On arrive ici avec une idée fixe, et quand on s'aperçoit que la réalité est très différente de ce qui a été enseigné dans les temples ou les églises, on se trouve impuissant. Il y en a qui s'adaptent; ils évoluent. D'autres ne s'adaptent pas, et ils continuent à errer, inchangés, comme cet homme. C'était un clergyman, à l'esprit très étroit, très bigot...

— Qu'est-ce qui lui est arrivé?

— Il ne sait pas qu'il est mort. Il marche dans des brumes. Tout lui est un mauvais rêve. Depuis des années il est ainsi. Il a l'impression que c'est une éternité.

— Pourquoi ne lui dites-vous pas... ne l'instruisez-vous pas?

— Nous ne pouvons pas. Nous...

Le porte-voix tomba.

— Musique, Smiley, musique!... Maintenant, les vibrations devraient être meilleures.

— Les esprits supérieurs ne peuvent atteindre les esprits liés à la terre, expliqua Mailey. Ils sont dans des zones de vibrations différentes. C'est nous qui sommes près d'eux, et qui pouvons les aider.

— Oui! Vous! cria la voix de Luc.

— Monsieur Mailey, parlez-lui. Vous le connaissez!

Le murmure avait repris avec la même monotonie obsédante.

— Mon ami, je voudrais vous dire un mot... commença Mailey d'une voix ferme et forte.

Le murmure s'arrêta; chacun sentit que la présence invisible concentrait son attention.

— Ami, reprit Mailey, nous sommes navrés de votre condition. Vous avez suivi votre chemin. Vous nous voyez et vous vous demandez pourquoi nous ne nous voyons pas. Vous êtes dans l'autre monde. Mais vous ne le savez pas, parce qu'il ne ressemble guère à celui que vous attendiez. Vous n'y avez pas été reçu comme vous vous l'étiez imaginé. C'est parce que votre imagination était erronée. Comprenez que tout est bien, et que Dieu est bon, et que tout le bonheur est à votre portée si vous élevez votre esprit et priez pour demander du secours. Par-dessus tout, pensez moins à votre propre état, et davantage aux pauvres âmes qui vous entourent.

Un silence s'ensuivit, et Luc reprit la parole.

— Il vous a entendu. Il voudrait vous remercier. Il a maintenant un aperçu de son état. Cet aperçu se développera en lui. Il désire savoir s'il peut revenir ici.

— Oui! oui! s'écria Bolsover. Nous en avons déjà plusieurs qui nous mettent au courant de leurs progrès. Que Dieu vous bénisse, ami! Venez aussi souvent que vous le pourrez.

Le murmure avait cessé; un sentiment de paix flottait dans l'air. Et la voix aiguë de la Petite se fit entendre à nouveau.

— Il y a encore beaucoup d'énergie. Nuage Rouge est ici. Il peut montrer ce qu'il est capable de faire, si papa le désire.

— Nuage Rouge est notre contrôle indien, notre spécialiste des phénomènes purement physiques. Vous êtes ici, Nuage Rouge?

Trois bruits mats, retentissants comme des coups de marteau sur du bois, surgirent de l'obscurité.

— Bonsoir, Nuage Rouge!

Une nouvelle voix, lente, saccadée, travaillée, résonna au-dessus d'eux.

— Bonsoir, chef! Comment va la squaw? comment vont les papouses? Il y a des visages bizarres ce soir dans ton wigwam.

— Ils cherchent à savoir, Nuage Rouge. Pouvez-vous montrer ce que vous êtes capable de faire?

– Je vais essayer. Attends un peu. Je ferai ce que je pourrai.

De nouveau un long silence s'écoula dans l'attente. Puis les novices se trouvèrent encore face au miraculeux.

Une lueur rouge terne brilla dans l'obscurité. Apparemment, c'était une traînée de vapeur lumineuse. Elle s'inclinait en planant d'un côté à l'autre. Puis elle se condensa progressivement pour former un disque circulaire de la taille d'une lanterne sourde. Elle ne projetait aucune réflexion autour d'elle: elle n'était qu'un cercle bien dessiné dans la nuit. Une fois elle s'approcha du visage d'Enid, et Malone la vit nettement de profil.

– Mais il y a une main qui la tient! s'écria-t-il.

Tous ses soupçons revinrent.

– Oui, il y a une main matérialisée, confirma Mailey. Je l'ai vue distinctement.

– Voudriez-vous qu'elle vous touche, monsieur Malone?

– Oui.

La lueur s'éteignit; un instant plus tard, Malone sentit une pression sur sa main. Il ouvrit sa paume et sentit nettement trois doigts qui se posaient dessus: des doigts doux et chauds d'adulte. Il referma ses propres doigts; la main sembla se fondre, se dissoudre sous cette étreinte.

– Elle est partie! murmura-t-il en haletant d'émotion.

– Oui! Nuage Rouge n'est pas très fort pour les matérialisations. Peut-être ne lui donnons-nous pas l'énergie convenable. Mais ses lumières sont excellentes.

D'autres lueurs avaient jailli de l'obscurité. Il y en avait de différentes sortes: des vapeurs lumineuses qui se déplaçaient lentement, des petites étincelles qui dansaient comme des feux follets. Au même moment, les deux visiteurs sentirent qu'un vent froid passait sur leurs figures. Ce n'était pas une illusion, car les cheveux d'Enid flottèrent en travers de son front.

– Vous sentez le vent qui s'engouffre, dit Mailey. Quelques-unes de ces lueurs pourraient passer pour des langues de feu, n'est-ce pas? La Pentecôte ne paraît donc plus une chose si éloignée dans le temps, ni si impossible...

Le tambourin s'était élevé dans l'air, et la tache des points lumineux révélait qu'il tournait sur lui-même.

Bientôt il redescendit et toucha leurs têtes à tour de rôle. Puis, avec un tintement bizarre, il se reposa sur la table.

— Pourquoi un tambourin? observa Malone. On dirait qu'il faut toujours un tambourin.

— C'est un petit instrument qui convient particulièrement, expliqua Mailey. Le seul dont le bruit montre automatiquement où il vole. Je n'en vois pas d'autre qui soit plus efficace, sauf une boîte à musique.

— Notre boîte qui vole est quelque chose d'assez étonnant, dit Mme Bolsover. Elle est lourde!

— Elle pèse neuf livres, dit Bolsover. Hé bien! je crois que nous avons terminé. Je ne pense pas que nous obtenions davantage ce soir. Ce n'a pas été une mauvaise séance: plutôt ce que j'appellerais une séance d'une bonne moyenne. Mais nous devons attendre un peu avant de rallumer l'électricité... Alors, monsieur Malone, qu'en pensez-vous? Elevez vos objections avant que nous nous séparions. Je préfère que ce soit maintenant, car vous autres reporters, vous vous mettez souvent des choses dans la tête, vous les y enfouissez quitte à les ressortir plus tard, alors qu'il aurait été si simple d'en discuter sur le moment! Devant nous, les journalistes sont charmants et très aimables, mais, sitôt le dos tourné, ils nous traitent de filous et d'escrocs...

Malone avait mal à la tête; il promena sa main sur son front en sueur.

— Je suis ahuri, dit-il. Et impressionné. Impressionné, cela oui! J'avais lu certaines choses, mais c'est très différent quand on les voit. Ce que je considère comme le plus important, c'est votre sincérité évidente, à vous tous, et votre équilibre mental. Personne ne peut les mettre en doute.

— Allons, nous progressons! sourit Bolsover.

— J'essaie d'imaginer les objections que soulèveraient les gens qui n'ont pas assisté à cette séance. J'aurai à leur répondre. Tout cela est si différent de nos idées préconçues sur le peuple des esprits!

— Nous devons adapter nos théories aux faits, dit Mailey. Jusqu'à maintenant, nous avons fait le contraire, et adapté les faits à nos théories. Rappelez-vous que nous avons eu affaire, ce soir — avec tout le respect que nous devons à nos chers hôtes! – à un type d'esprits simples, primitifs, liés à la terre, qui a ses coutumes bien définies, mais qui ne doit pas être pris pour le type moyen. Vous ne prenez pas pour l'Anglais moyen le porteur que vous voyez sur le quai en débarquant...

– Il y a Luc, interrompit Bolsover.

– Ah! oui! Luc est, bien sûr, de beaucoup supérieur. Vous l'avez entendu, et pouvez juger. Quoi d'autre, monsieur Malone?

– Eh bien! l'obscurité! Tout se passe dans le noir. Pourquoi toute l'activité médiumnique se déroule-t-elle obligatoirement dans l'obscurité?

– Vous voulez dire: toute l'activité médiumnique physique? C'est la seule activité qui exige l'obscurité. Il s'agit d'une nécessité simplement chimique, comme une chambre noire pour la photographie. Elle préserve la substance physique délicate qui, tirée du corps humain, est la base de ces phénomènes et, à la lumière, se dissoudrait. Un cabinet noir est utilisé dans le but de condenser cette substance vaporeuse et de l'aider à prendre corps. Ai-je été suffisamment clair?

– Oui, mais tout de même c'est dommage! L'obscurité donne à toute l'affaire un air de supercherie effroyable.

– Nous travaillons de temps en temps à la lumière, dit Bolsover. Je ne sais pas si notre Petite est déjà partie. Attendons un peu. Où sont les allumettes?

Il alluma la bougie, dont la flamme les éblouit après cette obscurité prolongée.

– Maintenant, ajouta M. Bolsover, voyons ce que nous pouvons faire.

Il y avait parmi les divers objets éparpillés sur la table une écuelle en bois; Bolsover la fixa. Tous la fixèrent. Ils s'étaient mis debout, mais personne ne se trouvait à moins d'un mètre d'elle.

– S'il vous plaît, Petite, s'il vous plaît! s'écria Mme Bolsover.

Malone eut du mal à en croire ses yeux. L'écuelle commençait à bouger. Elle frémissait, puis elle tapota la table, exactement comme un couvercle au-dessus d'une casserole d'eau bouillante.

— En l'air, Petite!

Ils battaient tous des mains.

L'écuelle ronde de bois, sous la pleine lumière de la bougie, se souleva et s'arrêta de trembler, comme si elle cherchait son équilibre.

— Trois saluts, Petite!

L'écuelle s'inclina à trois reprises. Puis elle retomba à plat et demeura inerte.

— Je suis très heureux que vous ayez vu cela, dit Mailey. Il s'agit de télékinésie dans une forme simple et décisive.

— Je ne l'aurais jamais cru! s'écria Enid.

— Moi non plus, ajouta Malone. Monsieur Bolsover, vous avez élargi mon horizon!

— Bravo, monsieur Malone!

— La puissance qui se tient derrière, je l'ignore encore. Mais en ce qui concerne les phénomènes eux-mêmes, je n'ai plus et je n'aurai jamais plus le moindre doute. Je sais qu'ils sont vrais. A tous je souhaite une bonne nuit. Il est peu vraisemblable que Mlle Challenger et moi nous oubliions un jour la soirée que nous avons passée sous votre toit.

Quand ils se retrouvèrent dans l'air glacé, c'était un tout autre monde; les taxis chargeaient les amateurs de plaisirs qui revenaient du théâtre ou du cinéma. Mailey demeura avec eux tandis qu'ils attendaient une voiture libre.

— Je sais exactement ce que vous ressentez, leur dit-il en souriant. Vous regardez tous ces gens affairés, contents d'eux-mêmes, et vous vous émerveillez de penser comme ils savent peu de chose des possibilités de la vie. Vous avez envie de les arrêter, de leur parler. Mais si vous le faisiez, ils vous prendraient pour un menteur ou pour un fou. Amusante situation, non?

— Pour l'instant, je suis complètement dérouté.

— Demain matin, vous ne le serez plus. Ces impressions sont éphémères. Vous en arriverez à vous persuader que vous avez rêvé. Allons, au revoir... Et faites-moi savoir si je puis vous être de quelque utilité pour vos études ultérieures.

Sur le chemin du retour, les deux amis – on aurait à peine pu les appeler des amoureux – restèrent absorbés dans leurs pensées. A Victoria Gardens, Malone accompagna Enid jusqu'à la porte de l'appartement, mais il ne rentra pas. Les ricanements de Challenger, qui l'amusaient généralement, lui auraient porté ce soir-là sur les nerfs. D'ailleurs il entendit comment, de l'autre côté de la cloison, le professeur accueillait sa fille.

– Alors, Enid, où as-tu mis ton revenant? Sors-le de ton sac, que je l'examine un peu!

Son aventure de ce soir se termina comme elle avait commencé: sur un énorme rire qui le pourchassa jusque dans l'ascenseur.

CHAPITRE V

Nos envoyés spéciaux font une expérience remarquable

Malone était assis dans le fumoir du Club littéraire. Il avait devant lui, sur sa table, les impressions manuscrites d'Enid; elles étaient très pénétrantes et très subtiles; il s'efforçait de les amalgamer avec les siennes. Autour du feu un groupe discutait ferme. Le bruit des conversations ne dérangeait pas le journaliste: le sentiment qu'il appartenait à un monde affairé stimulait à la fois son cerveau et sa plume. Toutefois, comme le groupe aborda bientôt les problèmes psychiques, il lui fut difficile de s'abriter au sein de ses propres réflexions; aussi se cala-t-il dans son fauteuil pour écouter.

Polter, le célèbre romancier, était au nombre des disputeurs. Homme brillant, il utilisait trop souvent la finesse de son esprit à repousser des vérités d'évidence et à défendre des positions impossibles uniquement par amour de la dialectique. Pour l'instant, il était en train de disserter devant un auditoire admiratif, sinon entièrement docile.

– La science, disait-il, nettoie progressivement le monde des vieilles toiles d'araignées de la superstition. Le monde était quelque chose comme une antique mansarde empoussiérée; voici qu'à présent le soleil de la science s'y projette, l'inonde de lumière: la poussière se dépose graduellement sur le plancher.

Non sans malice, quelqu'un l'interrompit:

– Par science, vous entendez naturellement des hommes comme sir William Crookes, sir Oliver Lodge, sir William Barrett, Lombroso, Richet, etc.?

Polter n'avait pas l'habitude d'être contredit.

– Non, monsieur, je n'entends rien d'aussi absurde! répondit-il. Aucun nom, si éminent soit-il, ne peut prétendre à s'identifier avec la science tant qu'il relève d'une insignifiante minorité de savants.

— Tant qu'il fait figure d'excentrique, en somme! confirma Pollifex, un artiste qui renvoyait habituellement la balle à Polter.

Mais l'interrupteur, un certain Millworthy, journaliste très indépendant, n'allait pas se laisser réduire si vite au silence:

— En son temps, Galilée fit figure d'excentrique, insista-t-il. Et Harvey un amateur de paradoxes lorsqu'il décrivit sous les rires moqueurs la circulation du sang.

— Pour le moment, c'est la circulation et le tirage de la *Daily Gazette* qui sont en jeu, dit Marrible, l'humoriste du club.

— Je ne peux pas imaginer pourquoi on s'occupe de choses pareilles en dehors des tribunaux correctionnels! renchérit Polter. Il y a là une dispersion d'énergie, une erreur de direction de la pensée humaine entraînée vers des chemins qui ne mènent nulle part. Nous ne manquons pas de matériaux d'évidence à examiner. Voilà notre travail; poursuivons-le et ne nous en laissons pas distraire.

Atkinson, le chirurgien, faisait partie du cercle; jusque-là il avait écouté en silence; mais il se décida à intervenir.

— Je pense que les savants devraient consacrer plus de temps aux problèmes psychiques.

— Moins! répliqua Polter.

— Moins que rien, alors? Ils les ignorent. Récemment, j'ai eu une série d'exemples de rapports télépathiques que je désirais soumettre à la Société royale. Mon collègue Wilson, zoologue, avait aussi une communication à lire. Nous sollicitâmes en même temps l'autorisation de parler: à lui elle fut accordée, et à moi refusée. Sa communication avait pour titre: « Le système reproductif du bousier ».

Un éclat de rire général salua cette précision.

— Normal! fit Polter. L'humble bousier est, au moins, un fait. Dans le psychisme, il n'y a pas de faits.

— Vous avez sûrement une base solide pour une opinion aussi définitive! susurra le malicieux Millworthy d'une voix de velours. J'ai peu de temps pour lire: pourriez-vous m'indiquer lequel des trois livres du docteur Crawford vous me recommanderiez?

— Je n'ai jamais rien lu de ce type-là.

Millworthy simula un étonnement véhément.

— Comment, mon cher! Jamais rien lu?... Mais c'est une autorité en la matière: la seule, l'unique autorité! Si vous avez besoin de simples expériences de laboratoire, prenez ses livres. Jamais rien lu?... Autant dicter la loi en zoologie sans avoir jamais lu Darwin!

— Il ne s'agit pas d'une science! protesta Polter.

— Ce qui réellement n'est pas de la science, déclara Atkinson non sans chaleur, c'est de dicter la loi sur des problèmes que vous n'avez pas étudiés! C'est par de tels procédés que j'ai été conduit au spiritisme; j'ai comparé cette ignorance dogmatique avec la sérieuse recherche de la vérité qu'ont engagée les grands spirites. Beaucoup d'entre eux ont réfléchi pendant vingt ans de leur vie avant de conclure.

— Mais leurs conclusions sont sans valeur, puisqu'elles confirment une opinion déjà arrêtée.

— Mais chacun d'eux a lutté longtemps avant d'arrêter son opinion! J'en connais plusieurs: tous ont hésité avant d'être convaincus.

Polter haussa les épaules.

— Ma foi, ils peuvent bien avoir leurs revenants si cela leur fait plaisir, pourvu qu'ils me laissent les pieds solidement fixés au sol.

— Ou enlisés dans la boue, dit Atkinson.

— Je préférerais, repartit Polter, être enlisé dans la boue avec des gens sains d'esprit plutôt que flotter dans l'air avec des fous! Je connais aussi quelques spirites; selon moi, on peut les classer en deux catégories égales: des fous et des coquins.

Malone avait écouté avec intérêt d'abord, ensuite avec une indignation grandissante. Brusquement il prit feu.

— Ecoutez-moi, Polter! s'écria-t-il tournant son fauteuil vers le cercle. Ce sont des sots dans votre genre qui freinent le progrès du monde. Vous admettez que vous n'avez rien lu sur les problèmes psychiques, et je jurerais bien que vous n'en avez rien vu non plus! Pourtant vous utilisez votre crédit et votre réputation pour tomber à bras raccourcis sur des gens qui, quels qu'ils soient par ailleurs, sont assurément très sérieux et très réfléchis.

– Oh! s'exclama Polter. Je ne savais pas que vous étiez allé aussi loin. Vous n'osez pas parler ainsi dans vos articles. Vous êtes donc spirite! A vous lire, on ne le croirait pas!

– Je ne suis pas spirite, mais je me pique d'être un journaliste honnête, ce que vous n'avez jamais été. Vous traitez les spirites de fous ou de coquins, mais, pour autant que je sache, vous n'êtes pas digne de cirer les souliers de certains adeptes du spiritisme.

– Allons, allons, Malone! crièrent deux ou trois voix.

Mais Polter se dressa sur ses pieds.

– Ce sont des hommes comme vous qui font de ce club un désert! s'écria-t-il en se dirigeant vers la porte. Jamais je ne reviendrai ici pour me faire insulter.

– Vous avez gagné, Malone!

– J'avais envie de lui botter le derrière pour qu'il sorte plus vite. De quel droit foulerait-il impunément aux pieds les sentiments et les croyances d'autrui? Il a réussi mieux que beaucoup d'entre nous, et il s'imagine qu'il nous fait un grand honneur en venant parmi nous!

– Cher vieil Irlandais! dit Atkinson en reposant sa main sur l'épaule de Malone. « Calme-toi, calme-toi, esprit inquiet! » [1] Mais je voulais vous dire un mot. En réalité, j'attendais dans ce groupe pour ne pas vous déranger.

– Dérangé? Je l'ai été suffisamment! s'exclama Malone. Comment aurais-je pu travailler, avec ce maudit âne qui s'est mis à braire à mes oreilles?

– Ecoutez! J'ai obtenu de Linden, le médium célèbre dont je vous ai parlé, une place pour le Collège psychique ce soir. J'ai eu une invitation supplémentaire. Est-ce que cela vous intéresserait de venir?

– Naturellement!

[1] *Hamlet*, acte I, scène V. Hamlet s'adresse au fantôme de son père.

— En réalité, j'ai deux invitations supplémentaires. Si Polter n'avait pas été si offensant tout à l'heure, je lui aurais proposé de nous accompagner. Linden passe volontiers sur les sceptiques, mais il ne tolère pas les railleurs. Qui pourrions-nous emmener?

— Mlle Challenger! Vous savez que nous travaillons ensemble.

— Parfait. Vous la préviendrez?

— Entendu.

— C'est à sept heures. Au Collège psychique. Vous connaissez l'endroit: près de Holland Park.

— Oui, j'ai l'adresse. Hé bien! d'accord: Mlle Challenger et moi-même nous serons là-bas à sept heures.

Voici donc nos envoyés spéciaux sur une nouvelle aventure psychique. Ils commencèrent par prendre Atkinson chez lui, dans Wimpole Street, puis ils traversèrent la ville en direction de Holland Park. Leur taxi les arrêta devant une majestueuse demeure victorienne, un peu en retrait. Une domestique bien stylée les fit entrer dans le vestibule dont le parquet ciré et le linoléum impeccable brillaient sous la lumière tamisée d'une grande lampe à abat-jour coloré; une statuette en marbre blanc miroitait dans un angle. Enid se dit que cet établissement était bien tenu, aménagé avec goût, et qu'à sa tête il y avait sûrement une direction capable. La direction revêtit l'aspect d'une aimable dame écossaise qui les accueillit dans le vestibule et salua M. Atkinson comme un vieil ami. Elle fut présentée aux journalistes sous le nom de Mme Ogilvy. Malone avait déjà entendu raconter comment cette dame et son mari avaient fondé et organisé cet institut remarquable — le véritable centre d'expériences psychiques de Londres — sans regarder aux frais ni au travail.

— Linden et sa femme sont en haut, dit Mme Ogilvy. Il semble croire que les conditions sont favorables. Les autres sont dans le salon. Voulez-vous les rejoindre quelques instants?

Pour assister à la séance, il y avait du monde. Certains, vieux étudiants en choses psychiques, témoignaient d'un calme intérêt. D'autres, des débutants, regardaient autour d'eux avec des yeux excités et se demandaient ce qui allait se passer. Près de la porte se tenait un homme de grande taille, à la barbe rousse et au visage ouvert: c'était Algernon Mailey. Il serra la main aux nouveaux arrivants.

– Une deuxième expérience, monsieur Malone? Je pense que vous avez fait un compte rendu très équitable de la dernière. Vous êtes encore un néophyte, mais vous voilà derrière les portes du temple. Avez-vous peur, mademoiselle Challenger?

– Si vous êtes assis auprès de moi, je crois que je n'aurai pas peur, répondit-elle.

Il rit.

– Bien sûr, une séance de matérialisation est différente de toute autre: plus impressionnante en un sens. Vous la trouverez très instructive, Malone, parce qu'elle comporte des photographies psychiques et des sujets de cet ordre. D'ailleurs, vous devriez tâcher d'obtenir un portrait psychique.

– J'ai toujours cru que cela au moins était du trucage.

– Au contraire! Je dirais que c'est le mieux établi de tous les phénomènes, celui qui laisse une preuve permanente. J'ai subi l'épreuve une bonne douzaine de fois dans des conditions différentes... Le seul inconvénient n'est pas qu'il pourrait se prêter au trucage, mais qu'il permettrait à des journalistes malintentionnés d'en faire une exploitation sensationnelle... Vous n'en voyez pas ici, n'est-ce pas?

– Non, personne de la presse.

– La grande et jolie femme, là-bas, est la duchesse de Rossland. Puis voici lord et lady Montnoir près du feu. Ce sont vraiment de bonnes gens, qui comptent parmi les très rares représentants de l'aristocratie à avoir montré pour notre affaire du sérieux et du courage moral. Cette dame bavarde, c'est Mlle Badley, qui ne vit que pour les séances: une femme du monde blasée en quête de sensations nouvelles; on la voit toujours, on l'entend toujours, et elle est toujours aussi vide... Je ne connais pas les deux hommes; quelqu'un m'a assuré qu'ils étaient chercheurs à l'Université. Cet homme corpulent avec la dame en noir est sir James Smith: ils ont perdu deux fils à la guerre. Le personnage grand et sombre est un homme étrange qui s'appelle Barclay et qui habite, je crois, une pièce du collège d'où il sort rarement pour une séance.

— Et l'homme aux lunettes d'écaille?

— C'est un âne pompeux qui s'appelle Weatherby. Il fait partie de ceux qui se tiennent aux confins de la franc-maçonnerie; il ne parle que sous forme de murmures indistincts, et il respecte les mystères là où ils n'existent pas. Le spiritisme, avec ses mystères aussi réels que redoutables, lui paraît une doctrine vulgaire parce qu'elle console les pauvres gens; mais il aime lire des articles sur le rite écossais. Son prophète est Eliphas Levi.

— Ce doit être un homme fort cultivé! dit Enid.

— Surtout fort idiot. Mais... Hello! Voici des amis communs.

Les deux Bolsover venaient d'arriver. Rien de tel que le spiritisme pour faire sauter les barrières sociales! La femme de ménage qui possède un pouvoir psychique s'y révèle supérieure au millionnaire qui l'emploie. Instantanément les Bolsover et les aristocrates fraternisèrent. La duchesse était en train de chercher à se faire inviter dans le groupe «familial» de l'épicier, lorsque Mme Ogilvy entra avec un air effaré.

— Je crois que tout le monde est là, dit-elle. Il est l'heure de monter.

La pièce réservée pour la séance était une chambre vaste et confortable, avec des chaises disposées en cercle et un divan tendu de rideaux qui servait de cabinet noir. Le médium et sa femme attendaient. M. Linden avait de gros traits doux, une charpente solide, des yeux bleus rêveurs et des cheveux filasse bouclés qui grimpaient en pyramide vers le sommet de la tête, mais il ne portait ni la barbe, ni des favoris, ni une moustache; il avait dépassé la quarantaine. Sa femme était légèrement plus jeune; elle avait le regard aigu et maussade d'une ménagère fatiguée; lorsqu'elle regardait son mari, elle était toute adoration. Son rôle consistait à expliquer, et à veiller aux intérêts du médium quand il était inconscient.

— Les assistants feront bien de prendre leurs places, dit Linden. Si vous pouvez alterner les sexes, cela vaudrait mieux. Ne croisez pas les genoux, vous interrompriez le courant. Pour le cas où vous auriez une matérialisation, ne vous en saisissez pas: vous pourriez me blesser.

Les deux chercheurs de l'Université se regardèrent d'un air entendu. Mailey le remarqua.

– Il a tout à fait raison, dit-il. J'ai vu deux cas d'hémorragie dangereuse chez un médium, provoqués justement par ce motif.

– Pourquoi? demanda Malone.

– Parce que l'ectoplasme est tiré du médium. Il revient sur lui comme une bande élastique claquée. S'il passe à travers la peau, le médium n'a qu'un bleu. Par une membrane muqueuse, il saigne.

– Et si l'ectoplasme ne passe nulle part, il n'a rien du tout! fit l'un des chercheurs avec un petit rire.

– Je voudrais expliquer en quelques mots la méthode qui va être utilisée, déclara Mme Ogilvy quand chacun fut assis. M. Linden n'entre pas dans le cabinet noir. Il est assis à côté; et puisqu'il tolère une lampe rouge, vous pourrez constater par vous-mêmes qu'il ne quitte pas son siège. Mme Linden est assise de l'autre côté. Elle est là pour diriger et expliquer. Tout d'abord, nous voudrions que vous consentiez à visiter le cabinet noir. L'un d'entre vous fermera la porte et gardera la clé.

Le cabinet se révéla être une simple tente, isolée du mur et installée sur une plate-forme solide. Les chercheurs furetèrent, cognèrent sur le plancher: tout sembla stable.

– A quoi sert ce cabinet noir? s'enquit Malone à voix basse.

– De réservoir et de condensateur pour la vapeur ectoplasmique qui s'échappe du médium; autrement, elle se répandrait dans toute la pièce.

– On a dit également qu'il servait à d'autres fins, murmura l'un des chercheurs, qui avait entendu l'explication de Mailey.

– C'est exact, répondit Mailey avec philosophie. C'est pourquoi je suis partisan des plus grandes précautions, et j'approuve cette supervision par les assistants.

– Ma foi, si le médium se tient à l'extérieur, je ne vois pas comment il pourrait y avoir supercherie...

Les deux chercheurs opinèrent.

Donc le médium était assis d'un côté de la petite tente, et sa femme de l'autre. L'électricité s'éteignit; seule une petite ampoule rouge près du plafond projeta sa lumière pâlotte sur les silhouettes rassemblées; les yeux s'accommodèrent; chacun fut bientôt à même de suivre les détails.

— M. Linden commencera par un peu de lecture, annonça Mme Linden.

Avec ses mains croisées sur son ventre et son air de propriétaire, elle ressemblait à un mannequin de cire. Enid s'en amusa.

Linden, qui n'était pas en transe, débuta par de la clairvoyance qui ne se révéla pas fameuse. Il pouvait se faire que l'influence combinée des divers types d'assistants fût déroutante. C'est en tout cas l'excuse qu'il s'accorda quand plusieurs de ses descriptions ne furent authentifiées par personne. Mais Malone fut davantage choqué par celles qui furent reconnues; les mots étaient littéralement mis dans la bouche du médium; certes, la faute en incombait plus à la passion des intéressés qu'à la rouerie de Linden, mais il n'en était pas moins déconcerté.

— Je vois un jeune homme avec des yeux bruns et une moustache tombante.

— Oh! chéri! chéri! Es-tu revenu? s'écria Mlle Badley. Oh! il a un message?

— Il vous envoie toute sa tendresse, et il ne vous oublie pas.

— Oh! mais bien sûr! C'est tellement ce que ce cher enfant aurait dit lui-même!...

Et elle ajouta pour la société, en minaudant:

— Mon premier amour! Il ne manque jamais de venir. M. Linden l'a amené ici je ne sais combien de fois.

— Il y a sur la gauche un jeune garçon en kaki. Sur sa tête je vois un signe: ce pourrait être une croix de Saint-André.

— Jim! C'est certainement Jim! cria lady Smith.

— Oui. Il fait un signe d'assentiment.

— Et la croix de Saint-André est probablement une hélice, dit sir James. Il était dans l'armée de l'air.

Malone et Enid étaient plutôt mécontents de cette méthode. Mailey ne dissimula pas sa désapprobation.

— Ce n'est pas bon! chuchota-t-il à Enid. Mais attendez un peu! Vous aurez mieux!

Il y eut ensuite plusieurs bonnes reconnaissances, puis quelqu'un ressemblant à Summerlee fut décrit à l'intention de Malone. Mais le journaliste n'en tint pas compte, car Linden avait pu se trouver parmi les spectateurs de Mme Debbs.

— Attendez! ne cessait de lui répéter Mailey.

— Le médium va maintenant tenter de matérialiser, déclara Mme Linden. Si des formes extérieures apparaissent, je vous prie de ne pas les toucher, sauf si on vous le demande. Victor vous dira si vous pouvez le faire. Victor est le contrôle du médium.

Le médium s'était affaissé sur sa chaise; il se mit à respirer par de longues, profondes aspirations sifflantes, et il expulsait l'air entre ses lèvres rapprochées. Finalement, il donna l'impression d'avoir sombré dans le coma: son menton reposait sur sa poitrine. Puis il parla, d'une voix qui parut mieux modulée et plus cultivée qu'auparavant.

— Bonsoir à tous! fit la voix.

Un murmure général répondit:

— Bonsoir, Victor!

— Je crains que les vibrations ne soient pas très harmonieuses. L'élément sceptique est représenté ici; mais comme il n'est pas prédominant, nous espérons avoir néanmoins de bons résultats. Martin Lightfoot fait tout ce qu'il peut.

— C'est le contrôle indien, chuchota Mailey.

— Je crois que vous m'aideriez si vous mettiez en route le tourne-disque. Un cantique serait préférable; mais je n'élève aucune objection contre de la musique séculière. Donnez-nous ce que vous préférez, madame Ogilvy.

On entendit le frottement d'une aiguille qui avait du mal à trouver son sillon. Et puis *Conduis-nous, Douce Lumière* s'ébaucha sur le gramophone. L'assistance se joignit au chant, sans enthousiasme. Alors Mme Ogilvy le remplaça par *O Dieu, notre Espérance dans le Passé.*

— Il leur arrive de changer eux-mêmes les disques, dit Mme Ogilvy. Mais ce soir, il n'y a pas assez d'énergie.

— Oh! si, fit la voix. Il y a assez d'énergie, madame

Ogilvy! Mais nous voudrions la conserver pour les matérialisations. Martin dit qu'elles sont en train de se composer.

A cet instant, le rideau de face du cabinet noir commença à s'agiter. Il se gonflait comme une voile sous un fort vent. D'ailleurs, tous les assistants reçurent une impression de froid.

– Il fait très frais, murmura Enid, en frissonnant.

– Ce n'est pas une impression subjective, répondit Mailey. M. Harry Price l'a mesurée sur des thermomètres. Et aussi le professeur Crawford.

– Mon Dieu! cria une voix stupéfaite.

Cette exclamation émanait du fameux amateur de mystères: il se trouvait soudain aux prises avec un vrai mystère. En effet, les rideaux du cabinet s'étaient écartés, et une silhouette humaine s'était glissée silencieusement dehors. Le médium se profilait nettement d'un côté, et Mme Linden, qui avait sauté sur ses pieds, de l'autre. Entre eux, cette petite silhouette noire, hésitante, semblait terrifiée par sa propre situation. Mme Linden lui parla pour la rassurer.

– N'ayez pas peur, ma chère. Tout va bien. Personne ne vous fera du mal.

Elle expliqua à la société:

– C'est quelqu'un qui n'était jamais revenu sur la terre. Naturellement, tout lui paraît très étrange. Aussi étrange que si nous avions été brusquement transportés dans l'au-delà... Tout va bien, ma chère. Vous prenez des forces, je vois. Bien!

La silhouette se déplaçait, s'avançait. Chacun était cloué sur place, avec le regard fixe. Mlle Badley fut secouée d'un petit rire hystérique. Weatherby s'était adossé à son fauteuil, hoquetant de frayeur. Ni Malone ni Enid n'avaient peur, mais la curiosité les dévorait. C'était une chose extraordinaire que d'entendre le fracas de la vie dans la rue toute proche, et en même temps d'avoir sous les yeux un pareil spectacle.

Lentement, la silhouette faisait le tour de l'assistance. Elle arriva tout près d'Enid, entre l'endroit de l'apparition et la lumière rouge. Enid se pencha; elle vit clairement sa forme extérieure: c'était la forme d'une femme petite, assez âgée, avec des traits aigus, bien dessinés.

— C'est Suzanne! cria Mme Bolsover. Oh! Suzanne, ne me reconnais-tu pas?

La silhouette fit demi-tour et esquissa un signe de tête.

— Oui, ma chérie, c'est ta sœur Suzanne! cria M. Bolsover. Je ne l'ai jamais vue qu'en noir. Suzanne, parlez-nous!

Elle secoua la tête.

— Ils parlent rarement quand ils viennent pour la première fois, dit Mme Linden, dont l'air blasé, vaguement commercial, contrastait avec l'émotion intense du cercle. Je crains qu'elle ne puisse pas tenir longtemps... Ah! voilà! Elle est partie.

La silhouette avait disparu. Elle avait marché à reculons vers le cabinet, mais les observateurs eurent l'impression qu'elle s'était enfoncée dans le plancher avant d'avoir atteint les tentures. En tout cas, elle était partie.

— Un disque, s'il vous plaît! commanda Mme Linden.

Tout le monde se détendit. Les assistants se rejetèrent au fond de leurs chaises avec un soupir. Le phonographe diffusa un air entraînant. Tout à coup, les rideaux s'écartèrent, et une deuxième silhouette apparut.

C'était une jeune fille, avec des cheveux flottants. Elle avança rapidement vers le centre du cercle avec une assurance parfaite.

Mme Linden eut un petit rire satisfait.

— Maintenant, vous allez avoir quelque chose de bon! dit-elle. Voici Lucile.

— Bonsoir, Lucile! s'écria la duchesse. Je vous ai vue le mois dernier, vous rappelez-vous? Lorsque votre médium est venu à Maltraver Towers.

— Oui, oui, madame, je me souviens de vous. Vous avez un petit garçon, Tommy, qui vit avec nous. Non, non! Il n'est pas mort, madame! Nous sommes beaucoup plus vivants que vous. Nous disposons de tous les jeux possibles, nous nous amusons beaucoup!

Elle parlait un anglais parfait, sur un timbre aigu.

— Voulez-vous que je vous montre ce que nous faisons là-bas?

Elle se mit à danser avec grâce, tout en sifflant aussi mélodieusement qu'un oiseau.

— Cette pauvre Suzanne ne pourrait pas en faire autant. Suzanne ne sait pas danser. Mais Lucile sait se servir d'un corps bien composé...

— Vous souvenez-vous de moi, Lucile? demanda Mailey.

— Je me souviens de vous, monsieur Mailey. Un gros homme avec une barbe rousse.

Pour la deuxième fois de sa vie, Enid dut se pincer pour se convaincre qu'elle ne rêvait pas. Cette gracieuse créature, qui était-elle? Une réelle matérialisation ectoplasmique, utilisée pour l'instant en guise de machine destinée à exprimer l'âme d'une morte? Une illusion des sens? Une fumisterie frauduleuse? Lucile était venue s'asseoir au centre du cercle. Elle n'avait certainement rien de commun avec la vieille petite dame en noir. Elle était nettement plus grande, et blonde. D'ailleurs, le cabinet avait été visité, examiné méticuleusement. Toute supercherie était impossible... Alors, c'était donc vrai? Mais si c'était vrai, que de nouvelles perspectives! Ne s'agissait-il pas de la plus grande affaire du monde entier?

Pendant qu'Enid réfléchissait, Lucile s'était montrée si naturelle, et la situation apparaissait tellement normale que les membres les plus nerveux de l'assistance s'étaient relaxés. La jeune fille répondait gaiement aux questions qui l'assaillaient de tous côtés.

— Où habitiez-vous, Lucile?

— Je ferais peut-être mieux de répondre à sa place pour économiser l'énergie, interrompit Mme Linden. Lucile a été élevée dans le Dakota du Sud, aux Etats-Unis, et elle a quitté la terre à l'âge de quatorze ans. Nous avons vérifié quelques-unes de ses déclarations.

— Etes-vous contente d'être morte, Lucile?

— Contente si je ne pense qu'à moi, oui. Triste pour maman.

— Est-ce que votre mère vous a revue depuis?

— Ma pauvre maman est comme une boîte fermée, dont Lucile ne peut pas soulever le couvercle.

— Etes-vous heureuse?

– Oh! oui! Tellement, tellement heureuse!

– Est-il juste que vous puissiez revenir?

– Si ce n'était pas juste, Dieu le permettrait-il? Il faut être bien méchant pour poser une pareille question!

– Quelle était votre religion?

– J'étais catholique romaine.

– Est-ce la bonne religion?

– Toutes les religions sont bonnes si elles vous rendent meilleurs!

– Ainsi, le choix n'a pas d'importance.

– Ce qui est important, c'est ce que font les gens dans la vie quotidienne, mais pas ce qu'ils croient.

– Dites-nous-en davantage, Lucile!

– Lucile n'a pas beaucoup de temps. D'autres veulent venir. Si Lucile dépense trop d'énergie, les autres en auront moins. Oh! que Dieu est bon et juste! Vous, pauvres gens de la terre, vous ne savez pas combien il est bon et juste, parce qu'en bas tout est gris. Mais tout est gris pour votre bien. Tout est gris pour que vous puissiez saisir votre chance de gagner les merveilles qui vous attendent. Mais dans l'au-delà, on peut à peine dire combien il est merveilleux!

– L'avez-vous vu?

– Le voir? Comment peut-on voir Dieu! Non, non, il se tient autour de nous, en nous, en toute chose, mais nous ne le voyons pas. Mais j'ai vu le Christ. Oh! il est glorieux! Glorieux!... Maintenant, au revoir...

Elle se tourna vers le cabinet noir et s'enfonça dans les ombres.

C'est alors que Malone vécut une expérience sensationnelle. La silhouette d'une femme petite, brune, assez ronde, émergea lentement du cabinet. Mme Linden l'encouragea, puis désigna le journaliste.

– C'est pour vous. Vous pouvez rompre le cercle. Venez vers elle.

Malone avança et regarda l'apparition de face. Il était frappé d'une terreur mystérieuse. Quelques centimètres les séparaient. Cette tête forte, ces formes solides, trapues, lui étaient familières! Il approcha encore son visage: il la touchait presque. De tous ses yeux il la fixait. Les traits presques fluides semblaient se modeler comme sous les doigts d'un sculpteur invisible.

— Maman! cria-t-il. Maman!

Instantanément, la silhouette leva les bras dans un geste de joie. Ce mouvement dut détruire son équilibre; elle disparut.

— Elle n'était jamais encore revenue. Elle ne pouvait pas parler, expliqua Mme Linden. C'était votre mère.

A demi assommé, Malone regagna son siège. C'est seulement quand ces choses-là vous arrivent que vous en réalisez toute la force... Sa mère! Depuis dix ans au cimetière, et cependant debout près de lui. Pouvait-il jurer que c'était sa mère? Non, il ne pouvait pas le jurer. Etait-il moralement certain que c'était sa mère? Oui, il avait une certitude morale. Il se découvrit rompu.

Mais d'autres merveilles le divertirent bientôt. Un homme jeune avait surgi du cabinet, s'était avancé vers Mailey et s'était arrêté devant lui.

— Hullo! Jock! Cher vieux Jock! s'écria Mailey, qui ajouta pour la société:

» Mon neveu. Il vient toujours quand je suis avec Linden.

— L'énergie diminue, dit le garçon d'une voix claire. Je ne pourrai pas rester longtemps. Je suis bien content de vous voir, mon oncle. Vous savez, nous pouvons voir très nettement dans cette lumière, même si vous, vous ne pouvez pas.

— Oui, je sais que vous en êtes capables. Dis-moi, Jock, je voulais t'informer que j'avais prévenu ta mère que je t'avais vu. Elle m'a répondu que son Eglise lui avait appris que c'était faux.

— Je sais. Et que j'étais un démon. Oh! c'est moche, moche! Toutes ces croyances pitoyables vont être balayées, heureusement!

Sa voix se cassa dans un sanglot.

— Ne la blâme pas, Jock. Elle le croit de bonne foi.

— Oh! non, je ne la blâme pas! Un jour, elle sera plus savante. Car le temps approche où la vérité sera manifeste! Et toutes ces Eglises corrompues seront chassées de la terre avec leurs doctrines cruelles et leurs caricatures de Dieu!

— Attention, Jock! Tu deviens hérétique...

— L'amour, mon oncle! L'amour! Cela seul compte. Qu'importe la religion, du moment que vous êtes doux, pitoyable, désintéressé comme l'était le Christ.

— Avez-vous vu le Christ? interrogea quelqu'un.

— Pas encore. Peut-être le verrai-je.

— Il n'est donc pas dans le ciel?

— Il y a beaucoup de ciels. Je suis dans un ciel très modeste, mais qui tout de même est glorieux.

Pendant ce dialogue, Enid avait penché la tête en avant. Ses yeux s'étaient habitués à la lumière, et elle distinguait mieux. Le garçon qui se tenait debout à un mètre d'elle n'était pas un être humain. Elle en était sûre, absolument! Et cependant, les différences étaient très subtiles. Il y avait en lui quelque chose, dans son teint bizarre, blanc-jaune, qui contrastait avec les visages de ses voisins; mais aussi quelque chose, dans la curieuse rigidité de son maintien, qui était bien d'un homme sur ses gardes.

— Allons, Jock! dit Mailey. Dis quelques mots à la société: sur ta vie par exemple.

L'apparition baissa la tête, exactement comme l'aurait fait un enfant intimidé.

— Oh! je ne peux pas, mon oncle!

— Allons, Jock! Nous t'écoutons. Nous aimons t'entendre.

— Enseignez au monde ce qu'est la mort! commença l'apparition. Dieu veut que le monde sache ce qu'elle est. Voilà pourquoi il nous permet de revenir. La mort n'est rien. Elle ne vous transforme pas davantage que si vous changiez de pièce et que vous passiez dans la chambre voisine. Vous ne pouvez pas croire que vous êtes mort. Je ne le croyais pas moi-même. Je ne l'ai cru que lorsque j'ai rencontré le vieux Sam, que je connaissais et dont j'étais sûr qu'il fût mort. Puis je suis revenu pour maman, mais elle n'a pas voulu me recevoir.

— N'en aie pas de chagrin, cher Jock! fit Mailey. Elle acquerra la sagesse.

— Enseignez la vérité! Enseignez-la à tous! Oh! c'est tellement plus important que tous les sujets de discussion entre les hommes! Si pendant une seule semaine les journaux donnaient autant d'importance aux phénomènes psychiques qu'aux matches de football, tout le monde saurait. Or c'est l'ignorance qui triomphe...

Les spectateurs distinguèrent une sorte d'éclair vers le cabinet noir, mais le jeune garçon avait disparu.

— L'énergie est tombée à zéro, dit Mailey. Pauvre gosse! Il a tenu jusqu'au bout. Il a toujours tenu jusqu'au bout. Même devant la mort.

Il y eut une longue interruption. Les disques tournèrent à nouveau. Puis les rideaux s'agitèrent. Quelque chose en émergea. Mme Linden sauta sur ses pieds et chassa l'apparition. Pour la première fois, le médium s'agita dans son fauteuil et gémit.

— Qu'est-ce qui se passe, madame Linden?

— Il était à demi formé, répondit-elle. Le bas du visage n'était pas matérialisé. Peut-être que certains d'entre vous auraient eu peur. Je crois que ce soir nous n'aurons rien de plus. L'énergie est très bas.

Elle avait raison. Progressivement les lampes furent rallumées. Le médium avait le visage blanc et le front moite; sa femme s'empressa autour de lui: elle déboutonna son col et lui passa de l'eau froide sur la figure. La société se disloqua en petits groupes qui discutaient passionnément de ce qu'ils venaient de voir.

— N'était-ce pas sensationnel? s'écriait Mlle Badley. Excitant au possible, je trouve! Quel dommage que nous n'ayons pas pu voir la tête à demi matérialisée!

— Merci bien! Pour ma part, j'en ai vu assez, déclara l'amoureux des mystères. J'avoue que cette séance a été un peu trop forte pour mes nerfs!

M. Atkinson se trouvait près des chercheurs. Il leur demanda ce qu'ils en pensaient.

— J'ai vu mieux à la réunion de Maskelyne, répondit l'un d'eux.

— Oh! allons, Scott! dit le deuxième. Vous n'avez pas le droit de penser cela. Vous avez reconnu que le cabinet noir était à l'abri de toute supercherie!

— Chez Maskelyne aussi, le comité avait reconnu que le cabinet n'était pas truqué.

— Oui, mais c'était chez Maskelyne. Linden n'a pas de local particulier. Ici, il n'est pas chez lui.

— *Populus vult decipi,* répondit l'autre chercheur en haussant les épaules. Quant à moi, je réserve mon jugement.

Il s'éloigna avec la dignité de l'homme qui n'entend pas être dupe; son compagnon courut pour le rejoindre, et leur discussion se poursuivit jusque dans la rue.

— Avez-vous entendu? demanda Atkinson. Il existe une certaine catégorie de chercheurs psychiques qui sont résolument incapables d'admettre une preuve. Ils se torturent la cervelle pour trouver une échappatoire. Chaque fois que l'espèce humaine fait un pas en avant, ces intellectuels se mettent ridiculement à l'arrière-garde.

Non, fit Mailey en riant. Ce sont les évêques qui sont prédestinés à marcher en queue. Je les imagine tous, mitrés et crossés, s'ingéniant à demeurer parmi les derniers à atteindre la vérité spirituelle.

— Vous exagérez! protesta Enid. Vous êtes trop injuste! Ce sont de braves gens.

— Mais oui! Ce sont tous de braves gens. Seulement, ils constituent un cas physiologique: des gens âgés, dont la vieille cervelle est sclérosée, impuissante à enregistrer de nouvelles impressions. Ils ne sont pas fautifs, mais le fait est là... Vous êtes bien silencieux, Malone!

Malone était en train de penser à la petite silhouette trapue et brune qui avait ébauché un geste de joie quand il lui avait parlé. C'est avec cette image dans la tête qu'il quitta le salon des miracles pour descendre dans la rue.

CHAPITRE VI

Dévoilons les mœurs d'un criminel notoire!

Quittons maintenant ce petit groupe en compagnie duquel nous avons procédé à une première exploration des régions peut-être ternes et mal délimitées – mais combien importantes! – de la pensée et des expériences humaines, et passons des enquêteurs aux enquêtés. Suivez-moi. Je vais vous mener chez M. Linden; là s'étaleront les lumières et les ombres dont s'assortit la vie d'un médium professionnel.

Pour nous rendre dans son logis, nous descendrons la grande artère de Tottenham Court Road, que jalonnent les grands magasins de meubles, et nous tournerons dans une petite rue aux maisons tristes qui aboutit au British Museum. Cette petite rue s'appelle Tullis Street. Arrêtons-nous au numéro 40. Voici une maison aplatie, grise, banale: des marches avec une rampe grimpent vers une porte défraîchie; par la fenêtre de la pièce du devant le visiteur aperçoit, ce qui le rassure, une grosse Bible dorée sur tranche qui repose sur une petite table. Grâce au passe-partout de l'imagination, ouvrons la porte, enfilons un couloir obscur et montons un escalier étroit. Il est près de dix heures. Pourtant c'est encore dans sa chambre à coucher que nous trouverons le célèbre faiseur de miracles. Le fait est que, comme nous l'avons vu, il a eu la veille au soir une séance épuisante; il se repose donc le matin.

Lorsque nous entrons pour lui faire une visite inopportune mais invisible, il est assis sur son séant, calé entre des oreillers, et le plateau de son petit déjeuner est posé sur ses genoux. Le tableau qu'il nous offre amuserait beaucoup les gens qui ont prié avec lui dans les humbles temples du spiritisme, ou qui ont assisté non sans effroi à ces séances où il a exhibé l'équivalent moderne des dons de l'Esprit. Sous la faible lumière matinale, il paraît d'une pâleur malsaine; ses cheveux bouclés s'élèvent en pyramide bancale au-dessus de son front intelligent. Sa chemise de nuit entrouverte dénude un cou de taureau. Sa forte poitrine et ses épaules puissantes en disent long sur sa force musculaire. Il dévore avec avidité son petit déjeuner, tout en bavardant avec une petite bonne femme ardente aux yeux noirs qui est assise sur le côté de son lit.

— Tu penses que c'était une bonne réunion, Mary?

— Entre les deux, Tom. Il y avait ces chercheurs qui grattaient avec leurs pieds et qui dérangeaient les autres. Est-ce que tu crois que les gens dont parle la Bible auraient accompli leurs merveilles s'ils avaient eu des bonshommes comme ça sur les lieux? « D'un commun accord... » voilà ce qui est écrit dans le Livre.

— Naturellement! s'écria Linden avec chaleur. Est-ce que la duchesse était contente?

— Oui, je crois qu'elle était très satisfaite. Et aussi M. Atkinson, le chirurgien. Il y avait un nouveau: un journaliste du nom de Malone. Et puis lord et lady Montnoir ont eu une visite, tout comme sir James Smith et M. Mailey.

— Je n'étais pas content de la clairvoyance, dit le médium. Ces imbéciles n'arrêtaient pas de m'influencer: « C'est sûrement mon oncle Sam », etc. Cela me brouille: je ne peux rien voir de clair.

— Oui. Et dire qu'ils s'imaginent qu'ils t'aident! Ils t'aident à t'embrouiller et à se tromper eux-mêmes. Je connais le genre!

— Mais j'ai quand même continué, et pas trop mal; après, il y a eu de bonnes matérialisations. Seulement, ils m'ont vidé! Je suis une loque ce matin.

— Ils te font trop travailler, mon chéri. Je vais t'emmener à Margate pour que tu te remontes.

— Oui. Peut-être qu'à Pâques nous pourrions y passer une semaine. Les lectures, la clairvoyance ne me fatiguent pas, mais les phénomènes physiques me tuent. Je ne me sens pas aussi mal que Hallows. On dit qu'il est tout blanc et qu'il halète sur le plancher pour les appeler.

— Oui! s'écria la femme. Alors on court, on lui apporte du whisky, on lui apprend à se fier à la bouteille, et le résultat? On a un nouveau médium ivrogne. Tu t'en garderas bien, Tom?

— Sois tranquille! Dans notre métier, il faut se cantonner dans les boissons douces. Et le mieux est d'être végétarien. Mais je ne peux pas le conseiller, moi qui dévore des œufs au jambon. Oh! sapristi, Mary! Il est plus de dix heures, et j'ai du monde ce matin. Je vais me faire un peu d'argent aujourd'hui.

— A peine gagné, tu le dépenses, Tom!

— Bah! du moment que nous pouvons joindre les deux bouts, quelle importance? J'espère qu'ils s'occuperont de nous, Mary.

— Ils ont laissé tomber quantité d'autres pauvres médiums qui en leur temps avaient bien travaillé.

— Ce sont les riches qui sont à blâmer; pas le peuple des esprits, répondit Tom Linden. Je vois rouge quand je me souviens que des gens comme lady Ceci et la comtesse Cela proclament tout le soulagement qu'elles ont eu, puis laissent mourir comme des chats de gouttière ceux qui le leur ont donné. Je pense au pauvre vieux Tweedy ou à Soames, à tous les médiums qui finissent leurs jours dans des maisons de retraite. Je pense à ces journaux qui clabaudent sur les fortunes que nous avons gagnées, alors qu'un maudit prestidigitateur en gagne plus que nous tous réunis en nous imitant bassement avec deux tonnes de machinerie pour l'aider!

— Ne te tracasse pas, chéri! s'écria la femme du médium en caressant amoureusement la crinière de son mari. Tout s'égalise en fin de compte, et chacun paie pour ce qu'il a fait.

Linden éclata de rire.

— Quand je me mets en colère, c'est mon sang gallois qui bout. Après tout, que les prestidigitateurs ramassent leurs sales pourboires, et que les riches gardent leurs bourses fermées! Je me demande ce qu'ils bâtissent sur la valeur de l'argent. Si j'avais le leur...

On frappa à la porte:

— Pardon, monsieur, votre frère Silas est en bas.

Ils se regardèrent tous deux avec consternation.

— Encore un ennui! fit tristement Mme Linden.

Linden haussa les épaules.

— Bien, Suzanne! cria-t-il. Dites-lui que je descends. Maintenant, chérie, va lui tenir compagnie: je te rejoins dans un quart d'heure.

Avant même que ce délai fût écoulé, il entrait dans la pièce du devant, qui lui servait de cabinet de consultations. Mme Linden éprouvait des difficultés évidentes à avoir un entretien agréable avec le visiteur. Silas Linden était gros, pesant; il ressemblait à son frère aîné, mais ce qui n'était que rondeur chez le médium s'était épaissi chez le cadet pour donner une impression de brutalité pure. Il portait la même pyramide de cheveux bouclés; sa mâchoire lourde trahissait de l'entêtement borné. Il était assis près de la fenêtre, et il avait posé sur ses genoux ses mains énormes, marquées de taches de rousseur. Il avait été un très bon boxeur professionnel, candidat au titre national des poids mi-moyens. A présent, son costume de tweed usé et ses souliers éculés indiquaient qu'il traversait une mauvaise passe; il essayait de la franchir en soutirant de l'argent à son frère.

— Salut, Tom!...

Il avait la voix enrouée. Mme Linden quitta la pièce. Aussitôt après son départ, Silas enchaîna:

— Y'aurait pas une goutte de scotch, dans ta maison? Ce matin, j'ai une de ces gueules de bois! J'ai rencontré hier soir à l'Amiral-Vernon quelques copains: on ne s'était pas vus depuis ma belle époque...

— Je regrette, Silas! répondit le médium en s'asseyant derrière son bureau. Je n'ai jamais de whisky chez moi.

— En fait de spiritueux, tu n'as que des esprits, hein? Et pas de la meilleure qualité... Bon. Ecoute, le prix d'un verre fera aussi bien. Si tu as un petit billet de trop, je m'en arrangerai, car je ne vois rien venir à l'horizon.

Tom Linden tira d'un tiroir un billet d'une livre.

— Voilà, Silas. Tant que j'en aurai, tu auras ta part. Mais la semaine dernière je t'avais donné deux livres. Il ne t'en reste plus rien?

— Plus rien! répondit Silas en enfouissant le billet

d'une livre dans sa poche. Maintenant, Tom, je voudrais te parler très sérieusement, d'homme à homme.

– Vas-y, Silas.

– Regarde ça...

Il montra une bosse sur le revers de sa main.

– C'est un os! Tu vois? Ma main ne se remettra jamais. Je me suis fait ça quand j'ai knock-outé Curly Jenkins au troisième round, au Sporting Club. Ce soir-là, je me suis knock-outé, moi, pour la vie. Je puis encore parader en exhibition, mais pour les combats c'est terminé. Ma droite est fichue.

– C'est moche, Silas!

– Plutôt moche, oui! Mais en tout cas, il faut que je gagne ma croûte, et je voudrais savoir comment. Un pugiliste à la retraite ne trouve pas beaucoup de filons. A la rigueur un emploi de chasseur ou de portier dans une boîte de nuit: on boit à l'œil. Mais ça ne suffit pas. Ce que je voudrais, Tom, c'est ton avis: pourquoi ne deviendrais-je pas médium?

– Médium?

– Qu'est-ce que tu as à me regarder comme ça? Puisque ce job te convient, il pourrait également me convenir, non?

– Mais tu n'es pas médium!

– Oh! ça va! Garde ta salade pour les journaux. Nous sommes entre nous, hein? Alors comment t'y prends-tu?

– Je ne m'y prends pas. Je ne fais rien...

– Et par semaine tu gagnes tes quatre ou cinq livres en ne faisant rien? Pas mal! N'essaie pas de me raconter des blagues, Tom. Je ne suis pas de ces cinglés qui te paieront une livre pour une heure dans le noir. Nous sommes à égalité, toi et moi. Allons, comment t'y prends-tu?

– M'y prendre pour quoi faire?

– Hé bien! les coups dans les murs ou dans les meubles, par exemple. Je t'ai vu assis à ton bureau, et à des questions posées les réponses venaient de là-bas par des coups dans ta bibliothèque. C'était rudement bien! Tu épatais ton monde à chaque fois. Comment t'y prenais-tu?

– Mais je ne m'y prends pas, comme tu dis! Cela se produit en dehors de moi-même.

– Tu blagues! Tu peux bien me le dire, Tom. Je serai

muet comme la tombe. Si je pouvais faire comme toi, ça me remettrait en selle pour la vie.

Une deuxième fois ce matin-là, l'hérédité galloise du médium fut la plus forte.

– Canaille! Tu es une canaille, un blasphémateur, Silas Linden! Ce sont des types comme toi qui, en entrant dans nos rangs, nous font une réputation détestable. Tu devrais me connaître suffisamment pour savoir que je ne triche pas. Fiche le camp! Sors de cette maison, ingrat!

– Ferme ça! gronda la brute.

– Fiche le camp! Ou je te flanque dehors, que tu sois mon frère ou non!

Silas serra ses gros poings, et la fureur le défigura. Puis songeant à l'avenir et aux bienfaits qu'il pourrait soutirer à son frère, il se radoucit.

– Bon, bon! grommela-t-il en se dirigeant vers la porte. Inutile de te fâcher. J'ai l'impression que je pourrai me débrouiller sans toi...

Mais sur sa prudence la colère reprit le dessus:

– Tu n'es qu'un truqueur, un maudit hypocrite! Je te revaudrai cela bientôt!

Et il claqua la porte.

Mme Linden accourut vers son mari.

– L'ignoble personnage! cria-t-elle. Je l'ai entendu. Qu'est-ce qu'il te voulait exactement?

– Il voulait que je l'initie à mon métier. Il s'imagine que j'emploie des trucs que je pourrais lui apprendre.

– L'imbécile! Enfin, c'est une bonne chose, car il n'osera plus remettre les pieds ici, je pense!

– Oh! je n'en sais rien.

– S'il vient, il recevra ma main sur la figure... Quand je pense qu'il te met sens dessus dessous: te voilà tout tremblant!

– Je suppose que je ne serais pas médium si je n'étais pas sensible. Quelqu'un a dit que nous étions des poètes, et même un peu plus. Mais ça tombe mal quand il faut se mettre au travail.

– Je vais te donner un remède.

Elle plaça sur le large front de son mari des petites mains abîmées par le travail.

— Cela va mieux! fit-il au bout d'un moment. Bon remède, Mary! Je vais fumer une cigarette dans la cuisine. Et nous n'en parlerons plus.

— Non. Il y a quelqu'un qui attend. Es-tu en forme pour la voir? C'est une femme.

— Oui, je vais très bien maintenant. Fais-la entrer.

Une femme entra: forme humaine vêtue de noir, au visage tragique, blême; il suffisait de la regarder pour comprendre son histoire. Linden lui indiqua une chaise à contre-jour. Puis il fouilla dans ses papiers.

— Vous êtes Mme Blount, n'est-ce pas? Vous aviez rendez-vous?

— Oui... Je voulais vous demander...

— Je vous en prie: ne me demandez rien. Cela m'embrouille.

Il l'examina de ses yeux gris clair, avec le regard du médium qui cherche et qui voit plutôt à travers les objets que les objets eux-mêmes.

— Vous avez bien fait de venir. Très bien fait. A côté de vous, il y a quelqu'un qui a un message urgent. Très urgent. J'obtiens un nom... Francis... Oui, Francis.

La femme joignit les mains.

— Oui, oui! C'est son nom!

— Un homme brun, très triste, très sérieux... Oh! très sérieux! Il va parler. Il doit parler! C'est urgent. Il dit: « Cloclo... » Qui est Cloclo?

— Oui, il m'appelait ainsi. Oh! Frank, parle-moi! Parle!

— Il parle. Il pose sa main sur votre tête. Il dit: « Cloclo, si tu fais ce que tu as l'intention de faire, cela creusera entre nous un fossé tel qu'il faudra plusieurs années pour le combler. » Est-ce que cela signifie quelque chose pour vous?

Elle bondit de sa chaise:

— Oh! oui! Oh! monsieur Linden, c'était ma dernière chance! Si elle avait échoué... Si j'avais découvert que j'avais réellement perdu Frank, j'avais l'intention d'aller le rejoindre. Ce soir, j'aurais pris du poison!

— Remerciez Dieu, parce que je vous ai sauvée. C'est une chose terrible, madame, que de supprimer une vie: c'est aller contre les lois de la nature, et quiconque va contre les lois de la nature est puni. Je me réjouis qu'il ait été capable de vous sauver. Il a davantage à vous dire. Son message continue: « Si tu vis et fais ton devoir, je serai pour toujours à côté de toi, beaucoup plus près que nous ne l'avons jamais été tandis que j'étais en vie. Ma présence t'entourera et te gardera, toi et nos trois petits. »

Ah! il tint du miracle, le changement qui s'opéra en cette femme! A présent elle se tenait droite, le sang affluait à ses joues, elle souriait. Des larmes coulaient encore sur son visage, mais c'étaient des pleurs de joie. Elle battit des mains. Elle esquissa quelques petits mouvements convulsifs, comme si elle allait danser.

— Il n'est pas mort! Il n'est pas mort! Comment pourrait-il être mort puisqu'il me parle, puisqu'il sera plus près de moi que jamais? Oh! monsieur Linden, que puis-je faire pour vous? Vous m'avez sauvée de la mort la plus honteuse! Vous m'avez rendu mon mari! Oh! vous avez la puissance de Dieu!

Le médium avait du cœur en tout cas; à son tour il sentit des larmes humecter ses yeux.

— Chère madame, n'en dites pas davantage! Ce n'est pas moi. Je ne fais rien. Remerciez Dieu qui, dans sa miséricorde, permet à certains de ses mortels de voir un esprit ou de communiquer son message. Donnez-moi une guinée, si cela ne vous gêne pas. Et revenez ici si vous êtes en souci.

— Maintenant, s'écria-t-elle, je me contenterai d'attendre la volonté de Dieu et de faire mon devoir ici-bas jusqu'au moment où nous serons réunis de nouveau!

La veuve quitta la maison du médium comme si elle flottait dans l'air. Tom Linden sentit que les nuages semés par la visite de son frère avaient été chassés par cet épisode heureux: y a-t-il plus belle joie que de donner de la joie et d'assister à l'ouvrage bénéfique de son propre pouvoir? A peine avait-il repris place à son bureau qu'un nouveau client fut introduit. Cette fois, c'était un homme du monde, élégant, en redingote et guêtres blanches, avec l'air bousculé de quelqu'un dont les minutes sont précieuses.

– Monsieur Linden, je crois? J'ai entendu parler, monsieur, de votre pouvoir. Je me suis laissé dire que mis en présence d'un objet et le tenant dans votre main, vous pouviez donner certaines indications quant à son propriétaire?

– Cela m'est arrivé. Mais je ne puis le commander.

– Je voudrais vous mettre à l'épreuve. Voici une lettre que j'ai reçue ce matin. Pourriez-vous exercer votre pouvoir sur elle?

Le médium s'empara de la lettre pliée; il s'adossa à sa chaise et pressa la missive contre son front. Il demeura ainsi pendant plus d'une minute. Puis il rendit la lettre.

– Je ne l'aime pas, dit-il. J'ai un sentiment de malheur. Je vois un homme vêtu de blanc. Son visage est brun. Il écrit sur une table de bambou. J'obtiens une sensation de chaleur. La lettre vient d'une région tropicale.

– Oui, de l'Amérique centrale.

– Je ne puis pas vous en dire davantage.

– Les esprits sont-ils donc si bornés? Je croyais qu'ils savaient tout.

– Ils ne savent pas tout. Leur pouvoir et leur savoir sont aussi limités que les nôtres. D'ailleurs, ceci n'est pas une affaire pour le peuple des esprits. Je n'ai fait que de la psychométrie, qui est une possibilité de l'âme humaine.

– Jusqu'ici, vous ne vous êtes pas trompé. Cet homme qui m'a écrit voudrait que je mette de l'argent de part à demi dans un forage de pétrole. Est-ce que je dois le faire?

Tom Linden secoua la tête.

– Certains pouvoirs nous sont donnés, monsieur, pour consoler l'humanité et pour prouver l'immortalité. Jamais il n'a été question de les utiliser pour un usage de ce monde. Si par malheur ils sont utilisés pour de tels desseins, il s'ensuit automatiquement des difficultés pour le médium et pour son client. Je ne m'occuperai pas de cette affaire.

– Si c'est une question d'argent... dit le visiteur en tirant un portefeuille de sa poche.

– Non, monsieur, pas pour moi. Je suis pauvre, mais je n'ai jamais mésusé de mes dons.

– Je me demande à quoi ils servent, ces dons-là! fit l'homme en se levant. Tout le reste, je puis l'obtenir de n'importe quel pasteur licencié, et vous ne l'êtes pas. Voilà votre guinée, mais je n'en ai pas reçu la valeur!

– Je regrette, monsieur, mais je ne puis pas aller contre la règle. Il y a près de vous une dame, monsieur, une dame... près de votre épaule gauche... une dame âgée...

– Tut! Tut! interrompit le financier, en se dirigeant vers la porte.

– Elle porte une grande médaille d'or avec une croix d'émeraude sur sa poitrine.

L'homme s'arrêta, se retourna, et parut stupéfait.

– Où avez-vous trouvé cela?

– Je le vois devant moi.

– Ah! ça, mon vieux, c'est ce que ma mère a toujours porté! Voudriez-vous me dire que vous pouvez la voir?

– Non, elle est partie.

– Comment était-elle? Qu'est-ce qu'elle faisait?

– Elle était votre mère. Elle me l'a dit. Elle pleurait.

– Pleurer? Ma mère! Quoi! si jamais une femme a mérité d'être au ciel, elle y est. Et au ciel on ne pleure pas!

– Pas dans le ciel de votre imagination. Dans le ciel vrai, on pleure. Et c'est nous qui faisons pleurer les morts. Elle a laissé un message.

– Donnez-le-moi!

– Le voici: « Oh! Jack, Jack! Tu t'éloignes toujours davantage de moi! »

L'homme eut un geste de mépris.

– J'ai été un sacré imbécile de vous donner mon nom quand j'ai pris rendez-vous. Vous vous êtes renseigné. Vous ne m'aurez pas avec vos trucs! J'en ai assez! Vous m'entendez: assez!

Et pour la deuxième fois de la matinée, la porte du médium claqua brutalement.

– Il n'a pas aimé le message que j'avais reçu pour lui, expliqua Linden à sa femme. Il venait de sa pauvre maman. Elle se fait du souci à son sujet. Seigneur! Si seulement les gens étaient au courant, ils deviendraient meilleurs...

– Mais, Tom, ce n'est pas ta faute s'ils ne savent pas, répondit Mme Linden. Il y a deux femmes qui t'attendent. Elles n'ont pas pris rendez-vous, mais elles semblent bien ennuyées.

– J'ai un peu mal à la tête. Je n'ai pas encore récupéré la séance d'hier soir. Silas et moi nous avons ceci en commun: notre travail de la nuit se répercute toujours sur le lendemain matin. Je vais simplement recevoir ces deux-là et personne d'autre; je n'aime pas éconduire des gens qui sont en peine, si je puis leur venir en aide.

Les deux femmes furent introduites: toutes deux étaient d'apparence austère et vêtues de noir: l'une pouvait avoir cinquante ans; l'autre vingt-cinq.

– Je crois que votre tarif est d'une guinée, dit la plus âgée en posant une pièce sur la table.

– Une guinée pour les clients qui peuvent payer ce prix, répondit Linden.

– Oh! oui, moi je puis payer! dit la femme. J'ai de gros ennuis, et on m'a dit que vous pourriez m'aider.

– Je vous aiderai si je le puis. Je suis là pour ça.

– J'ai perdu mon pauvre mari à la guerre. Il a été tué à Ypres. Pourrais-je entrer en relation avec lui?

– Vous n'apportez pas avec vous beaucoup d'influx, il me semble. Je n'ai aucune impression. Je suis désolé, mais il s'agit de phénomènes auxquels nous ne pouvons commander. J'ai un nom: Edmond. Etait-ce son nom?

– Non.

– Ou Albert?

– Non.

– Je regrette, mais cela me paraît bien embrouillé: des vibrations contraires, peut-être, et un méli-mélo de messages comme des fils de télégraphe entremêlés.

– Est-ce que le nom de Pedro vous aiderait?

– Pedro! Pedro! Non, je n'ai rien. Pedro était-il un homme âgé?

– Non, il n'était pas âgé.

– Je n'ai aucune impression.

– C'est en réalité au sujet de ma fille que j'ai besoin

d'un conseil. Mon mari m'aurait dit quoi faire. Elle est fiancée à un ajusteur; il y a une ou deux choses qui sont contre ce projet, et je voudrais être éclairée.

– Donnez-nous un conseil! insista la jeune femme, en regardant le médium avec dureté.

– Je le ferai si je le puis, ma chère. Aimez-vous cet homme?

– Oh! oui, il est très bien.

– Hé bien! si vous ne ressentez pas davantage, laissez-le à son sort. D'un tel mariage, il ne peut sortir que du malheur.

– Alors vous voyez du malheur qui l'attend?

– Je vois qu'il y a des chances de malheur. Je crois qu'elle devrait être prudente.

– Ne voyez-vous personne d'autre à l'horizon?

– Tout le monde, hommes et femmes, rencontre un partenaire à un moment donné quelque part.

– Alors elle aura un partenaire?

– Elle en aura un très certainement.

– Je me demande si j'aurai aussi une famille? demanda la jeune fille.

– Je ne sais pas: c'est plus que je ne saurais dire.

– Et l'argent?... Aura-t-elle de l'argent? Nous sommes très déprimées, monsieur Linden, et nous voudrions un peu de...

Une interruption imprévue lui coupa la parole: la porte s'était ouverte, et la petite Mme Linden s'était ruée dans la pièce avec une figure décomposée et des yeux étincelants.

– Ce sont des policières, Tom! Je viens d'avoir un avertissement à leur sujet. Sortez d'ici, paire d'hypocrites! Et vous vous lamentiez encore! Oh! que j'ai été bête! Quelle idiote de ne pas vous avoir flairées plus tôt!

Les deux femmes s'étaient levées.

– Vous avez du retard, madame Linden! ricana la plus âgée. Il a reçu de l'argent.

– Reprenez-le! Reprenez-le! Il est sur la table.

– Non, pas du tout! Il l'a reçu et il nous a dit la bonne aventure. Vous entendrez reparler de ceci, monsieur Linden!

— Vous mentez! Vous pourchassez les fraudes, mais c'est vous qui fraudez! Jamais il ne vous aurait reçues s'il n'avait pas eu pitié de vous...

— Inutile de protester, répondit la policière. Nous faisons notre métier, et ce n'est pas nous qui fabriquons les lois. Aussi longtemps qu'elles figurent dans le Code, nous avons à les appliquer et à les faire respecter. Nous soumettrons notre rapport à nos supérieurs.

Tom Linden semblait assommé par ce coup, mais quand les policières eurent disparu, il passa son bras autour de sa femme en pleurs, et il la consola du mieux qu'il put.

— C'est la dactylo du commissariat qui m'a fait avertir, dit-elle. Oh! Tom, c'est la deuxième fois! Cela signifie la prison et les travaux forcés pour toi.

— Eh bien! ma chérie, du moment que nous sommes certains de n'avoir pas fait de mal et d'avoir au contraire accompli l'ouvrage de Dieu au mieux de notre pouvoir, nous devons prendre de bon cœur ce qu'il nous envoie.

— Mais où étaient-ils? Comment ont-ils pu te laisser tomber de cette manière? Où était ton guide?

— Au fait, Victor? dit Tom Linden, en secouant la tête et en regardant au-dessus de lui. Victor, où étiez-vous? J'ai un compte à régler avec vous!...

» Tu sais, chérie, poursuivit-il en s'adressant à sa femme, un médium est un peu comme un médecin: le médecin ne se traite jamais lui-même, et le médium est désarmé devant ce qui lui arrive. Telle est la règle. Tout de même, j'aurais dû deviner! J'étais dans la nuit. Je n'avais aucune sorte d'inspiration. C'est uniquement par pitié et par compassion que j'ai continué alors que je n'avais vraiment pas de message à communiquer. Ma chère Mary, nous allons réagir avec courage. Peut-être les faits ne sont-ils pas assez prouvés pour qu'on m'intente un procès; peut-être le commissaire de police est-il moins ignorant que les autres... Espérons!

En dépit de son courage apparent, le médium frissonnait et tremblait. Sa femme l'avait entouré de ses bras, et elle essayait de l'apaiser. La bonne, Suzanne, qui ne se doutait de rien, introduisit un nouveau visiteur dans le bureau de Linden: Edward Malone en personne.

— Il ne peut pas vous voir, dit brièvement Mme Linden. Le médium est malade. Il ne verra personne ce matin.

Mais Linden avait reconnu son visiteur.

— C'est M. Malone, ma chérie. Malone, de la *Daily Gazette,* qui était hier soir avec nous. Nous avons eu une bonne séance, n'est-ce pas, monsieur?

— Excellente! s'exclama Malone. Mais qu'est-ce qui ne va pas?

Le ménage Linden lui raconta la scène qui venait de se dérouler.

— Quel sale métier! s'écria Malone avec dégoût. Je suis sûr que le public ne se rend absolument pas compte de la façon dont cette loi est appliquée. Sinon, il y aurait une émeute. Cette histoire d'agent provocateur est tout à fait étrangère à la justice britannique. Mais en tout cas, Linden, vous êtes un vrai médium. La loi a été faite pour supprimer les faux.

— Il n'existe pas de vrais médiums au regard de la loi anglaise, répondit lugubrement Linden. Je crois même que plus l'on est un vrai médium, et plus grand est le crime. Si l'on est médium et si l'on se fait payer, on est coupable. Mais comment un médium vivrait-il s'il ne se faisait pas payer? C'est un travail qui nécessite toute la force physique d'un homme. Impossible d'être charpentier pendant le jour et médium de première classe la nuit!

— Quelle loi ignoble! On dirait qu'elle écarte délibérément toutes les preuves physiques de l'énergie spirituelle.

— Exactement. Si le diable avait voulu faire une loi, il ne l'aurait pas faite autrement. On prétend qu'elle a pour but de protéger le public: or personne n'a jamais porté plainte! Tous les procès ont été intentés à la suite de pièges tendus par la police. Et pourtant la police sait parfaitement qu'il n'y a pas de garden-party de charité organisée au bénéfice de telle ou telle Eglise qui n'ait sa voyante ou son diseur de bonne aventure!

— C'est monstrueux! Et maintenant, que va-t-il arriver?

— J'attends une citation. Puis un procès devant le Tribunal de simple police. Puis une amende ou la prison. C'est la deuxième fois, comprenez-vous?

— Eh bien! vos amis viendront témoigner en votre faveur, et nous aurons un bon avocat pour vous défendre.

Linden haussa les épaules.

— Vous ne savez jamais qui sont vos amis. Ils glissent entre vos doigts comme de l'eau, quand l'affaire se gâte.

— S'il n'y en a qu'un qui ne le fera pas, déclara Malone, ce sera moi! Tenez-moi au courant des événements. Mais j'étais venu parce que j'avais quelque chose à vous demander.

— Désolé! fit Linden. Mais je ne suis pas en état.

Il montra sa main qui tremblait encore.

— Non, il ne s'agit pas de psychisme à proprement parler. Je voulais vous demander simplement si la présence d'un sceptique endurci stopperait tous les phénomènes que vous produisez.

— Pas nécessairement. Mais bien sûr, sa présence compliquerait les choses. S'il demeurait tranquille et raisonnable, nous pourrions obtenir des résultats. Mais la plupart ne savent rien, agissent contre les règles, et détruisent les conditions *sine qua non*. L'autre jour, il y avait le vieux Sherbank, le médecin. Quand il entendit des petits coups sur la table, il sauta en l'air, posa sa main sur le mur et cria: « Maintenant, je vous donne cinq secondes pour que ces coups me frappent la paume de la main! » Et parce qu'il ne ressentit pas de coups dans la paume de sa main, il déclara que j'étais un farceur et il partit furieux. Les gens n'admettent pas qu'il y ait des règles fixes pour cela comme pour le reste.

— Eh bien! je dois vous avouer que l'homme auquel je pensais est aussi peu raisonnable que votre médecin. Il s'agit du grand professeur Challenger.

— Ah! oui, j'ai déjà entendu dire que c'était un cas difficile.

— Accepteriez-vous qu'il vienne à une séance?

— Oui, si vous le désirez.

— Il ne viendrait pas chez vous, ni dans tout autre endroit que vous lui proposeriez. Il imaginerait tout un tas de fils et de truquages... Pourriez-vous venir à sa maison de campagne?

— Je ne refuserai pas, si je puis le convertir.

– Et quand?

– Je ne peux rien faire avant que soit réglée cette histoire abominable. C'est-à-dire d'ici un mois ou deux.

– Bien. Je garderai le contact avec vous jusque-là. Quand tout sera redevenu comme avant, nous établirons un plan, et nous verrons si nous pouvons le placer devant des faits comme je l'ai été moi-même. En attendant, permettez-moi de vous dire combien je suis en sympathie avec vous. Nous allons constituer un comité d'amis, et tout ce qui sera possible sera fait.

CHAPITRE VII

Le criminel notoire reçoit le châtiment que, selon la loi anglaise, il mérite

Avant de reprendre le récit des aventures de nos héros dans le domaine du psychisme, sans doute serait-il bon de savoir comment la loi anglaise a traité l'individu pervers et dangereux qui s'appelait M. Tom Linden.

Les deux policières regagnèrent triomphalement Bardley Square Station, où l'inspecteur Murphy, qui les avait envoyées au 40 de Tullis Street, attendait leur rapport. Il était assis derrière sa table de travail jonchée de papiers. Gaillard rubicond à la moustache noire, Murphy usait avec les femmes de manières volontiers paternelles, que ne justifiaient d'ailleurs ni son âge ni sa virilité.

— Alors, les filles? demanda-t-il à ses collaboratrices. Ça a marché?

— Du tout cuit! répondit la plus âgée. Nous avons le témoignage que vous vouliez.

L'inspecteur s'empara d'un questionnaire manuscrit.

— Vous avez bien suivi mon plan général?

— Oui. J'ai dit que mon mari avait été tué à Ypres.

— Bon. Qu'a-t-il fait?

— Il a paru désolé pour moi...

— Naturellement. Ça fait partie du jeu. Il aura le temps de se désoler pour lui-même avant qu'il s'en sorte. Il n'a pas dit: « Vous êtes une femme seule et vous n'avez jamais eu de mari? »

— Non.

— Dites donc, voilà un mauvais point pour les esprits, hein? De quoi impressionner le tribunal! Et ensuite?

— Il a cherché des noms. Ils étaient tous faux.

— Parfait!

— Il m'a crue quand je lui ai dit que Mlle Bellinger était ma fille.

– Excellent! Avez-vous tâté du truc *Pedro*?

– Oui, il a réfléchi sur le nom, mais il n'a rien dit.

– Dommage! Enfin, de toutes manières, il ne savait pas que *Pedro* était le nom de votre toutou. Il a réfléchi sur le nom? Pas mal! Faites rire le jury, le verdict est dans la poche. Maintenant au sujet de la bonne aventure: avez-vous fait comme je vous l'avais suggéré?

– Oui. Je l'ai questionné sur le fiancé d'Amy. Il ne m'a rien répondu de précis.

– Rusé bonhomme! Il connaît son affaire!

– Mais il a déclaré qu'elle serait malheureuse si elle l'épousait.

– Tiens, tiens! Vraiment? Bon, si nous délayons un peu cela, nous aurons ce qui est nécessaire. Alors asseyez-vous, et dictez votre rapport pendant que les faits sont encore frais dans votre mémoire. Puis nous le reverrons ensemble et nous l'arrangerons pour le mieux. Amy, vous en écrirez un, vous aussi.

– Très bien, monsieur Murphy.

– Ensuite, nous solliciterons un mandat. Tout dépend du magistrat qui sera commis. Le mois dernier, M. Dalleret a fait grâce à un médium: donc il ne nous sera d'aucune utilité. Et M. Lancing s'est plus ou moins compromis avec les spirites. En revanche, M. Melrose est un matérialiste endurci. Si nous avons affaire avec lui, nous obtiendrons un mandat d'arrêt. Il ne faudrait pas qu'il s'en tire sans condamnation.

– Il n'y aurait pas moyen d'avoir des témoignages du public pour corroborer les nôtres?

L'inspecteur éclata de rire.

– Nous sommes censés protéger le public; mais de vous à moi, le public n'a jamais demandé à être protégé. Aucune plainte n'a été déposée. Donc c'est à nous qu'il appartient de faire respecter la loi du mieux possible; tant que cette loi existe, il nous faut l'appliquer... Allons, bonsoir, les filles! Votre rapport pour quatre heures, hein?

– Et... gratuitement, je suppose? demanda l'aînée des policières en souriant.

– Attendez, ma chère! Si nous obtenons vingt-cinq livres d'amende, ces vingt-cinq livres iront quelque part...

dans la caisse de la police par exemple. Mais il y en aura peut-être une partie qui s'égarera en route. De toute façon, couchez-moi ça par écrit, et après nous verrons.

Le lendemain matin, une bonne affolée pénétra dans le modeste bureau de Linden:

— Monsieur! Il y a un agent de police qui vous demande.

L'homme en bleu la suivait sur ses talons.

— V's appelez Linden?

Il lui tendit une feuille de papier ministre pliée en deux.

Le malheureux couple qui consacrait son temps à apporter du réconfort à autrui avait bien besoin d'être réconforté! Mme Linden passa ses bras autour du cou de son mari, et ils lurent ensemble le document sinistre.

A Thomas Linden, 40, Tullis Street, N. W.

Un rapport établi ce jour par Patrick Murphy, inspecteur de police, affirme que vous, ledit Thomas Linden, le 10 novembre et à l'adresse ci-dessus, avez exercé devant Henrietta Dresser et Amy Bellinger le métier de diseur de bonne aventure afin de tromper et d'abuser certains sujets de Sa Majesté, à savoir ceux mentionnés ci-dessus. Vous êtes subséquemment cité à comparaître devant le magistrat du Tribunal de simple police à Bardley Square mercredi prochain, le 17 novembre, à onze heures du matin, pour répondre à l'instruction ouverte contre vous.

Le 10 novembre,

B. J. Withers.

L'après-midi de ce même jour, Mailey se rendit chez Malone, et ils discutèrent de ce texte. Puis ils allèrent ensemble voir un avoué; Summerway Jones avait l'esprit fin, et il était passionné de psychisme. De surcroît, il adorait la chasse à courre, il boxait bien; dans toutes les enceintes de justice, il apportait un parfum d'air frais et pur. Il se pencha sur la citation.

— Le pauvre diable a de la chance! dit-il. D'habitude la police obtient un mandat. Aussitôt l'homme est emmené, il passe la nuit dans une cellule, et il est jugé le lendemain matin sans personne pour le défendre. La police va être assez habile, bien sûr, pour choisir comme magistrat un catholique romain ou un matérialiste. Puis, en vertu du beau jugement du lord-président Lawrence — le premier arrêt, je crois, qu'il a rendu à ce poste élevé — la profession de médium ou de faiseur de miracles sera considérée en soi comme un crime vis-à-vis de la loi, que le médium soit authentique ou non, si bien qu'aucune défense fondée sur les bons résultats obtenus n'aura de chances de se faire entendre. C'est un mélange de persécution religieuse et de chantage policier. Quant au public, il s'en fiche! Que lui importe une condamnation! Les gens qui ne veulent pas consulter un médium ne se dérangent pas, voilà tout! Ce genre d'affaire est une honte pour notre législation.

— Je l'écrirai! fit Malone, dont les yeux étincelaient. Mais qu'est-ce que vous appelez la loi?...

— Il y a deux actes, deux décrets si vous préférez, aussi infects l'un que l'autre, et tous deux ont été signés bien avant les débuts du spiritisme. D'abord le décret contre la sorcellerie qui remonte à George II; comme il était devenu par trop désuet et absurde, il n'est plus invoqué que comme accessoire. Puis le décret réprimant le vagabondage qui date de 1824. Il avait pour but de contrôler les gitans et les romanichels sur les routes, et ses auteurs n'avaient jamais pensé qu'il pourrait servir contre les médiums...

Il fureta parmi ses papiers.

— Voici cette idiotie: « Toute personne exerçant le métier de diseur de bonne aventure ou employant des procédés subtils pour tromper et abuser un sujet de Sa Majesté sera jugée pour vagabondage, etc. » Ces deux décrets auraient fait autant de ravages chez les premiers chrétiens que la persécution romaine.

— Par chance, il n'y a plus de lions! murmura Malone.

— Mais il y a beaucoup d'imbéciles! ajouta Mailey. Les imbéciles d'aujourd'hui remplacent les lions d'hier. Que pouvons-nous faire?

— Rien! répondit l'avoué en se grattant la tête. C'est un cas parfaitement désespéré.

— Oh! tout de même, s'écria Malone. Nous n'allons pas abandonner la partie aussi facilement. Nous savons que Linden est un honnête homme...

Mailey se tourna vers Malone et lui serra la main.

— Je ne sais pas si vous vous considérez déjà comme spirite, dit-il, mais vous êtes bien le genre d'homme dont nous avons besoin. Dans notre mouvement, il y a trop de gens à foie blanc: ils se ruent chez le médium quand tout va bien, mais à la première accusation ils l'abandonnent. Dieu merci, il y a aussi quelques vaillants! Brookes, Rodwin, sir James Smith... Nous pouvons réunir entre nous cent ou deux cents livres.

— Parfait! fit joyeusement l'avoué. Si vous vous sentez dans cet état d'esprit, nous vous en donnerons pour votre argent!

— Qu'est-ce que vous penseriez d'un conseiller du roi?

— A quoi vous servirait un membre éminent du barreau de Londres? Devant le Tribunal de simple police, on ne plaide pas. Si vous laissez l'affaire entre mes mains, je crois que je me débrouillerai aussi bien que n'importe qui, car j'ai déjà eu pas mal d'affaires semblables. Et puis, je ne vous coûterai pas cher.

— Hé bien! d'accord! Et nous aurons un certain nombre de braves gens derrière nous.

— A défaut d'autre chose, nous diffuserons l'affaire, dit Malone. Je fais confiance au bon vieux public anglais. Il est lent et stupide, mais le cœur est solide. Si on lui apporte la vérité, il se dressera contre l'injustice.

— Les Anglais auraient bien besoin d'une trépanation pour en arriver là! fit l'avoué. En tout cas, faites votre besogne, je ferai la mienne, et nous verrons bien!

Le matin décisif arriva. Linden se trouva dans le box des accusés face à un homme d'âge moyen, tiré à quatre épingles et doté de mâchoires qui ressemblaient à un piège à rats. C'était M. Melrose, redoutable magistrat. M. Melrose avait la réputation d'être très sévère pour tous les diseurs de bonne aventure et les gens qui prévoyaient l'avenir; pourtant il occupait ses loisirs à lire les prophètes sportifs, car il s'intéressait vivement à l'amélioration de la race chevaline, et sa silhouette était bien connue sur les champs de courses. Ce matin-là, il n'était pas d'une humeur particulièrement bonne; il regarda d'abord le dossier, puis examina le prisonnier. Mme Linden s'était faufilée derrière le box, et de temps en temps elle caressait la main que son mari avait posée sur le rebord. La salle était bondée; beaucoup de clients du médium avaient tenu à lui manifester leur sympathie.

— Y a-t-il une défense? interrogea M. Melrose.

— Oui, monsieur le juge, répondit Summerway Jones. Puis-je, avant l'ouverture du débat, soulever une objection?

— Si vous pensez qu'elle est valable, oui, monsieur Jones.

— Je sollicite respectueusement votre décision sur un point de droit avant que ne s'engage le procès. Mon client n'est pas un vagabond, mais un membre respectable de la communauté; il vit dans sa propre maison; il paie des impôts et des contributions, comme n'importe quel autre citoyen. Le voici maintenant poursuivi en vertu du quatrième alinéa du décret de 1824 réprimant le vagabondage. Ce décret s'intitule ainsi: « Acte pour punir les personnes inoccupées et turbulentes, et les vagabonds. » Le but de ce décret était, comme ces mots l'impliquent, de mettre un frein à l'activité illégale des bohémiens et autres romanichels qui à l'époque infestaient le pays. Je vous demande, monsieur le juge, de déclarer que mon client n'est pas du tout une personne visée par le champ d'application de ce décret, ni exposée à la pénalité qu'il comporte.

Le magistrat secoua la tête.

— Je crois, monsieur Jones, qu'il y a eu trop de précédents pour que le décret puisse être considéré sous cet angle restrictif. Je demande à l'avoué poursuivant pour le compte du commissaire de police de produire ses témoins.

Une petite boule à favoris et à voix rauque se leva:

— J'appelle Henrietta Dresser.

L'aînée des policières surgit à la barre avec l'empressement d'une habituée. Elle tenait à la main un carnet de notes ouvert.

— Vous êtes agent de police, n'est-ce pas?

— Oui, monsieur.

— Vous avez surveillé la maison du prisonnier la veille du jour où vous vous êtes rendue chez lui, je crois?

— Oui, monsieur.

— Combien de personnes sont entrées?

— Quatorze, monsieur.

— Quatorze personnes! Et je crois que le tarif moyen du prisonnier est de six shillings et six pence.

— Oui.

— Sept livres en un seul jour! Voilà de beaux appointements, alors que beaucoup d'honnêtes gens se contentent de cinq shillings!

— C'étaient des fournisseurs! cria Linden.

— Je dois vous prier de ne pas interrompre. Vous êtes déjà très efficacement représenté, dit sévèrement le magistrat.

— A présent, Henrietta Dresser, reprit l'avoué, poursuivant en agitant son pince-nez, dites-nous ce qui s'est passé quand vous avez été introduite, vous et Amy Bellinger, chez le prisonnier.

La policière donna alors un compte rendu assez exact, qu'elle lut sur son carnet. Elle n'était pas une femme mariée, mais le médium avait tenu pour vraie sa déclaration qu'elle l'était. Il avait jonglé avec plusieurs noms et il avait paru grandement troublé. Le nom d'un chien, *Pedro,* lui avait été soumis, mais il ne l'avait pas reconnu pour tel. Finalement, il avait répondu à un certain nombre de questions touchant l'avenir de sa fille supposée qui, en fait, n'était nullement une parente, et il lui avait prédit qu'elle ferait un mariage malheureux.

— Avez-vous des questions à poser, monsieur Jones? demanda le juge.

— Etes-vous venue trouver cet homme comme quelqu'un qui aurait besoin de réconfort et de consolation? Et a-t-il essayé de vous en donner?

— Je crois que vous pouvez présenter les choses sous ce jour.

— D'après ce que j'ai compris, vous avez fait état d'un profond chagrin?

— J'ai tenté de donner cette impression.

— Vous ne considérez pas que c'était là hypocrisie pure?

— J'ai accompli mon devoir.

— Avez-vous remarqué des signes de force psychique, ou quoi que ce soit d'anormal? demanda le poursuivant.

— Non. Il m'a paru être un homme très simple, tout à fait ordinaire.

Amy Bellinger fut le deuxième témoin. Elle se présenta avec un carnet de notes à la main.

— Puis-je vous demander, monsieur le juge, s'il est dans l'ordre que les témoins lisent leur déposition?

— Pourquoi pas? répliqua le magistrat. Nous tenons à avoir des faits précis, n'est-ce pas?

— En effet. Nous y tenons. Mais peut-être M. Jones n'y tient-il pas, lui? demanda le poursuivant.

— Nous nous trouvons clairement devant une méthode destinée à faire concorder les deux témoignages, dit Jones. J'allègue que ces rapports ont été soigneusement préparés et collationnés.

— Il est naturel que la police prépare un procès, répondit le juge. Je ne vois pas que cela vous fasse du tort, monsieur Jones. A présent, témoin, déposez!

Le témoignage ressemblait comme un frère au précédent.

— Vous avez posé des questions à propos de votre fiancé? demanda M. Jones. Or vous n'avez pas de fiancé.

— C'est exact.

— En fait, vous avez toutes deux échafaudé une longue suite de mensonges?

— Pour une bonne cause.

— Vous pensez donc que la fin justifie les moyens?

— J'ai appliqué les instructions que j'avais reçues.

— Qui vous avaient été communiquées auparavant?

— Oui. On nous avait dit ce qu'il fallait demander.

— Je pense, déclara le juge, que les agents de police ont fourni un témoignage équitable et documenté. Avez-vous fait citer des témoins pour la défense, monsieur Jones?

— Il y a dans cette salle, monsieur le juge, plusieurs personnes qui n'ont eu qu'à se louer de la qualité de médium du prisonnier. J'ai assigné une personne qui a été sauvée du suicide, selon sa propre déposition, le matin même où la police est venue chez lui. J'ai également un ancien athée qui avait perdu toute foi en la vie future et qui a été converti par son expérience des phénomènes psychiques. Je puis produire encore des hommes éminents de la science et de la littérature qui témoigneront de la véritable nature des pouvoirs de M. Linden...

Le juge secoua la tête.

— Vous devez savoir, monsieur Jones, que de tels témoignages seraient tout à fait hors de la question. Il a été clairement établi par le lord-président et par d'autres autorités que la loi de ce pays ne reconnaît nulle part les pouvoirs surnaturels quels qu'ils soient, et que la revendication de tels pouvoirs qui s'exerceraient contre de l'argent constitue un crime en soi. Par conséquent, lorsque vous suggérez de citer des témoins, je ne vois pas que ce procédé aboutisse à autre chose qu'à faire perdre son temps à la Cour. Parallèlement je suis prêt bien sûr, à écouter toutes les observations que vous estimeriez devoir faire après que l'avoué poursuivant ait parlé.

— Puis-je m'aventurer à vous faire remarquer, monsieur le juge, dit Jones, qu'une semblable législation signifierait la condamnation de toute personne sainte ou sacrée? Car les saints eux-mêmes doivent vivre, et doivent donc recevoir de l'argent.

— Si vous vous référez aux temps apostoliques, répondit avec brusquerie le magistrat, je vous rappellerai seulement que le temps des apôtres est révolu, et aussi que la reine Anne est morte. Un tel argument est à peine digne de votre intelligence. A présent, monsieur, si vous avez quelque chose à ajouter...

Ainsi encouragé, le poursuivant fit une courte harangue; à intervalles réguliers, il trouait l'air avec son pince-nez, comme si chaque coup devait ponctuer son inspiration. Il brossa un tableau de la misère dans les classes laborieuses, alors que des charlatans, grâce à des abus de confiance et à des prétentions blasphématoires, gagnaient richement leur vie. Détenaient-ils ou non des pouvoirs réels? Le fait n'était pas là, comme on l'avait observé. Mais cette excuse même ne pouvait être valablement alléguée dans le cas présent, puisque les deux agents de police qui avaient accompli de la manière la plus exemplaire un devoir plutôt déplaisant n'avaient reçu contre leur argent qu'un tissu d'absurdités. Etait-il vraisemblable que d'autres clients fussent mieux traités? Ces parasites de la société croissaient en nombre; ils basaient leur commerce sur les nobles sentiments de parents dépossédés d'une affection; il était grand temps qu'un châtiment exemplaire les avertît d'avoir à choisir un métier plus honorable.

M. Summerway Jones répliqua du mieux qu'il put. Il commença par mettre en lumière le fait que les décrets étaient appliqués dans un but qui n'avait jamais été dans l'esprit du législateur...

— Ce point a déjà été soulevé! aboya le magistrat.

L'avoué de la défense poursuivit en déclarant que toute l'affaire n'était pas nette: les témoignages n'émanaient-ils pas d'agents provocateurs qui, en admettant qu'un crime eût été commis, l'avaient évidemment incité et y avaient participé? Quant aux amendes, elles étaient souvent infligées lorsque la police y avait un intérêt direct.

— J'espère, monsieur Jones, que vous n'entendez pas jeter la suspicion sur l'honnêteté de la police?

La police était humaine; naturellement, elle avait tendance à soulever des problèmes où son intérêt était engagé. Tous ces procès étaient artificiels. Jamais, à aucun moment, le public n'avait porté plainte, et n'avait demandé à être protégé. Dans toutes les professions, il y avait des fraudeurs; mais si quelqu'un payait et perdait une guinée chez un faux médium, il n'avait pas plus le droit de réclamer d'être protégé que s'il avait investi de l'argent dans de mauvaises valeurs à la Bourse. La police avait mieux à faire que de perdre son temps dans des affaires pareilles, et ses agents pourraient être plus utilement employés qu'à jouer les pleureuses avec des larmes de crocodile: d'autres crimes ne méritaient-ils pas de requérir toute leur attention? La loi était parfaitement arbitraire dans ses applications. Lorsque la police donnait une petite fête pour ses œuvres charitables, il y avait toujours un diseur de bonne aventure ou une femme qui lisait dans les lignes de la main.

Quelques années auparavant, le *Daily Mail* avait crié

haro sur les diseurs de bonne aventure. Un grand homme aujourd'hui décédé, feu lord Northcliffe, avait été cité par la défense, et il avait été établi qu'un autre de ses journaux publiait une colonne de publicité pour la chiromancie, et que les recettes des chiromanciens étaient équitablement divisées en deux parts: l'une leur revenant, l'autre allant aux propriétaires du journal. Il mentionna ce fait non pour ternir le souvenir d'un grand homme, mais pour souligner l'absurdité de la loi telle qu'elle était appliquée. Quelle que pût être l'opinion personnelle des membres de la Cour, il était irréfutable qu'un grand nombre de citoyens utiles et intelligents considéraient le pouvoir d'un médium comme une manifestation remarquable du pouvoir de l'esprit qui ne pouvait que profiter à l'espèce humaine. En ces jours dominés par le matérialisme, n'était-ce pas une abominable politique d'abattre au moyen de la loi ce qui, dans sa manifestation la plus élevée, pouvait œuvrer pour la régénération de l'humanité? Restait le fait indubitable que les informations données aux agents étaient inexactes, et que leurs fausses déclarations n'avaient pas été détectées par le médium: mais c'était une règle psychique que des conditions harmonieuses fussent réunies pour l'obtention de vrais résultats, et que la tromperie d'un côté entraînait chez l'autre de la confusion mentale. Si la Cour pouvait admettre un instant l'hypothèse spiritiste, elle réaliserait l'imbécillité qu'il y aurait d'espérer que des hôtes angéliques descendraient du ciel pour répondre aux questions posées par deux mercenaires hypocrites.

Tel fut en résumé le plan général de la défense présentée par M. Summerway Jones. Ce discours plongea Mme Linden dans les larmes, et le greffier du tribunal dans le sommeil. Le juge ne tarda pas à mettre un point final à la controverse.

— Votre réquisitoire, monsieur Jones, m'a tout l'air de s'adresser à la loi, et dépasse par conséquent ma compétence. J'applique la loi telle que je la trouve. J'ajoute d'ailleurs que je me sens en parfait accord avec elle. Des hommes comme le prisonnier me font l'effet de champignons vénéneux qui prolifèrent sur une société corrompue.

Toute tentative pour assimiler leurs grossiers artifices aux miracles des saints des anciens âges, ou pour leur attribuer des dons équivalents, doit susciter la réprobation de tous les hommes qui pensent bien.

Et il ajouta, en fixant ses yeux sévères sur le prisonnier:

– Pour vous, Linden, je crains que vous ne soyez un récidiviste endurci, puisqu'une condamnation antérieure n'a pas suffi pour vous remettre sur le droit chemin. Je vous condamne donc à deux mois de travaux forcés sans substitution d'amende.

Mme Linden poussa un hurlement.

– Au revoir, ma chérie! Ne te fais pas de mauvais sang, dit doucement le médium.

Un instant plus tard, il était précipité dans une cellule.

Summerway Jones, Mailey et Malone se retrouvèrent dans le hall, et Mailey s'offrit comme volontaire pour escorter la pauvre femme jusque chez elle.

– Qu'a-t-il jamais fait d'autre que de soulager son prochain? gémissait-elle. Il n'y a pas de meilleur cœur dans tout Londres!

– Et je ne crois pas qu'il y ait d'homme plus utile, dit Mailey. J'ose affirmer que pas un archevêque ne pourrait prouver comme Tom Linden la vérité de la religion.

– C'est une honte! Une honte affreuse! explosa Malone.

– L'allusion à la grossièreté est amusante, commenta Jones. Je me demande s'il s'imagine que les apôtres étaient des gens cultivés. Hélas! j'ai fait de mon mieux. Je n'avais pas d'espoir, et la conclusion a été celle à laquelle je m'attendais. Ç'a été du temps perdu, voilà tout.

– Pas du tout! rétorqua Malone. Ce malheur sera diffusé. Il y avait des journalistes dans la salle. Quelques-uns d'entre eux ne manquent pas de bon sens. Ils relèveront l'injustice.

– N'y comptez pas! fit Mailey. Je n'attends aucun secours de la presse. Mon Dieu, quelles responsabilités ces gens-là encourent! Et comme ils se doutent peu du prix qu'il leur faudra payer! Je le sais. J'ai discuté tout à l'heure avec eux.

– Eh bien! moi, au moins, je parlerai! fit Malone. Et je crois que d'autres m'accompagneront. La presse est plus indépendante et plus intelligente que vous ne semblez le supposer.

Mais Mailey avait raison. Après avoir conduit Mme Linden chez elle, Malone se dirigea une fois de plus vers Fleet Street. Il acheta *La Planète*. Quand il l'ouvrit, ce titre lui sauta aux yeux:

UN IMPOSTEUR DEVANT LE TRIBUNAL
Un chien est pris pour un homme – Qui était Pedro?
Un verdict exemplaire

Il chiffonna le journal dans sa main.

– Rien d'étonnant à ce que les spirites soient aigris! pensa-t-il. Ils ont de bons motifs pour l'être.

Oui, le pauvre Tom Linden eut une mauvaise presse! Il rejoignit la prison sous le mépris universel. La *Planète*, un journal du soir dont le tirage était fonction des pronostics sportifs du capitaine Touche à Tout, s'étendit sur l'absurdité qu'il y avait à prévoir l'avenir. *Honest John*, un hebdomadaire qui avait été compromis dans l'une des grandes filouteries du siècle, émit l'avis que la malhonnêteté de Linden était un scandale public. Un riche ecclésiastique de province écrivit au *Times* pour s'indigner de ce que quelqu'un s'avisait de vendre les dons de l'esprit. L'*Anglican* observa que de tels incidents témoignaient d'une infidélité grandissante envers les commandements divins, tandis que le *Libre Penseur* y voyait un retour à la superstition. De son côté M. Maskelyne montra au public, au grand bénéfice de son bureau de location, comment l'escroquerie était perpétrée. Tant et si bien que pendant quelques jours Tom Linden fut un sujet d'exécration. Mais comme la terre continuait à tourner, il fut abandonné à son destin.

CHAPITRE VIII

Trois enquêteurs tombent sur une âme en peine

Lord Roxton était rentré d'Afrique, où il avait chassé du gros gibier; aussitôt après, il avait entrepris dans les Alpes une série d'ascensions qui avaient étonné le monde, mais qui ne l'avaient pas satisfait.

— Les sommets des Alpes deviennent un lieu de rendez-vous mondain, avait-il expliqué. L'Everest mis à part, je ne vois pas d'endroit où la vie privée des alpinistes soit respectée.

Son retour à Londres fut salué au cours d'un dîner donné en son honneur au *Travellers* par la Société du gros gibier. Les journalistes n'étaient pas invités, mais le petit discours de lord Roxton, fixé *verbatim* dans les esprits de tout son auditoire, est assuré d'une survie impérissable. Pendant vingt minutes il s'était tortillé sous les périodes ronflantes et élogieuses du président; il se leva dans cet état d'indignation et de confusion que ressent toujours le Britannique quand il est loué publiquement.

— Oh! dites! Dites donc! Hein?

Et il se rassit, transpirant abondamment.

Malone fut averti du retour de lord Roxton par McArdle, son vieux grincheux de rédacteur en chef, dont le crâne perçait chaque année davantage sous les cheveux roux, mais qui n'en continuait pas moins à mettre la main à la pâte de la *Daily Gazette*. Il avait conservé son flair pour ce qui sentait la bonne copie, et c'est justement ce flair qui l'amena un matin d'hiver à convoquer Malone à son bureau. Il retira de ses lèvres le long tube de verre qui lui servait de fume-cigarette, et derrière ses lunettes il cligna de l'œil à l'adresse du journaliste.

— Vous savez que lord Roxton est de retour à Londres?

— Première nouvelle !

— Ah? Hé bien! il est là. Vous avez sans doute entendu dire qu'il avait été blessé pendant la guerre: en Afrique orientale, il conduisait une petite colonne pour se livrer à une guerre à sa façon, et puis il a reçu dans la poitrine une balle qui aurait tué un éléphant. Oh! depuis, il se porte bien! Sinon il n'aurait pas pu escalader ces Alpes... C'est un diable d'homme; avec lui, il y a toujours du nouveau.

— Et le dernier nouveau, c'est...? interrogea Malone, en louchant vers une coupure de journal que McArdle tenait entre le pouce et l'index.

— Voilà. C'est ici que je vous attends. Je me suis dit que peut-être vous pourriez chasser ensemble, et que ça ferait de la bonne copie. Regardez ce petit article dans l'*Evening Standard*...

Il lui tendit sa coupure et Malone lut:

« Une annonce bizarre parue dans les colonnes d'un confrère indique que le célèbre lord John Roxton, troisième fils du duc de Pomfret, cherche à conquérir de nouveaux mondes inexplorés. Ayant épuisé l'aventure sportive sur ce globe terrestre, voici qu'il se tourne vers les régions obscures, brumeuses et peu sûres de la recherche psychique. Apparemment, il se déclare acheteur d'une authentique maison hantée, et il est prêt à accueillir tous renseignements sur n'importe quelle manifestation violente ou dangereuse qui nécessiterait une enquête. Comme lord Roxton est un caractère résolu et l'un des meilleurs tireurs d'Angleterre, nous conseillons aux plaisantins de s'abstenir. Cette affaire ne regarde que ceux dont on affirme qu'ils sont aussi imperméables aux balles que leurs fidèles le sont au bon sens. »

McArdle poussa un petit rire sec pour ponctuer la conclusion.

— J'ai l'impression qu'il y a là une allusion personnelle, hé! ami Malone? Car si vous n'êtes pas encore un fidèle, du moins vous êtes en route pour le devenir... Mais est-ce que vous ne pensez pas qu'à vous deux vous pourriez accoucher d'un revenant, et que vous seriez capable d'en tirer quelques colonnes savoureuses?

– Ma foi, répondit Malone, je peux voir lord Roxton. Il doit être encore, sans doute, dans son vieil appartement de l'Albany. De toutes manières, je serais allé lui rendre visite; il m'est donc possible de lui faire une ouverture à ce sujet.

C'est ainsi que notre journaliste se trouva une nouvelle fois descendant Vigo Street vers la fin de l'après-midi, à l'heure où la fumée londonienne se dilue en cercles d'argent. Il demanda au portier si lord John Roxton était là. Oui, il était là. Mais il recevait un gentleman. Le portier lui ferait volontiers passer une carte. La réponse fut qu'en dépit de son visiteur lord Roxton verrait immédiatement M. Malone. Aussi M. Malone fut-il introduit dans la pièce luxueuse que décoraient d'innombrables trophées de chasse et de guerre. Leur propriétaire se tenait debout près de la porte, la main tendue; il était toujours long, mince, distingué, et son visage décharné avait conservé le même air de parenté avec Don Quichotte. Non, il n'avait pas changé! Peut-être ses traits étaient-ils plus accusés, ses arcades sourcilières faisaient-elles davantage saillie au-dessus de ses yeux vifs et impitoyables... C'était tout.

– Hullo! bébé! s'écria-t-il. J'espérais bien que vous viendriez me tirer de ma vieille retraite. J'allais moi-même passer à votre bureau pour vous faire une petite visite. Entrez! entrez! Permettez-moi de vous présenter au révérend Charles Mason.

Un clergyman, immensément grand et mince comme un fil, qui se tenait enroulé au fond d'un grand fauteuil d'osier, se déroula petit à petit pour tendre une main osseuse. Malone nota tout de suite deux yeux gris, à la fois très sérieux et très bons, qui plongeaient dans les siens, puis un large sourire cordial qui découvrit une double rangée de dents magnifiques. Le visage las et tiré était celui d'un combattant de l'esprit, mais néanmoins il annonçait un commerce aimable et agréable. Malone avait entendu parler de lui; il savait que le révérend Charles Mason était un ecclésiastique qui avait administré une paroisse de l'Eglise d'Angleterre, mais qu'il avait lâché cette besogne trop casanière – après avoir construit lui-même une église et fait des prodiges dans son quartier –

afin de prêcher librement la doctrine chrétienne avec, en surimpression, la nouvelle science psychique.

— Ma parole, il semble que je ne pourrai jamais échapper aux spirites! s'exclama-t-il.

— Mais vous n'y échapperez jamais, monsieur Malone! répondit le clergyman en riant. Le monde est condamné à absorber cette nouvelle science que Dieu lui a envoyée. Vous ne pourrez pas y échapper. C'est trop important. A l'époque actuelle, dans cette grande ville, il n'y a pas un lieu de réunion où hommes et femmes n'abordent plus ou moins le sujet. Et on ne saurait dire pourtant que la publicité que lui fait la presse en est responsable!

— Ce reproche ne s'adresse pas, en tout cas, à la *Daily Gazette,* dit Malone. Peut-être même avez-vous lu mes articles?

— Oui, je les ai lus. Au moins ils sont meilleurs que tout ce que nous sert habituellement la presse de Londres, farcie de sensationnel et d'absurde. Tenez, à lire un journal comme le *Times,* personne ne saurait jamais qu'il existe un mouvement aussi vital que le spiritisme. La seule allusion qui y a été faite dans un éditorial, si je me rappelle bien, pourrait se résumer ainsi: «Nous y croirons quand, grâce à ses méthodes pour prévoir l'avenir, nous toucherons davantage de gagnants au pari mutuel.»

— Ça serait rudement utile! déclara lord Roxton. J'aurais dit la même chose, moi! Hein?

Le clergyman prit un air grave et secoua énergiquement la tête.

— Ceci me ramène à l'objet de ma visite, dit-il en se tournant vers Malone. J'ai pris la liberté de me rendre chez lord Roxton à la suite de l'annonce qu'il a fait paraître. Je lui ai dit que s'il entreprenait cette enquête dans une bonne intention, il ne pourrait rien accomplir de mieux en ce monde; mais j'ai ajouté que s'il en faisait un jeu sportif, s'il pourchassait une pauvre âme attachée à la terre avec la même fureur que son rhinocéros blanc du Lido, j'appellerais cela, moi, jouer avec le feu!

— Voyons, padre, j'ai joué avec le feu toute ma vie; j'en ai l'habitude! Ecoutez-moi: si vous voulez me faire considérer cette histoire de revenants sous un angle religieux, rien à faire! J'ai été élevé dans le sein de l'Eglise d'Angleterre, et elle suffit amplement à mes très modestes besoins. Mais si le piment du danger existe, alors le jeu en vaut la chandelle, hein?

Le révérend Charles Mason sourit à belles dents.

— Incorrigible, non? fit-il en s'adressant à Malone. Eh bien! je ne peux que vous souhaiter une plus grande compréhension du problème...

Et il se leva comme pour prendre congé.

— Attendez un peu, padre! s'écria lord Roxton. Quand je pars en exploration, je commence par me mettre en cordée avec un autochtone amical. Je crois que vous êtes exactement l'homme qu'il me faut. Voudriez-vous venir avec moi?

— Où cela?

— Asseyez-vous. Je vais vous le dire...

Lord Roxton fourragea dans une pile de lettres sur son bureau.

— Une belle sélection de fantômes! déclara-t-il. La première levée de la poste m'a apporté une vingtaine de pistes. Mais voici le gagnant: lisez vous-même cette lettre. Une maison isolée, un homme qui est devenu fou, les locataires s'enfuyant en pleine nuit, un fantôme horrible. Ça ne s'annonce pas mal, hein?

Le clergyman lut la lettre en fronçant les sourcils.

— Cela me paraît être un bien mauvais cas, dit-il.

— Eh bien! venez avec moi. Hein? Peut-être pourrez-vous m'aider à l'éclaircir.

Le révérend Mason tira de sa poche un agenda:

— J'ai un service à célébrer mercredi matin, et une conférence le même soir.

— Nous pouvons partir aujourd'hui.

— C'est loin!

— Dans le Dorsetshire. Trois heures.

— Quel est votre plan?

— Une nuit dans cette maison réglera le problème.

— S'il y a une pauvre âme en peine, cela devient un devoir... Très bien, j'accepte.

— Et, bien entendu, il y a une place pour moi! supplia Malone.

— Naturellement, jeune bébé! D'ailleurs... Je parie que le vieil oiseau roux dans votre boîte vous a envoyé ici dans ce but précis, hein? Ah! j'en étais sûr! Bon. Vous pourrez décrire une aventure de derrière les fagots... pour une fois! Hein? Un train part de Victoria à huit heures. Rendez-vous là-bas. Au passage, j'irai dire deux mots au vieux Challenger.

Ils dînèrent ensemble dans le train, après quoi ils se réunirent dans un compartiment de première classe. Roxton, derrière un gros cigare noir, rayonnait parce qu'il avait revu Challenger.

— Le cher vieil homme est resté le même. Il m'a égratigné l'épiderme deux ou trois fois comme d'habitude. On a dit des bêtises. Il m'a assuré que j'avais le cerveau qui ramollissait si je me mettais à croire aux revenants: « Lorsque vous êtes mort, vous êtes mort! » Tel a été le joyeux slogan du bonhomme. Quand il passe en revue ses contemporains, il prétend que l'extinction est une sacrée bonne chose: « La seule espérance de l'humanité! affirme-t-il. Imaginez ces affreuses perspectives s'ils continuaient à vivre! » Il voulait me donner une bouteille de chlore pour que je la lance sur le fantôme. Je lui ai répondu que si mon automatique ne mettait pas un terme à l'activité de ce fantôme, rien d'autre ne serait valable. Dites-moi, padre, est-ce votre première expédition pour un pareil gibier?

— Vous prenez les choses trop à la légère, lord John, répliqua avec gravité le clergyman. Il est évident que vous n'avez du spiritisme aucune expérience... Mais pour ne pas laisser votre question sans réponse, je me bornerai à dire qu'à plusieurs reprises j'ai déjà essayé d'apporter mon secours dans des cas analogues.

— Vous y croyez sérieusement? demanda Malone, qui prenait des notes pour son article.

— Très, très sérieusement.

— Mais ces influences, quelles sont-elles?

— Je ne suis pas une autorité. Vous connaissez Algernon Mailey, l'avocat, n'est-ce pas? Il pourrait vous communiquer des faits et des chiffres. J'aborde le sujet du point de vue de l'instinct et de l'émotion. Je me rappelle une conférence de Mailey sur le livre du professeur Bozzano consacré aux revenants: plus de cinq cents exemples parfaitement authentifiés y figurent; chacun d'eux suffirait à établir un cas à priori. Il y a également Flammarion. On ne peut pas sourire devant des témoignages comme ceux-là!

– J'ai lu moi aussi Bozzano et Flammarion, dit Malone. Mais ce sont à la fois votre expérience et vos propres conclusions que je désirerais connaître.

– En tout cas, si vous parlez de moi, rappelez-vous que je ne me prends pas pour une grande autorité en recherches psychiques. Des spécialistes plus avisés vous fourniraient sans doute des explications différentes de celles que vous sollicitez. Toutefois, de ce que j'ai vu, j'ai tiré certaines conclusions. Selon l'une d'elles, je crois qu'il existe une part de vérité dans l'idée théosophique des coquilles.

– Qu'est-ce que c'est que cette théorie?

– On a imaginé que tous les corps spirituels près de la terre étaient des coquilles ou des gousses vides qu'aurait quittées la réelle entité. Aujourd'hui, bien sûr, nous savons qu'une telle généralisation est une absurdité, car nous serions incapables d'obtenir les magnifiques communications qui ne peuvent émaner que d'intelligences supérieures. Mais nous devons aussi nous garder d'une autre généralisation: il n'y a pas que des intelligences supérieures. Il y en a de si médiocres que je pense que la créature est purement extérieure, et qu'elle serait plutôt une apparence qu'une réalité.

– Mais pourquoi serait-elle là?

– Oui, voilà la question. Il est habituellement admis que c'est le corps naturel, comme l'a appelé saint Paul, qui se décompose à la mort, et que le corps éthéré ou spirituel survit et fonctionne sur un plan qui n'est pas celui du monde. L'essentiel est là. Mais nous pouvons avoir en réalité autant de pelures qu'un oignon; et il se peut qu'il existe un corps mental qui se dépouille et se révèle à tout endroit où une grande tension intellectuelle ou émotionnelle a été expérimentée. Ce peut être un simulacre peu sensible, quasi automatique; et cependant il pourrait revêtir quelque chose de notre apparence et de nos pensées.

— Alors, réfléchit Malone, ceci surmonterait jusqu'à un certain point la difficulté, car je ne vois pas pourquoi un assassin ou sa victime passerait des siècles entiers à rejouer le crime commis. Quel en serait le sens?

— D'accord, jeune bébé! dit lord Roxton. J'avais un ami, Archie Soames, le gentleman jockey, qui avait une vieille maison dans le Berkshire. Autrefois, Nell Gwynn [1] y avait habité. Hé bien! il était prêt à jurer qu'il l'avait rencontrée une dizaine de fois dans le couloir. Archie ne s'est jamais dérobé devant un obstacle au Grand National, mais ça! il manquait s'évanouir après chacune de ses rencontres avec elle dans l'obscurité. C'était une bien jolie femme, et tout ce que vous voudrez, mais... zut! Il ne faut pas exagérer, hein?

Le clergyman approuva:

— Naturellement! On ne peut pas supposer que l'âme réelle d'une personnalité éclatante comme Nell passerait des siècles à arpenter ces couloirs. Mais si par hasard elle s'est rongé le cœur dans cette demeure, broyant du noir et se faisant du mauvais sang, on peut penser qu'elle a pu jeter sa coquille et avoir laissé une image-pensée de sa personne derrière elle.

— Vous m'avez parlé de votre propre expérience.

— J'en ai eu une avant de connaître le spiritisme. Je m'attends à ce que vous ayez du mal à la croire vraie; pourtant je vous assure que je ne vous mens pas. J'étais un très jeune curé, là-haut, dans le Nord. Dans le village, il y avait une maison avec *poltergeist*, c'est-à-dire avec des hantises sans fantômes. Il s'agit là d'une influence très malicieuse et très troublante. Je m'offris comme volontaire pour l'exorciser. Dans l'Eglise, nous avons une méthode officielle d'exorcisme, comme vous le savez, et je me croyais bien armé. Je me tins dans le salon, qui était le lieu de prédilection des désordres; toute la famille était agenouillée autour de moi; je lus les formules rituelles. Que croyez-vous qu'il advint?

[1] Nell Gwynn (1650-1687). Comédienne, maîtresse de Charles II.

Le visage ascétique de Mason fut envahi d'un gentil rire plein d'humour.

— Au moment où j'arrivais à mon « Amen » final, au moment donc où la créature aurait dû s'éclipser, confondue, la grande peau d'ours qui servait de tapis se dressa et m'enveloppa. J'ai honte de vous avouer qu'en deux bonds j'avais pris la porte... Mais c'est à partir de cette aventure que j'ai appris que les rites religieux peuvent n'avoir aucun effet.

— Mais alors qui en a?

— Eh bien! de la gentillesse, ou le raisonnement quelquefois. Voyez-vous, les esprits ne se ressemblent guère; il y en a toute une variété. Certains attachés ou intéressés à la terre sont neutres, comme ces simulacres ou ces coquilles dont j'ai parlé. D'autres sont essentiellement bons, comme ces moines de Glastonbury, qui se sont manifestés si merveilleusement ces dernières années et que Bligh Bond a décrits. Ils sont liés à la terre par un pieux souvenir. Mais il y en a d'autres qui sont des enfants espiègles, comme les *poltergeists*. Et d'autres encore — peu nombreux, je l'espère! — qui sont terriblement forts, malveillants, trop chargés de matière pour s'élever au-dessus de notre plan terrestre... si chargés de matière que leurs vibrations peuvent être assez basses pour affecter la rétine humaine et devenir visibles. S'ils ont été de leur vivant des brutes cruelles ou rusées, ils le seront encore et davantage, avec une énergie accrue, pour faire mal. Je songe notamment aux monstres mauvais que notre système de peine capitale lâche dans l'au-delà: ils meurent avec une vitalité inemployée dont ils peuvent user pour se venger.

— Ce fantôme de Dryfont a une très mauvaise réputation, dit lord Roxton.

— Mais oui. C'est pourquoi je désapprouve qu'on parle avec légèreté de ces choses. Il me donne l'impression d'être le type exact de la créature dont je parlais. De même qu'une pieuvre loge dans une caverne de l'Océan mais remonte à la surface comme une image silencieuse de l'horreur pour attaquer un nageur, de même je me figure qu'un tel esprit peut hanter une maison la nuit: il est sa malédiction, et il bondira sur tous ceux à qui il peut faire du mal.

La mâchoire de Malone s'affaissa.

— Et... demanda-t-il, aucune protection n'est possible?

— Si. Je crois que nous en disposons d'une. Sinon, de tels esprits dévasteraient la terre. Notre protection, c'est qu'il y a des forces blanches comme il y a des forces noires. Nous pouvons les appeler des anges gardiens, comme disent les catholiques, ou des guides, ou des contrôles; mais quel que soit le nom que nous leur donnons, ils existent réellement, et ils nous gardent du mal sur le plan spirituel.

— Et qu'est-ce que vous pensez du type qui est devenu fou, padre? Et où était votre guide quand le fantôme vous a mis le tapis sur le dos? Hein!

— Le pouvoir de nos guides peut être fonction de notre mérite. Le mal peut toujours gagner pendant quelque temps. Mais en fin de compte c'est le bon qui l'emporte. Telle est la leçon de mon expérience de la vie.

Lord Roxton secoua la tête.

— Si le bon l'emporte, alors c'est au terme d'un sacré marathon: une course de grand fond dont la plupart d'entre nous ne voient jamais l'arrivée. Pensez à ces marchands d'esclaves avec lesquels je me suis battu aux sources du Putomayo [1]. Où sont-ils? Presque tous à Paris, hein! Et ils mènent la grande vie. Et ils ont tué des tas de nègres. Alors, et ça?

— Hé! oui, nous avons parfois besoin de foi. Il faut que nous nous rappelions que nous ne voyons pas la fin de tout. « La suite au prochain numéro », voilà la conclusion de toutes les histoires humaines. Et c'est là où intervient l'énorme valeur de l'au-delà. Au moins nous vivons un chapitre supplémentaire.

— Où pourrais-je me procurer ce chapitre? s'enquit Malone.

— Il existe beaucoup de très bons livres, bien que le monde n'ait pas encore appris à les apprécier: des documents sur la vie dans l'au-delà... Je me souviens d'un incident... Prenez-le pour une parabole si vous voulez, mais il vaut mieux que cela... Un mort qui avait été fort

[1] Voir *Le Monde perdu*, chap. VII.

riche s'arrête devant une très belle demeure. Son guide, maussade, le tire pour l'éloigner: « Elle n'est pas pour vous. Elle est pour votre jardinier. » Il lui désigne une misérable hutte: « Vous ne nous avez rien donné pour vous construire quelque chose. Nous n'avons pas pu faire mieux. » Ce pourrait être le chapitre supplémentaire à la vie de vos millionnaires qui trafiquaient les esclaves.

Roxton eut un petit rire.

— A certains d'entre eux, j'ai donné une hutte qui avait six pieds de long et deux pieds de haut! dit-il. Inutile de branler le chef, padre... Comprenez que je n'aime pas mon prochain comme moi-même, et qu'il y a des hommes que je hais comme du poison.

— Oui, nous devrions haïr le péché seulement. Mais pour ma part je n'ai jamais été capable de séparer le péché du pécheur. Comment vous prêcherais-je, puisque je suis aussi faiblement homme que n'importe qui?

— Voilà le seul prêche que je pourrais écouter, fit lord Roxton. Vos confrères en chaire passent par-dessus ma tête. Mais lorsqu'un religieux descend à ma hauteur, alors je l'écoute... Dites donc, nous ne dormirons pas beaucoup cette nuit! Il nous reste une heure avant d'arriver à Dryfont. Peut-être pourrions-nous l'employer utilement à faire un petit somme.

Il était plus de onze heures, et la nuit était glaciale, lorsque le trio arriva à destination. La gare de cette petite ville d'eaux était presque déserte, mais un homme courtaud et gras comme un moine, vêtu d'une pelisse, s'avança à leur rencontre et les salua chaleureusement.

— Je suis M. Belchamber, le propriétaire de la maison. Comment allez-vous, messieurs? J'ai reçu votre télégramme, lord Roxton, et tout est prêt. C'est vraiment fort aimable à vous d'être venu. Si vous pouvez faire quoi que ce soit pour alléger mon fardeau, je vous en serai infiniment reconnaissant.

M. Belchamber les mena vers le petit Hôtel de la Gare où ils se restaurèrent avec des sandwiches et du café qui avaient été soigneusement préparés. Tandis qu'ils mangeaient, il les mit au courant de ses ennuis.

— Ce n'est pas comme si j'étais riche, messieurs. Je suis

un herbager en retraite, et toutes mes économies ont été placées sur trois maisons. L'une d'elles est la villa Maggiore. Oui, c'est vrai, je ne l'ai pas achetée cher. Mais comment pouvais-je croire à cette histoire du docteur fou?

– Racontez-nous cette histoire, dit lord Roxton en mâchant son sandwich.

– Il habitait là au temps de la reine Victoria. Je l'ai vu moi-même. Un homme mince comme un fil, long comme un jour sans pain, avec un visage brun, un dos rond et une démarche particulière: il traînait les pieds. On disait qu'il avait été aux Indes, et certains pensaient même qu'il avait commis un crime et qu'il se cachait, car il ne montrait jamais sa tête au village; il ne sortait qu'à la nuit. Il brisa la patte d'un chien à coup de pierres; on parla de le poursuivre; mais les gens avaient peur de lui et personne ne porta plainte. Les gamins passaient en courant devant sa maison, car il restait assis devant sa fenêtre avec un air menaçant et lugubre. Puis, un matin, il ne rentra pas son lait; le lendemain non plus; on enfonça sa porte; il était mort dans son bain... Mais c'était un bain de sang, car il s'était ouvert les veines du bras. Il s'appelait Tremayne. Personne ici ne l'a oublié.

– Et vous avez acheté la maison?

– Je l'ai désinfectée, repeinte, et j'ai refait l'extérieur. Vous auriez dit une maison neuve. Puis je l'ai louée à M. Jenkins, le brasseur. Il resta trois jours. Je baissai le prix du loyer. M. Beale, un épicier qui s'était retiré, s'y installa. C'est lui qui devint fou, vraiment fou, au bout d'une semaine! Et depuis lors elle m'est restée sur les bras: soixante livres de revenus en moins. Et elle me coûte des impôts! Alors, messieurs, si vous pouvez faire quelque chose, au nom du Ciel, faites-le! Sinon, je crois que j'y mettrai le feu.

La villa Maggiore était située à huit cents mètres de l'agglomération, sur la pente d'un coteau. M. Belchamber les conduisit. C'était à coup sûr un endroit peu gai! Le toit descendait jusque devant les fenêtres supérieures et les masquait presque complètement. La lune était demi-pleine; la lumière qu'elle répandait montrait un jardin en fouillis, rabougri dans sa végétation d'hiver, mais qui avait par places empiété sur les allées. Le calme qui régnait était sinistre.

– La porte n'est pas fermée, dit le propriétaire. Dans le salon, sur la gauche, vous trouverez une table et des chaises. J'ai fait allumer du feu, et il y a un seau de charbon. Vous ne manquerez pas trop de confort, j'espère. Vous me pardonnerez si je n'entre pas, mais je n'ai plus les nerfs aussi solides que par le passé.

Il murmura encore quelques mots d'excuses avant de les quitter.

Lord Roxton avait apporté une torche électrique. Après avoir ouvert la porte rouillée, il l'alluma, et un faisceau lumineux éclaira le couloir, qui n'était pas tapissé et qui aboutissait à un escalier large et raide conduisant au premier étage. De chaque côté du couloir il y avait une porte; celle de droite donnait sur une grande pièce vide; dans un coin, à côté de vieux livres et de journaux, une tondeuse à gazon était à l'abandon. Sur la gauche, ils découvrirent une pièce symétrique, mais beaucoup moins lugubre. Une grille brûlait gaillardement; les chaises et les fauteuils confortables ne manquaient pas; une carafe d'eau était posée sur une table en bois blanc; le seau à charbon était plein; une grosse lampe à pétrole éclairait les lieux. Le clergyman et Malone s'approchèrent du feu, car il faisait très froid, mais lord Roxton compléta ses préparatifs. D'un petit sac à main il tira son revolver automatique, qu'il plaça sur la cheminée. Puis il sortit un paquet de bougies, et il en alluma deux dans l'entrée. Enfin il prit une pelote de laine à tricoter et il tressa un véritable réseau devant la porte d'entrée et devant la porte d'en face.

– Allons faire un tour, dit-il. Après quoi nous attendrons tranquillement en bas, et nous verrons bien ce qui arrivera.

Au premier étage, le couloir se divisait en deux: il bifurquait sur la droite et sur la gauche à angle droit avec l'escalier. A droite, il y avait deux grandes chambres nues et poussiéreuses, où le papier pendait en lambeaux tandis que le plancher était couvert de plâtras. A gauche, une seule chambre, dans le même état d'abandon, puis la salle de bains de tragique mémoire; la baignoire de zinc était disposée comme si elle devait être bientôt utilisée; il y subsistait encore des taches de sang à l'intérieur; certes, la rouille s'y était mise, mais elles demeuraient comme de terribles stigmates qui rappelaient le passé. Malone fut surpris de voir le clergyman vaciller et s'appuyer sur la porte: il était blême; des gouttes de sueur perlaient sur son front. Ses deux compagnons l'aidèrent à descendre l'escalier, et il s'assit quelques instants, visiblement bouleversé, avant de parler.

— Est-ce que réellement vous ne ressentez rien? demanda-t-il. Le fait est que je suis moi-même doté d'un pouvoir médiumnique, par conséquent très perméable aux impressions psychiques. Je viens d'en avoir une, spécialement horrible, indescriptible...

— Laquelle, padre?

— C'est vraiment difficile à dire: quelque chose comme une défaillance du cœur, une sensation de tristesse infinie. Tous mes sens en ont été affectés. Mes yeux s'embuaient. Je respirais une forte odeur de putréfaction. Toute force semblait avoir glissé hors de moi. Lord Roxton, ce n'est pas une mince affaire que nous entreprenons aujourd'hui!

Le grand sportif se fit grave tout à coup:

— Je commence à le croire! dit-il. Pensez-vous que cette affaire est dans vos cordes?

— Je suis désolé de m'être montré si faible! répondit M. Mason. Certainement, je pénétrerai le mystère. Pire sera le cas et plus vous aurez besoin de mon aide...

» Je me sens parfaitement bien, à présent! ajouta-t-il en riant.

Il tira de sa poche une vieille pipe de bruyère, noircie par la fumée.

— Voilà le meilleur docteur pour des nerfs secoués, dit-il. Je vais rester ici et fumer jusqu'à ce que vous ayez besoin de moi.

— Quelle forme pensez-vous qu'il va prendre? demanda Malone.

— Une forme que vous pourrez voir, assurément.

— Voilà ce que je ne peux pas comprendre, même après toutes mes lectures, dit Malone. Les autorités en la matière s'accordent pour déclarer qu'il y a une base matérielle, et que cette base matérielle est fournie, tirée du corps humain. Appelez-la ectoplasme ou ce que vous voudrez, son origine est humaine, n'est-ce pas?

— Certainement, répondit Mason.

— Bien. Alors, devons-nous supposer que ce docteur Tremayne compose sa propre apparence en tirant de la matière de moi et de vous?

— Pour autant que je puisse m'avancer, je crois que dans la plupart des cas un esprit agit ainsi. Je crois que lorsque le spectateur sent qu'il fait plus froid, que ses cheveux se dressent, etc., il est réellement conscient d'une perte de sa propre vitalité: perte qui peut être assez importante pour provoquer son évanouissement ou même sa mort. Peut-être était-il en train de tirer de moi de la substance...

— Mais supposez que nous ne soyons pas doués d'un pouvoir médiumnique? Supposez que nous n'abandonnions rien?

— J'ai lu récemment, répondit M. Mason, quelque chose de très complet là-dessus. Un exemple a été observé de près, et raconté par le professeur Neillson, un Islandais: le mauvais esprit avait l'habitude de descendre sur un malheureux photographe de ville; il tirait de lui sa substance, puis repartait et l'utilisait. Il disait ouvertement: « Donnez-moi le temps d'aller chez Untel. Je vous montrerai ensuite ce que je puis faire. » C'était une créature formidable, qu'on eut de grandes difficultés à maîtriser.

— J'ai l'impression, bébé, dit lord Roxton, que nous sommes embarqués dans une histoire beaucoup plus compliquée que nous le pensions! Mais tant pis: nous avons fait ce que nous pouvions; le couloir est éclairé; personne ne peut nous approcher, sauf par l'escalier, sans rompre les fils de laine. Il ne nous reste plus qu'à attendre.

Ils attendirent donc. Ce fut une attente pénible. Un réveil avait été placé sur le chambranle en bois décoloré de la cheminée. Lentement l'aiguille rampa sur le cadran de une heure à deux heures, et de deux heures à trois heures. Dehors, une chouette ululait le plus sinistrement du monde. La villa étant située au bord d'une route secondaire, aucun bruit humain ne raccrochait les trois enquêteurs à la vie extérieure. Le padre somnolait sur sa chaise. Malone fumait sans arrêt. Lord Roxton feuilletait un magazine. De temps à autre, il y avait quelques craquements qui déchiraient le silence de la nuit. Rien d'autre jusqu'à ce que...

Quelqu'un descendit l'escalier.

Aucun doute! Le pas était furtif, et cependant il se détachait nettement. Crac! Crac! Crac! Puis il avait atteint le rez-de-chaussée. Puis il était arrivé à hauteur de leur porte. Ils s'étaient tous trois dressés sur leurs chaises. Roxton avait empoigné son automatique. Etait-il entré? La porte était entrebâillée, mais elle ne s'était pas ouverte davantage. Pourtant tous éprouvaient la sensation qu'ils n'étaient pas seuls, que quelqu'un les observait. Il leur sembla qu'il faisait plus froid; Malone frissonna. Un instant après, les pas battirent en retraite. Ils étaient discrets et vifs. Plus vifs que tout à l'heure. On aurait pu croire qu'un éclaireur revenait avec des renseignements vers quelque grand chef tapi dans l'ombre au-dessus d'eux.

Ils se regardèrent tous les trois silencieusement.

— Nom d'un chien! murmura enfin lord Roxton.

Son visage était pâle et résolu. Malone griffonna quelques notes, marqua l'heure. Le clergyman priait.

— Bien, dit Roxton après une pause. Nous avons affaire à un revenant. Nous ne pouvons pas rester inactifs. Il faut que nous en venions à bout. Je vous avoue, padre, que j'ai suivi dans une jungle épaisse un tigre blessé, mais je n'ai jamais éprouvé au fond de moi ce sentiment que j'éprouve maintenant. Si je cherchais des sensations, en voilà! En attendant, je monte.

— Nous aussi! crièrent ses deux compagnons.

— Restez ici, bébé! Et vous aussi, padre. A trois nous ferions trop de bruit. Je vous appellerai si j'ai besoin de vous. Mon plan consiste simplement à me glisser dehors et à guetter tranquillement sur les marches. Si cette... chose, quelle qu'elle soit, revient, il faudra qu'elle me passe sur le corps.

Tous trois sortirent dans le couloir. Les deux bougies projetaient leurs petits cercles clignotants de clarté;

l'escalier était bien éclairé jusqu'en haut des marches cernées par de lourdes ombres. Roxton s'assit à mi-hauteur, revolver au poing. Il porta un doigt à ses lèvres, puis invita d'un geste impatient ses compagnons à réintégrer la pièce. Ils obéirent et s'installèrent près du feu. Ils attendirent, attendirent...

Une demi-heure. Trois quarts d'heure. Et puis, soudain, la «chose» arriva. Il y eut successivement un bruit de pieds qui se précipitaient, l'écho d'un coup de revolver, une bousculade, une chute lourde, un cri appelant au secours. Frappés d'horreur, ils coururent dans le couloir. Lord Roxton gisait la face contre terre, parmi des décombres et du plâtre en miettes. Ils le relevèrent: il était à demi hébété; il saignait à la joue et aux mains; mais ce n'étaient que des égratignures. Au haut des marches, les ombres paraissaient plus noires, plus épaisses.

— Ça va! dit Roxton, une fois assis sur une chaise. Accordez-moi une minute pour que je reprenne mon souffle, et j'engage mon deuxième round avec le diable... Car si ce n'est pas le diable, jamais aucun démon n'a foulé le sol de cette terre!

— Vous n'auriez pas dû aller seul! ajouta le clergyman. Mais dites-nous ce qui est arrivé.

— Cette fois-ci, vous n'irez pas seul! dit Malone.

— Je ne le sais pas trop. Vous avez vu que j'étais assis, tournant le dos au palier. Tout à coup, j'ai entendu une course précipitée. J'ai vu quelque chose de noir juste au-dessus de moi. Je me suis à demi tourné et j'ai tiré. Une seconde plus tard, j'étais projeté en bas des marches comme si j'étais un bébé. Tout ce plâtre s'est abattu sur moi. Voilà tout ce que je puis vous dire.

— A quoi bon s'engager plus avant dans cette affaire? demanda Malone. Vous êtes convaincu que vous n'avez pas eu affaire à un homme, mais à quelque chose de plus qu'un homme, n'est-ce pas?

— Absolument convaincu!

— Bon. Donc vous avez eu votre expérience. Qu'est-ce que vous désirez de plus?

— Moi, au moins, je désire davantage! dit M. Mason. Je crois qu'on a besoin de notre aide.

— J'ai l'impression que nous avons tous besoin d'aide, fit lord Roxton en se frottant le genou. Nous aurons besoin d'un médecin avant d'en avoir terminé! Mais je suis d'accord avec vous, padre: nous devons aller jusqu'au bout. Si ça ne vous plaît pas, bébé...

Cette suggestion s'avéra trop injurieuse pour le sang irlandais de Malone.

— Je monte tout seul! cria-t-il en se dirigeant vers la porte.

— Non. Pas tout seul. Je vais avec vous! déclara le clergyman, qui se précipita derrière lui.

— Ah! vous n'irez pas sans moi! hurla lord Roxton, boitillant à l'arrière-garde.

Ils se postèrent tous trois dans le couloir éclairé par les bougies mais drapé d'ombres. Malone avait posé la main sur la rampe et son pied sur la première marche quand l'événement se produisit.

Quel événement? Ils auraient été incapables de le dire. Simplement, ils s'aperçurent qu'au haut de l'escalier les ombres noires s'étaient épaissies, rassemblées, pour prendre une forme précise qui rappelait celle d'une chauve-souris. Seigneur! Elles se déplaçaient! Elles se mettaient en mouvement! Elles fonçaient sans bruit vers le rez-de-chaussée! Noires, noires autant que la nuit, énormes, avec des contours fuyants, partiellement humaines et en même temps menaçantes et odieuses. Les trois hommes hurlèrent et coururent vers la porte. Lord Roxton s'empara de la poignée et l'ouvrit. Trop tard! La créature était sur eux. Ils eurent conscience d'un contact chaud et glutineux, d'une odeur putride, d'une bête hideuse et à demi constituée, de membres prenants... Une seconde plus tard, tous trois gisaient assommés, horrifiés, projetés dehors sur le gravier de l'allée. Et la porte s'était refermée comme si on l'avait claquée derrière eux.

Malone geignait. Roxton jurait. Le clergyman gardait la bouche cousue. Ils se relevèrent. Ils souffraient tous de contusions, et ils avaient les membres brisés. Mais au plus profond d'eux-mêmes un sentiment d'horreur s'était levé, qui annihilait les souffrances physiques. Ils se tenaient debout au clair de lune. Leurs yeux ne quittaient pas le rectangle noir de la porte.

— En voilà assez! déclara Roxton.

— Plus qu'assez! dit Malone. Je ne rentrerais pas dans cette maison pour tout l'or que Fleet Street pourrait m'offrir.

— Etes-vous blessé?

— Sali, souillé... Ah! c'était répugnant!

— Infect! confirma Roxton. Vous avez senti cette puanteur? Et cette chaleur purulente?

Malone poussa un cri de dégoût:

— Ça n'a pas de nom! Et puis vous avez vu?... Ce visage sans traits. Rien en dehors des yeux terribles! A demi matérialisé! Oh! c'était horrible!

— Et les bougies qui continuent à brûler!

— Ah! au diable les bougies! Qu'elles brûlent! Je ne rentrerai pas dans cette maison!

— Après tout, Belchamber peut venir au matin. Peut-être nous attend-il à l'auberge.

— C'est cela. Allons à l'auberge. Retournons vers l'humanité!

Malone et Roxton avaient déjà fait demi-tour. Mais le clergyman restait là. Il avait sorti un crucifix de sa poche.

— Vous pouvez aller à l'auberge, dit-il. Moi, je reste dans la maison.

— Hein?

— Oui, dans la maison.

— Padre, vous êtes complètement fou! On vous égorgera. Sous sa griffe, nous ne valions pas plus cher que des poupées en étoupe!

— Hé bien! il m'égorgera! J'y vais.

— Non, vous n'irez pas! Malone, aidez-moi...

Ils n'eurent pas le temps de le retenir. En quelques pas rapides, M. Mason avait gagné la porte, l'avait ouverte, était entré et l'avait refermée derrière lui. Ses compagnons voulurent le rattraper, mais ils entendirent un bruit de serrure: le padre s'était enfermé et les avait laissés dehors. Une large fente servait de boîte aux lettres: à travers elle, lord Roxton le supplia de sortir.

— Restez là! dit la voix ferme et brève du clergyman. J'ai une œuvre à accomplir. Je sortirai quand elle sera achevée.

Et bientôt, il se mit à parler. Ses accents empreints de douceur, de bienveillance, d'affection retentirent dans l'entrée. De dehors, ils ne purent surprendre que des bribes: des bouts de prières, des morceaux d'exhortations, des intonations pour des souhaits aimables. Malone regarda par la fente: il vit la silhouette sombre et rigide du clergyman se détacher dans la lumière des bougies, le dos à la porte, la tête tournée vers les ombres de l'escalier, et la main élevant fermement le crucifix.

Sa voix fit place au silence, et alors se produisit un nouveau miracle dans cette nuit fertile en événements. Une voix répondait à celle de Mason. C'était une voix qui proférait des sons comme ni Roxton ni Malone n'en avaient jamais entendus: des sons gutturaux, grinçants, croassants, menaçants au-delà de toute expression. Ce que dit cette voix fut bref, mais le clergyman répondit aussitôt, et le ton de ses propos trahit une émotion portée à son comble. Ses paroles semblaient être quelque chose comme une oraison à laquelle répliqua immédiatement la sinistre voix de l'au-delà. Et un dialogue s'instaura: les répons se succédaient, parfois courts, parfois longs. Toute la gamme de l'éloquence y passa: plaidoyers, argumentations, prières, supplications, apaisements, tout sauf des reproches. Transis jusqu'aux os, Roxton et Malone s'étaient accroupis contre la porte, grappillant çà et là des bribes de ce duo inconcevable. Puis, au bout d'un temps qui leur parut très pénible, et qui s'avéra en fin de compte une bonne heure, M. Mason dit le *Notre Père* d'une voix forte, riche, exaltante. Etait-ce une hallucination, un écho? Ou y avait-il réellement quelqu'un qui accompagnait dans la nuit la voix du clergyman? Un instant plus tard, la lumière s'éteignit à la fenêtre de gauche, la serrure joua, et Mason sortit en portant le sac de lord Roxton. A la lumière de la lune, son visage paraissait blafard, mais toute son attitude reflétait la vivacité et la joie.

— Je crois que vous trouverez tout ici, dit-il à lord Roxton en lui tendant le sac.

Roxton et Malone le saisirent chacun par un bras et l'entraînèrent vers la route.

— Cette fois-ci, vous ne nous échapperez pas! s'écria le

lord. Padre, vous devriez avoir toute une barrette de Victoria Cross!

– Mais non, je n'ai fait que mon devoir. Le pauvre diable! Il avait tellement besoin d'aide! Je ne suis qu'un pécheur, et cependant j'ai pu le secourir.

– Vous lui avez fait du bien?

– Humblement, je l'espère. Je n'étais que l'instrument de forces plus hautes. La maison ne sera plus hantée. Il me l'a promis. Mais je ne veux plus en parler, à présent. Cela me sera plus facile dans les jours à venir.

Le propriétaire et les servantes de l'auberge regardèrent avec ahurissement nos trois enquêteurs quand, à l'aube d'une froide matinée d'hiver, ils se présentèrent à la porte. Ils donnaient l'impression d'avoir vieilli de cinq ans pendant la nuit. M. Mason, en pleine réaction, se jeta sur le canapé de la modeste salle et s'endormit instantanément.

– Pauvre vieux! Il n'est guère brillant! dit Malone.

De fait, avec ses longs membres et son visage hagard, tout blanc, on aurait dit un cadavre.

– Nous allons lui faire ingurgiter une tasse de thé, répondit Roxton, qui promena ses mains au-dessus des flammes du feu que la servante venait d'allumer. Et nous en boirons aussi, sapristi! Car je crois, bébé, que nous ne nous sommes pas dérangés pour rien: à moi des sensations nouvelles, à vous de la bonne copie!

– Et à lui le sauvetage d'une âme. A côté du sien, nos résultats paraissent bien minces!

Ils prirent le premier train du matin pour Londres, et ils eurent un compartiment à eux seuls. Mason n'était guère volubile; il était perdu dans ses pensées. Subitement, il se tourna vers ses compagnons.

– Dites, vous deux, vous ne voudriez pas vous joindre à moi pour une prière?

Lord Roxton fit la grimace:

– J'aime mieux vous avertir, padre, que je suis plutôt tout le contraire d'un pratiquant.

– S'il vous plaît, agenouillez-vous avec moi. J'ai besoin de votre concours.

Ils s'agenouillèrent côte à côte, le padre au milieu.

Malone prit mentalement note de la prière: « Père, nous sommes tous tes enfants: des créatures pauvres, faibles, impuissantes, ballottées par le destin et les événements. Je te supplie de tourner ton regard miséricordieux vers cet homme, Rupert Tremayne, qui a erré loin de toi et qui se trouve maintenant dans la nuit. Il a sombré très bas, car il avait un cœur orgueilleux qui ne s'attendrissait pas, et un esprit cruel que la haine avait pourri. Mais à présent il voudrait aller vers la lumière. C'est pourquoi j'implore ton secours pour lui et pour cette femme, Emma, qui, par amour pour lui, est descendue dans les ténèbres. Puisse-t-elle le relever, comme elle avait essayé de le faire. Puissent-ils tous deux rompre les liens de triste mémoire qui les retiennent à la terre. Puissent-ils, dès ce soir, monter vers cette glorieuse lumière qui, tôt ou tard, brille sur les plus déshérités de tes fils. »

Ils se remirent debout.

— Ça va mieux! s'exclama le padre en se frappant la poitrine de sa main osseuse et en souriant de toutes ses dents. Mais quelle nuit! Ah! Seigneur, quelle nuit [1]!

[1] Cf. Appendice.

CHAPITRE IX

Et voici des phénomènes très physiques!

Il était vraiment du destin de Malone d'être entraîné dans les affaires de la famille Linden! A peine avait-il abandonné le malheureux Tom aux mains de la justice qu'il se trouva aux prises, et d'une manière fort désagréable, avec son peu sympathique frère.

Cela débuta par un coup de téléphone matinal; à l'autre bout du fil, il reconnut la voix d'Algernon Mailey.

— Etes-vous libre cet après-midi?

— A votre disposition.

— Dites, Malone, vous êtes un costaud, n'est-ce pas? Vous avez bien été international de rugby dans l'équipe d'Irlande? Une partie de catch ne vous ferait pas peur, non?

Devant le récepteur, Malone eut un large sourire.

— J'en suis.

— Ça risque d'être gros: vous aurez peut-être à plaquer un boxeur professionnel...

— Parfait! répondit joyeusement Malone.

— Et il nous faudrait quelqu'un d'autre. Connaissez-vous un type qui viendrait avec nous rien que pour le plaisir de l'aventure? S'il est vaguement au courant des problèmes psychiques, cela n'en vaudrait que mieux.

Malone se creusa la tête, puis une inspiration lui vint.

— Il y a Roxton, dit-il. Il n'est plus tout jeune, mais dans une bagarre il est utile. Je pense que je pourrai le joindre. Depuis notre expérience dans le Dorsetshire, il s'intéresse beaucoup au psychisme.

— Bravo! Amenez-le! S'il ne peut pas venir, nous nous débrouillerons tout seuls. 41, Belshaw Gardens, S. W. Près de la station Earl's Court. Trois heures cet après-midi. D'accord!

Aussitôt Malone appela lord Roxton; il entendit la voix familière:

— De quoi s'agit-il, bébé? D'un match de boxe?... Mais, naturellement! Hein?... J'avais une partie de golf à Richmond, mais ceci me paraît bien plus divertissant... Hein? Oui, très bien. Je vous retrouverai là-bas.

Tant et si bien que, au troisième coup de trois heures, Mailey, lord Roxton et Malone étaient assis au coin du feu dans le salon cossu de l'avocat. Sa femme, douce autant que jolie, était sa collaboratrice sur le double plan de l'esprit et de la matière: elle était là pour accueillir les invités de Mailey.

— Maintenant, chérie, tu ne joues pas dans l'acte suivant, dit gentiment l'avocat. Tu vas te retirer avec discrétion dans les coulisses. Ne te fais aucun souci si tu entends de la bagarre.

— Mais je m'en ferai, mon chéri. Tu risques d'être blessé!

Mailey se mit à rire.

— Il est probable que ton mobilier sera blessé, cela oui! Mais tu n'as rien d'autre à craindre, va! Et puis, c'est le bien de la cause qui est en jeu...

» Ceci est toujours le dernier mot, ajouta-t-il après que sa femme eut quitté la pièce. Je crois en vérité qu'elle monterait sur le bûcher pour la cause. Son grand cœur de femme aimante sait ce que cela signifierait pour ce monde gris si les hommes pouvaient s'évader des ombres de la mort et comprendre quel grand bonheur est à venir. Elle est vraiment mon inspiratrice...

» Mais, poursuivit-il en riant, je ferais mieux de ne pas m'étendre sur ce sujet: nous avons à réfléchir sur quelque chose de très différent... quelque chose d'aussi vil et abominable qu'elle est belle et bonne. Il s'agit du frère de Tom Linden.

— J'ai entendu parler de ce type, dit Malone. J'ai autrefois boxé un peu, et je suis toujours membre du Sporting. Silas Linden a failli être champion des poids mi-moyens.

— Exactement. L'homme n'a pas de travail, et il a pensé qu'il pourrait devenir médium. Tout de suite, je l'ai pris au sérieux, moi et d'autres spirites, car nous aimons tous son frère, et il arrive fréquemment que de tels dons soient répartis dans une même famille; son ambition m'a donc semblé raisonnable. Aussi l'avons-nous mis à l'épreuve hier soir.

— Et qu'est-il advenu?

— Tout d'abord, il m'a paru suspect. Comprenez qu'il est presque impossible à un médium de tromper un spirite entraîné. Quand il y a tromperie, c'est aux dépens des profanes. J'ai donc commencé par le surveiller soigneusement, et je me suis assis près du cabinet noir. Bientôt il en est sorti vêtu de blanc. Je m'étais arrangé d'avance avec ma femme, et j'ai rompu le contact. Je l'ai senti quand il est passé près de moi. Il était, bien sûr, en blanc. J'avais dans ma poche des ciseaux; j'en ai coupé un petit bout.

Mailey exhiba un morceau de toile de forme triangulaire.

— Le voilà. Regardez-le. De la toile très ordinaire. Sans aucun doute, Silas Linden portait sa chemise de nuit.

— Pourquoi ne l'avez-vous pas montré tout de suite? demanda lord Roxton.

— Il y avait plusieurs dames, et j'étais dans la pièce le seul homme réellement vigoureux.

— Bon! Alors que proposez-vous?

— J'ai pris rendez-vous avec lui à trois heures et demie. Je l'attends. S'il n'a pas remarqué la petite amputation de sa chemise de nuit, je ne crois pas qu'il soupçonne ce que je lui veux.

— Qu'allez-vous faire?

— Ma foi, cela dépend de lui. En tout cas, il faut qu'il ne recommence pas. C'est ainsi que la cause s'embourbe. Un bandit qui ne connaît rien à l'affaire s'introduit pour gagner de l'argent; le travail des médiums honnêtes s'en trouve déprécié. Le public ne fait pas de distinction, comprenez-vous! Avec votre aide, je peux parler à ce gangster à égalité de chances, ce qui m'aurait été impossible sans vous.

Un pas pesant se fit entendre à l'extérieur. La porte s'ouvrit sur Silas Linden, faux médium et ex-boxeur professionnel. Ses petits yeux gris porcins se posèrent avec méfiance sur les trois hommes. Puis il se força à sourire, et salua Mailey.

— Bonjour, monsieur Mailey. Nous avons eu hier soir une bonne séance, n'est-ce pas?

— Asseyez-vous, Linden! dit Mailey en lui désignant une chaise. C'est justement au sujet de cette soirée que je désire vous parler. Vous nous avez trompés.

Le visage de Silas Linden s'enflamma de colère.

— Qu'est-ce que c'est? s'écria-t-il vivement.

— Vous avez triché. Vous vous êtes habillé et vous avez prétendu que vous étiez un esprit.

— Menteur! Menteur! Jamais je n'ai fait cela...

Mailey tira de sa poche le morceau de toile et le posa sur son genou.

— Et ça?

— Quoi, ça?

— Je l'ai coupé au bas de la chemise de nuit que vous portiez. Je l'ai coupé moi-même pendant que vous vous teniez devant moi. Si vous examinez votre chemise de nuit, vous trouverez l'endroit d'où je l'ai coupé. Inutile, Linden! Vous avez perdu, et le jeu est terminé. Vous ne pouvez plus nier.

Pendant quelques secondes, l'homme demeura complètement effondré. Puis il éclata dans une explosion de blasphèmes.

— Quel jeu? cria-t-il en regardant autour de lui. Est-ce que vous croyez que vous m'avez eu et que vous pouvez me prendre pour un écornifleur? C'est un coup monté, hein! Mais vous vous êtes trompé d'homme pour cette partie-là!

— Inutile de faire du bruit ou d'essayer de la violence, Linden! avertit Mailey paisiblement. Je pourrais vous traîner demain devant le tribunal. Mais, à cause de votre frère, je ne tiens pas au scandale. Seulement vous ne quitterez pas cette pièce sans avoir signé le papier qui est là, sur mon bureau.

— Oh! N'y comptez pas! Qui m'y forcera, dites-moi?

— Nous vous y forcerons!

Les trois hommes se placèrent entre lui et la porte.

— Vous m'y forcerez? Oui, eh bien! essayez donc!...

Ses yeux étincelaient de fureur; il se tint devant eux en serrant ses énormes poings.

— Laissez-moi sortir!

Ils ne répondirent pas, mais tous trois poussèrent le grognement de combat qui est peut-être la plus vieille des expressions humaines. Dans la seconde qui suivit, Linden se jeta sur eux, et ses poings assenèrent des coups d'une violence terrible. Mailey, qui avait autrefois boxé en amateur, bloqua un coup, mais le suivant déborda sa garde, et il s'écroula devant la porte. Lord Roxton fut projeté sur le côté. Mais Malone, avec l'instinct du rugbyman plongea la tête en avant et ceintura le boxeur professionnel à la hauteur des genoux. Si un homme est trop fort pour vous sur ses pieds, alors faites-le tomber: une fois sur le dos, il perd toute sa science. Linden bascula et passa dans sa chute, à travers un fauteuil. Il se mit sur un genou et essaya d'un court crochet au menton, mais Malone le fit retomber. Les mains osseuses de Roxton se nouèrent autour de son cou. Il y avait en Silas Linden une bonne dose de lâcheté; il eut peur.

— Assez! cria-t-il. Laissez-moi!

Il était à présent étalé sur le dos. Malone et Roxton étaient penchés au-dessus de lui. Mailey s'était relevé, pâle et meurtri.

— Ça va très bien! répondit-il à une voix de femme derrière la porte. Non, non, ma chérie, pas encore! Mais nous touchons au dénouement. Allons, Linden, pas besoin de vous mettre debout, car là où vous êtes vous pouvez causer avec nous très gentiment. Pour sortir d'ici, vous n'avez qu'à signer ce papier.

— Quel papier? grogna Linden, quand Roxton eut desserré son étreinte.

— Je vais vous le lire.

Mailey alla le chercher sur son bureau et lut à haute voix:

— *Je soussigné, Silas Linden, certifie ici que j'ai agi comme un fripon et comme un coquin en simulant un esprit, et je jure que plus jamais dans ma vie je ne me présenterai comme médium. Si je ne respecte pas ce serment, alors cet aveu signé pourra être porté à la connaissance du tribunal...* Voulez-vous signer ce papier?

— Non! Que je sois maudit si je le signe!

— Est-ce que je lui donne un supplément de torticolis? demanda lord Roxton. Peut-être pourrais-je ainsi le convaincre, hein?

— Pas du tout, dit Mailey. Au fond, cette affaire ne serait pas mauvaise devant le tribunal, car elle montrerait au public que nous sommes résolus à tenir notre maison en ordre. Je vous accorde une minute pour réfléchir, Linden. Dans une minute, j'appelle la police.

Mais il ne fallut pas une minute à l'imposteur pour se décider.

— Très bien! fit-il, maussade. Je signe.

Il lui fut permis de se mettre debout, non sans être averti que s'il essayait d'en profiter, il ne se relèverait pas si vite la deuxième fois. Mais il n'avait plus de ressort. Il griffonna un grossier « Silas Linden » au bas du papier. Les trois autres contresignèrent en qualité de témoins.

— Maintenant, filez! commanda Mailey. Trouvez à l'avenir un métier honnête, et laissez en paix les choses sacrées!

— Gardez pour vous vos sacrées foutaises! répondit Linden, qui sortit en sacrant et jurant.

A peine avait-il franchi le seuil de la maison que Mme Mailey se précipitait dans le salon pour s'assurer que son mari n'était pas blessé. Son examen lui ayant donné toute satisfaction, elle se lamenta sur le sort du fauteuil brisé: comme toutes les bonnes épouses, elle vouait une fierté personnelle au moindre détail de son petit ménage.

— Aucune importance, ma chérie! Ce n'est pas payer trop cher l'expulsion d'un bandit... Ne partez pas encore, vous autres: j'ai deux mots à vous dire.

— Et le thé va être servi!

— Peut-être vaudrait-il mieux quelque chose de plus fort? suggéra Mailey.

De fait, tous trois étaient éreintés: car pour avoir été bref, leur match avait été dur! Roxton, qui s'était beaucoup amusé, n'avait pas perdu son allant, mais Malone était rompu, et Mailey se ressentait encore du formidable coup de poing qui l'avait mis knock-out.

— On m'a affirmé, dit Mailey, quand ils se furent réinstallés devant le feu, que cette canaille extorquait de l'argent à son frère depuis des années. C'était une manière de chantage, car il aurait été tout à fait capable de le dénoncer. Oh! mais... voilà qui expliquerait l'intervention de la police. Pourquoi aurait-elle choisi Linden de préférence à tous les autres médiums de Londres? Je me rappelle à présent que Tom m'a déclaré... Oui, c'est cela: il m'a déclaré que Silas lui avait demandé de lui apprendre à être médium, et qu'il avait refusé.

— Pouvait-il lui apprendre? demanda Malone.

Mailey réfléchit.

— Eh bien! peut-être aurait-il pu, dit-il enfin. Mais Silas Linden faux médium serait beaucoup moins dangereux que Silas Linden vrai médium.

— Que voulez-vous dire par là?

— Le pouvoir médiumnique peut se développer, dit Mme Mailey. On pourrait presque dire qu'il s'attrape.

— Rappelez-vous l'imposition des mains dans l'Eglise primitive, expliqua Mailey. Elle conférait des pouvoirs de thaumaturge. Nous ne pouvons attribuer aujourd'hui des pouvoirs aussi rapides. Mais si un homme ou une femme se présente avec le désir de développer ses facultés, et spécialement si la séance a lieu en présence d'un vrai médium, il y a de fortes chances pour que le pouvoir lui vienne.

— Mais pourquoi avez-vous dit que ce serait pire qu'un faux médium?

— Parce que le pouvoir pourrait être utilisé pour le mal. Je vous assure, Malone, que ces histoires de magie noire et de mauvais démons ne sont pas des inventions de nos adversaires. En réalité, elles se produisent, et toujours autour d'un médium pervers. Vous pouvez explorer des abîmes que définit assez bien l'idée populaire de sorcellerie. Il serait malhonnête de nier qu'ils existent.

— Les semblables s'attirent, ajouta Mme Mailey. Vous obtenez ce que vous méritez. Si vous êtes assis avec des gens pervers, vous aurez des visiteurs pervers.

— Donc il existe un côté dangereux?

— Connaissez-vous quelque chose sur la terre qui n'ait son côté dangereux, si elle est maniée de travers et de façon excessive? Ce côté dangereux existe très en dehors du spiritisme orthodoxe; mais pour y parer, il convient de le connaître. Je crois que la sorcellerie du Moyen Age était un phénomène très réel, et que le meilleur moyen de faire face à de telles pratiques est de cultiver les pouvoirs les plus élevés de l'esprit. En laissant le champ libre, vous l'abandonnez aux forces du mal.

Lord Roxton intervint.

– Quand j'étais l'an dernier à Paris, dit-il, il y avait un type qui s'appellait La Paix et qui s'occupait de magie noire. Il réunissait du monde, il tenait des cercles, etc. Ce que je veux dire, c'est qu'il n'y avait pas grand mal à cela, mais d'autre part ce n'était guère... spirituel, comme vous dites.

– C'est un aspect du problème qu'en tant que journaliste j'aimerais bien voir d'un peu plus près, dit Malone. A condition que je puisse faire un compte rendu impartial...

– Tout à fait d'accord! déclara Mailey. Nous désirons que toutes les cartes soient étalées sur la table.

– Eh bien! bébé, si vous voulez m'accorder une semaine de votre temps et venir à Paris, je vous présenterai à La Paix.

– C'est assez curieux, sourit Mailey. J'avais justement en tête pour notre ami une visite à Paris. Imaginez que j'ai été invité par le docteur Maupuis, de l'Institut métapsychique, à assister à quelques-unes des expériences qu'il dirige avec un médium de Galicie. C'est en réalité l'aspect religieux de cette affaire qui m'intéresse, car il fait manifestement défaut aux esprits des savants du continent; mais en ce qui concerne l'examen précis et vigilant des phénomènes psychiques, ils sont plus avancés que quiconque, sauf ce pauvre Crawford de Belfast, qui a acquis tout seul une classe supérieure. J'ai promis à Maupuis de traverser la Manche: il doit avoir obtenu des résultats magnifiques, et, par certains côtés, inquiétants.

– Pourquoi inquiétants?

– Parce que ses plus récentes matérialisations n'avaient rien d'humain. Cela est confirmé par des photographies. Je ne vous en dirai pas davantage, pour que, si vous venez avec moi, vous n'ayez pas l'esprit prévenu.

— J'irai certainement, répondit Malone. Je suis sûr que mon rédacteur en chef sera d'accord.

Le thé fut servi, et la conversation se trouva interrompue par l'irritante intrusion des besoins corporels dans un débat supérieur. Mais Malone n'était pas de ceux qui lâchent facilement une piste.

— Vous parliez de forces mauvaises. Etes-vous déjà entré en relation avec elles?

Mailey regarda sa femme et sourit.

— Constamment, répondit-il. Cela fait partie de notre travail. Nous nous spécialisons là-dessus.

— J'avais compris que quand il y avait une intervention de ces forces mauvaises, vous l'écartiez.

— Pas forcément. Si nous pouvons aider un esprit inférieur, nous n'y manquons pas. Et nous ne pouvons l'aider qu'en l'encourageant à nous dire ses ennuis. La plupart ne sont pas pervers. Ce sont de pauvres créatures ignorantes, bornées, qui souffrent les conséquences des opinions étroites et erronées qu'elles ont apprises dans ce monde. Nous essayons de les aider... Et nous y parvenons.

— Comment savez-vous que vous y parvenez?

— Parce qu'elles viennent nous voir ensuite et qu'elles nous confient leurs progrès. De telles méthodes sont fréquemment employées par nos amis. On les appelle des cercles de sauvetage.

— J'ai entendu parler des cercles de sauvetage. Pourrais-je assister à l'un d'eux? Cette chose m'attire de plus en plus. C'est comme si de nouveaux horizons s'ouvraient continuellement. Je considérerais comme une grande faveur que vous m'aidiez à voir ce côté neuf...

Mailey devint pensif.

— Nous ne tenons pas à donner ces pauvres créatures en spectacle. D'autre part, bien que nous ne puissions pas vous considérer comme un adepte du spiritisme, vous avez traité le problème avec compréhension et sympathie...

Il se tourna vers sa femme, qui lui fit en souriant un signe de tête affirmatif.

— Ah! on vous autorise! Eh bien! apprenez que nous tenons notre petit cercle personnel de sauvetage, et qu'aujourd'hui à cinq heures a lieu notre séance hebdomadaire.

Notre médium est M. Terbane. Habituellement, nous n'avons personne d'autre, sauf M. Charles Mason, le clergyman. Mais si tous deux vous avez envie de faire cette expérience, nous serons très heureux de vous compter parmi nous. Terbane sera ici tout de suite après le thé. C'est un porteur de gare, aussi son temps ne lui appartient pas...Oui, le pouvoir psychique se manifeste un peu partout, mais c'est dans les classes les plus humbles qu'il se manifeste le mieux. Les anciens prophètes étaient des pêcheurs, des charpentiers, des tisseurs de tentes, des chameliers. Actuellement, quelques-uns des dons psychiques supérieurs se trouvent en Angleterre chez un mineur, un artisan de la laine, un porteur de gare, un marinier de péniche et une femme de ménage. L'histoire se répète. Et ce magistrat imbécile, avec Tom Linden devant lui, n'était que Félix jugeant Paul. La vieille roue tourne inlassablement... [1]

[1] Cf. Appendice.

CHAPITRE X

De profundis

Ils étaient encore en train de prendre le thé quand M. Charles Mason fut introduit. Rien ne rapproche mieux les gens que la recherche psychique pour l'intimité d'âme: c'est pourquoi Roxton et Malone, qui ne l'avaient connu qu'à travers un bref épisode, se sentirent aussitôt plus proches de cet homme que de tant d'autres qu'ils connaissaient depuis des années. Cette camaraderie à la fois fidèle et grave est l'une des caractéristiques principales d'une telle communion. Quand apparut sa silhouette de clergyman longue, mince, dégingandée, insouciante, dominée par une figure lasse et décharnée qu'illuminaient un sourire merveilleusement humain et deux yeux étincelants de sérieux, ils eurent l'impression qu'un vieil ami venait les voir. Et les mots qu'il eut à leur adresse révélaient une cordialité égale.

– Encore en exploration? s'exclama-t-il en leur serrant la main. Espérons que nos nouvelles expériences ne tendront pas nos nerfs autant que la dernière.

– Sapristi, padre! répliqua Roxton. Depuis le Dorsetshire, j'ai usé le bord de mon chapeau en le tirant mentalement devant vous!

– Qu'est-ce qu'il a fait? s'enquit Mme Mailey.

– Rien, rien! s'écria Mason. A ma misérable façon, j'ai essayé de guider une âme hors des ténèbres. N'en parlons plus! Mais cependant nous ne sommes pas ici réunis pour autre chose; et voilà ce que font ces braves gens une fois par semaine. C'est de M. Mailey que j'ai appris comment y parvenir.

– Il est de fait que nous ne manquons pas de pratique! dit Mailey. Vous en avez vu assez, Mason, pour en témoigner.

— Mais je bute encore sur quelque chose! s'écria Malone. Pouvez-vous m'éclairer sur un point? Pour l'instant, j'accepte votre hypothèse que nous sommes environnés par des esprits de matière liés à la terre, qui se trouvent dans d'étranges conditions qu'ils ne comprennent pas, et qui ont besoin de conseils. C'est à peu près cela, n'est-ce pas?

Les Mailey approuvèrent de la tête.

— Bien. Leurs amis et leurs parents décédés sont probablement dans l'au-delà, et ils n'ignorent pas leur état. Ils savent la vérité. Ne peuvent-ils donc pas s'entremettre pour pourvoir aux besoins de ces malheureux beaucoup mieux que nous ne le pouvons nous-mêmes?

— Question bien naturelle! répondit Mailey. Et tout naturellement nous leur avons soumis cette objection. Nous ne pouvons mieux faire qu'accepter leur réponse. Il semble qu'ils soient ancrés à la surface de cette terre, trop lourds, trop charnels pour s'élever. Les autres sont, sans doute, sur un plan spirituel très éloigné du leur. Ils nous ont expliqué qu'ils se trouvent bien plus proches de nous, qu'ils nous connaissent, mais qu'ils ne connaissent rien des plans supérieurs. Par conséquent, nous sommes les plus capables de les contacter.

— Il y avait une pauvre chère âme en peine...

— Ma femme aime tout et tous, expliqua Mailey. Elle serait capable de parler d'un pauvre cher vieux diable.

— Mais ils méritent sûrement de la pitié et de la tendresse! s'écria Madame Mailey. Ce pauvre type, nous l'avons bercé, cajolé pendant des semaines. Réellement, il venait des ténèbres profondes! Puis, un jour, il s'écria, éperdu de joie: « Ma mère est venue! Maman est ici! » Naturellement, nous lui avons dit: « Mais pourquoi n'est-elle pas venue auparavant? » Et il nous a répondu: « Comment l'aurait-elle pu lorsque j'étais dans des ténèbres si sombres qu'elle aurait été incapable de me voir? »

— Tout cela est bel et bon, dit Malone. Cependant, pour autant que je puisse suivre vos méthodes, c'est un guide, ou un contrôle, ou un esprit supérieur qui réglemente toute l'affaire, et qui vous amène le patient à guérir. S'il peut en être instruit, d'autres esprits supérieurs pourraient l'être également, non?

— Justement non, répondit Mailey. C'est sa mission particulière. Pour vous montrer à quel point les séparations sont nettes, je puis vous citer un exemple. Ici, nous avions une âme en peine. Nos invités venaient et ne savaient pas qu'elle était là; nous avons dû attirer leur attention sur elle. Quand nous avons dit à cette âme en peine: « Est-ce que vous ne voyez pas nos amis à côté de vous? » Il a répondu: « Je vois une lumière, mais je ne distingue rien d'autre. »

A ce moment, la conversation se trouva interrompue par l'arrivée de M. John Terbane, qui venait de Victoria Station, où il accomplissait ses tâches terrestres. Il avait revêtu un costume de ville. Il était pâle, triste, imberbe, dodu; il avait des yeux rêveurs, mais aucune autre indication n'eût trahi ses dons remarquables.

— Avez-vous mon compte rendu?

Telle fut sa première question. En souriant, Mme Mailey lui tendit une enveloppe.

— Nous vous l'avions préparé, mais vous pourrez le lire chez vous... Comprenez, ajouta-t-elle, que ce pauvre M. Terbane est en transe, et qu'il ignore tout du merveilleux travail dont il est l'instrument. Voilà pourquoi, après chaque séance, mon mari et moi lui écrivons un compte rendu.

— Et je suis toujours très étonné quand je le lis! commenta Terbane.

— Et très fier aussi, je suppose? interrogea Mason.

— Ma foi, je n'en sais rien! répondit humblement Terbane. Je ne vois pas pourquoi l'instrument serait fier de ce que l'ouvrier l'emploie. Pourtant, c'est un privilège, bien sûr!

— Bon vieux Terbane! dit Mailey en posant affectueusement ses mains sur les épaules du porteur. Meilleur est le médium, moins il est égoïste; c'est l'expérience qui m'a enseigné cette vérité. Le médium est celui qui s'abandonne complètement pour que d'autres se servent de lui: cet abandon est incompatible avec l'égoïsme. Eh bien! il me semble que nous pourrions nous mettre au travail, sinon M. Chang nous grondera.

— Qui? demanda Malone.

— Oh! vous ferez bientôt la connaissance de M. Chang! Nous n'avons pas besoin de nous asseoir tout autour de la table: un demi-cercle devant le feu fera aussi bien l'affaire. Lumières réduites. Très bien. Prenez vos aises, Terbane: installez-vous dans les coussins.

Le médium se cala dans l'angle d'un canapé confortable, et aussitôt il s'assoupit. Mailey et Malone avaient chacun un carnet de notes sur leurs genoux et attendaient.

Ils n'attendirent pas longtemps. Tout à coup, Terbane se mit sur son séant, et il cessa d'être le rêveur qu'il avait paru être jusqu'ici: il se transforma en un individu très alerte et impérieux. Un changement subtil s'était opéré sur sa physionomie. Un sourire ambigu flottait sur ses lèvres, ses yeux se fendirent obliquement et se rétrécirent, son visage se porta en avant, il enfonça ses deux mains dans les manches de sa veste bleue.

— Bonsoir! dit-il d'un ton tranchant, saccadé. De nouvelles têtes! Qui est-ce?

— Bonsoir, Chang! répondit le maître de maison. Vous connaissez M. Mason. Je vous présente M. Malone, qui étudie notre problème. Et voici lord Roxton, qui m'a rendu un grand service aujourd'hui.

— Lord Roxton! répéta-t-il. Un milord anglais! Je connaissais lord... lord Macart... Non... Je... Je ne peux pas le prononcer. Hélas! Je l'appelais « Démon étranger » alors... Chang, lui, aussi, avait beaucoup à apprendre.

— Il parle de lord Macartney. Cela remonte à une centaine d'années. Chang était un grand philosophe de son vivant, expliqua Mailey.

— Ne perdons pas de temps! s'écria le contrôle. Beaucoup à faire aujourd'hui. La foule attend. Des vieux, des nouveaux. J'ai pêché des gens bizarres dans mon filet. Je m'en vais.

Il retomba parmi les coussins.

Une minute plus tard, il se redressa.

— Je veux vous remercier, dit-il dans un anglais parfait. Je suis venu il y a deux semaines. J'ai réfléchi à tout ce que vous m'avez dit. Ma route s'éclaire.

— Etiez-vous l'esprit qui ne croyait pas en Dieu?

— Oui! Je l'ai dit dans ma colère. J'étais si las, si las!

Oh! le temps, le temps sans fin, la brume grise, le poids pesant du remords! Sans espoir! Sans espoir! Alors vous m'avez apporté le réconfort, vous et ce grand esprit chinois. Vous m'avez fait entendre les premières douces paroles depuis ma mort.

— Quand êtes-vous mort?

— Oh! cela me semble une éternité! Nous ne mesurons pas comme vous. C'est un long rêve horrible, uniforme, sans interruption.

— Qui était roi en Angleterre?

— Victoria était reine. J'avais accordé mon esprit avec la matière, il était cramponné à la matière. Je ne croyais pas à une vie future. Maintenant, je sais que j'avais tort, mais je ne pouvais pas adapter mon esprit à de nouvelles conditions.

— Là où vous êtes, est-ce mauvais?

— C'est tout... tout gris! Voilà le plus affreux. L'ambiance est horrible.

— Mais vous n'êtes pas seul: il y en a beaucoup d'autres.

— Ils ne savent pas plus que moi. Eux aussi ricanent, doutent et sont malheureux.

— Vous en sortirez bientôt!

— Pour l'amour de Dieu, aidez-moi à en sortir!

— Pauvre âme! dit Mme Mailey, de sa voix douce, caressante.

Sa voix aurait fait coucher à ses pieds n'importe quel animal.

— Vous avez grandement souffert. Mais ne pensez pas à vous seul. Pensez à ces autres qui sont avec vous. Essayez d'en relever un, et c'est ainsi que vous vous aiderez le mieux.

— Merci, madame, je le ferai. Il y en a un ici que j'ai amené. Il vous a entendus. Nous poursuivrons ensemble notre route. Peut-être trouverons-nous un jour la lumière.

— Aimez-vous que l'on prie pour vous?

— Oh! oui!

— Je prierai pour vous, dit Mason. Pourriez-vous dire maintenant *Notre Père...* ?

Il murmura la vieille prière universelle, mais avant

qu'il eût fini, Terbane était à nouveau retombé parmi les coussins. Il se remit droit pour interpréter Chang.

— Il progresse, dit le contrôle. Il a laissé du temps aux autres qui attendent. Cela est bon. Maintenant, j'ai un cas difficile. Oh!...

Il poussa un cri de découragement comique et sombra en arrière.

Quelques secondes plus tard, il était redressé; son visage s'était allongé pour une apparence de solennité; ses mains étaient jointes paume contre paume.

— Qu'est-ce que c'est? demanda-t-il d'une voix pointue et pointilleuse. Je serais bien curieux de savoir de quel droit ce personnage chinois m'a fait venir ici. Pourriez-vous me renseigner?

— Peut-être parce que nous pourrions vous aider.

— Quand je désire d'être aidé, je réclame de l'aide. A présent, je ne le désire pas... On en use bien librement avec moi!... D'après ce que ce Chinois a été capable de m'expliquer, je suis le spectateur involontaire d'une sorte de service religieux?

— Nous sommes un cercle de spirites.

— Une secte très pernicieuse. Des méthodes tout à fait blasphématoires. En tant que modeste desservant de paroisse, je proteste contre de telles profanations.

— Vous êtes retenu en arrière, ami, par cette vision étroite. C'est vous qui souffrez. Nous voulons vous soulager.

— Souffrir? Qu'entendez-vous par là, monsieur?

— Avez-vous réalisé que vous étiez dans l'au-delà?

— Vous dites des bêtises!

— Comprenez-vous que vous êtes mort?

— Je ne suis pas mort puisque je cause avec vous.

— Vous causez avec nous parce que vous empruntez le corps de cet homme.

— Certainement, je suis tombé dans un asile de fous!

— Dans un asile, oui. Un asile pour mauvais cas. Je crains que vous ne soyez un mauvais cas. Etes-vous heureux là où vous êtes?

— Heureux? Non, monsieur. Mon milieu actuel m'apparaît comme tout à fait inexplicable.

— Avez-vous le souvenir d'avoir été malade?

– J'ai été très malade.

– Si malade que vous en êtes mort.

– Vous êtes évidemment hors de tout bon sens.

– Comment savez-vous que vous n'êtes pas mort?

– Monsieur, je vois bien qu'il me faut vous donner des rudiments d'instruction religieuse. Quand on meurt après avoir mené une vie honorable, on revêt un corps glorieux et on jouit de la compagnie des anges. Or je suis toujours pourvu du même corps que pendant ma vie, et je me trouve dans un endroit très triste, très terne. La compagnie dont je jouis ne ressemble en rien à celle dont j'avais rêvé, et je chercherais en vain un ange autour de moi. Votre hypothèse absurde peut donc être écartée.

– Ne continuez pas à vous abuser vous-même. Nous désirons vous secourir. Vous ne ferez jamais aucun progrès tant que vous n'aurez pas compris votre état.

– Réellement, monsieur, vous poussez à bout ma patience. Ne vous ai-je pas dit...

A ces mots, le médium retomba dans ses coussins. Un peu plus tard, le contrôle chinois, avec un sourire bizarre et les mains engoncées dans ses manches, s'adressait de nouveau au cercle:

– Lui brave homme... Un homme fou... Il apprendra bientôt... Je le ramènerai. Ne perdons pas davantage de temps. Oh! mon Dieu! Au secours! Pitié! Au secours!

Il était retombé tout à plat sur le canapé, le visage tourné vers le plafond, et ses cris étaient si terribles que le petit cercle se mit debout.

– Une scie! Une scie! Allez chercher une scie! criait le médium, dont la voix défaillit dans un gémissement.

Mailey lui-même était troublé; les autres étaient horrifiés.

– Quelqu'un l'a hanté. Je n'y comprends rien. Il doit s'agir d'un puissant esprit mauvais.

– Voulez-vous que je lui parle? demanda Mason.

– Attendez un moment! Laissez se dérouler les événements. Nous verrons bientôt.

Le médium se tordait dans les affres de l'agonie.

– Oh! mon Dieu! Pourquoi n'êtes-vous pas allé chercher une scie? criait-il. C'est là, sur ma poitrine. Elle craque. Je le sens! Hawkin! Hawkin! Tire-moi de dessous! Hawkin! soulève la poutre! Non, non, comme ça c'est pire! Et voilà le feu! Oh! c'est horrible! Horrible!

Ses hurlements glaçaient le sang. Ils restaient pétrifiés dans l'horreur. Puis, en un clin d'œil, le Chinois reparut avec son regard oblique.

— Qu'est-ce que vous en pensez, monsieur Mailey?

— C'était effroyable, Chang! Que s'est-il passé?

— C'était pour lui! répondit Chang en désignant Malone du menton. Il voulait une histoire pour son journal, je lui ai donné une histoire pour son journal. Il comprendra. Pas le temps d'expliquer maintenant. Il y en a trop qui attendent. Un marin, d'abord. Le voici.

Le Chinois disparut, et un rire jovial, embarrassé, passa sur le visage du médium. Il se gratta la tête.

— Eh bien! zut alors! dit-il. J'aurais jamais cru que j'recevrais des ordres d'un Chinetok. Mais il a fait: « Psitt! » et je n'ai pas pu résister: plus question de discuter!... Bon. Eh ben! me v'là! Qu'est-ce que vous m'voulez?

— Nous ne voulons rien.

— Ah! Le Chinetok semblait croire que vous m'vouliez quèque chose, car il m'a lancé ici.

— C'est vous qui avez besoin de quelque chose. Vous avez besoin de savoir.

— Oui, j'ai perdu mon cap, c'est vrai! J'sais que j'suis mort, parce que j'ai vu mon lieutenant de batterie, et il a volé en éclats sous mon nez. S'il est mort, je suis mort. Et tous les autres aussi sont morts. Nous sommes tous de l'autre côté. Mais on se paie la tête du pilote parce qu'il est aussi ahuri que nous. Sacré pauvre pilote, je l'appelle! Nous sommes tous en train de prendre le fond...

— Comment s'appelait votre bateau?

— Le *Monmouth*.

— Il a sombré pendant la guerre avec les Allemands?

— C'est ça. En plein dans les eaux de l'Amérique du Sud. Un bel enfer! Oui, c'était l'enfer...

Il y avait un monde d'émotions dans sa voix. Il ajouta plus gaiement:

— On m'a dit que nos copains les avaient eus ensuite. Est-ce que c'est vrai, monsieur?

— Oui, les Allemands ont coulé par le fond.

— De ce côté-ci, on ne les a pas vus. C'est aussi bien, peut-être. Nous n'oublions rien, vous comprenez?

— Mais vous devez oublier! fit Mailey. Voilà ce qui ne va pas avec vous. Voilà pourquoi le contrôle chinois vous a mené ici. Nous sommes ici pour vous enseigner. Vous transmettrez notre message à vos copains.

— ...mande pardon, m'sieur: ils sont tous derrière moi.

— Eh bien! je vous dis, à vous et à eux aussi, que le temps des batailles et de la guerre mondiale est révolu. Ne regardez plus derrière vous, mais devant vous. Quittez cette terre qui vous retient encore par les liens de la pensée, et que tous vos désirs se bornent à devenir moins égoïstes, plus dignes d'une vie meilleure, supérieure, paisible, merveilleuse. Comprenez-vous cela?

— J'comprends, m'sieur. Et les autres aussi. On voudrait un gouvernail. m'sieur, car vraiment on nous a donné de bien mauvaises indications. Jamais on ne s'était attendu à se trouver rejetés comme ça! On avait entendu parler du ciel, de l'enfer, mais on est loin de l'un comme de l'autre. Allons, voilà que ce Chinetok nous dit que c'est l'heure... Nous pourrons venir au rapport la semaine prochaine? Merci ben, m'sieur, pour vous et pour la compagnie. Je reviendrai!

Il y eut un instant de silence.

— Quelle conversation incroyable! balbutia Malone.

— Si nous publiions ce discours du marin et son argot en disant que cela émane du peuple des esprits, que dirait le public?

Malone haussa les épaules.

— Qu'importe ce que le public dirait? Quand j'ai commencé cette enquête, j'étais plutôt sensible aux critiques; à présent, je ferais aussi peu de cas des attaques d'un journal qu'un char d'assaut d'une balle de carabine. A vrai dire, elles ne m'intéressent même plus. L'essentiel est de coller à la vérité le plus près possible!

— Je ne prétends pas être grand connaisseur de ces choses, dit Roxton. Mais ce qui me frappe le plus, c'est que ces gens sont des gens du peuple très ordinaires et très polis, hein? Pourquoi se promènent-ils comme ça dans les ténèbres et sont-ils halés par ce Chinois s'ils n'ont rien fait spécialement de mal dans leur vie?

— Chaque cas révèle une forte attache à la terre et l'absence de toute envolée spirituelle, expliqua Mailey. Nous avons vu un clergyman embrouillé dans ses formules et ses rites, un matérialiste qui s'est volontairement accroché à la matière, un marin qui nourrit des idées de vengeance... Il y en a des millions et des millions!

— Où? demanda Malone.

— Ici, répondit Mailey. Sur la surface de la terre. Vous vous en êtes aperçu, je pense, au cours de votre randonnée dans le Dorsetshire! C'était bien à la surface, n'est-ce pas? Il s'agissait d'un cas typique, grossier, ce qui le rendait plus visible et plus probant, mais il n'a pas modifié la loi générale. Je crois que tout le globe est infesté par des esprits liés à la terre et que, lorsque viendra le jour prophétisé du grand nettoyage, ils en tireront autant de bénéfice que les vivants.

Malone songea à l'étrange visionnaire, du nom de Miromar, dont il avait entendu le discours dans le temple spirite le premier soir de son enquête.

— Croyez-vous donc à quelque événement imminent? demanda-t-il.

— Il y aurait beaucoup à dire sur ce sujet, répondit Mailey en souriant. Je crois... Mais voici à nouveau M. Chang.

Le contrôle se joignit à la conversation.

— Je vous ai entendus. Je m'assieds et j'écoute, dit-il. Vous parlez maintenant de ce qui doit venir. Laissez venir! Laissez venir! Le temps n'est pas encore proche. Vous serez avertis quand il sera bon que vous le sachiez. Rappelez-vous ceci: tout est au mieux. Quoi qu'il arrive, tout sera au mieux. Dieu ne commet pas d'erreurs. Pour l'instant, comme d'autres désirent votre aide, je vous laisse.

Plusieurs esprits défilèrent rapidement. L'un était un architecte qui dit qu'il avait vécu à Bristol. Il n'avait pas été un mauvais homme, mais il avait simplement banni de ses pensées tout souci du futur. A présent, il était dans les ténèbres et avait besoin d'être dirigé. Un autre avait habité Birmingham. C'était un homme cultivé, mais un matérialiste. Il refusa d'accepter les assurances de Mailey, et il n'admit pas qu'il était réellement mort. Puis se présenta un homme aussi bruyant que violent, dont la religion était fruste et étroite: tout à fait le genre sectaire; il avait constamment le mot « sang » sur les lèvres.

— A quoi rime cette idiotie? demanda-t-il plusieurs fois.

— Ce n'est pas une idiotie. Nous sommes ici pour vous aider, répondit Mailey.

— Qui voudrait être aidé par le diable?

— Est-il vraisemblable que le diable cherche à aider des âmes en peine?

— Cela fait partie de ses ruses. Je vous dis que c'est une diablerie! Attention! Je ne marche pas!

Le Chinois placide surgit comme un éclair:

— Un brave homme. Un fou, répéta-t-il. Il a beaucoup de temps devant lui. Un jour, il apprendra. Maintenant, voici un mauvais cas, un très mauvais cas. Oh!...

Il fit retomber sa tête dans les coussins et ne la releva pas quand une voix, une voix très féminine, résonna dans la pièce:

— Janet! Janet!

Il y eut un silence.

— Janet, voyons! Mon thé! Janet! C'est intolérable! Voilà dix fois que je vous appelle! Janet!

Le médium se mit sur son séant et se frotta les yeux.

— Qu'est-ce que c'est? cria la voix. Qui êtes-vous? De quel droit êtes-vous ici? Savez-vous que c'est ma maison?

— Non, amie, ceci est ma maison.

— Votre maison! Comment cette maison pourrait-elle être la vôtre, puisque ceci est ma chambre à coucher? Voulez-vous vous en aller!

— Non, amie. Vous ne comprenez pas votre situation.

— Je vais vous faire sortir. Quelle insolence! Janet! Janet! Personne ne s'occupe donc de moi ce matin?

— Regardez autour de vous, madame. Est-ce votre chambre à coucher?

Terbane regarda autour de lui avec deux yeux furieux.

— C'est une chambre que je n'ai jamais vue de ma vie. Où suis-je? Qu'est-ce que cela signifie? Vous avez l'air d'une femme honnête. Pour l'amour du Ciel, dites-moi ce que cela signifie. Oh! J'ai peur! J'ai tellement peur! Où sont John et Janet?

— Quel est votre dernier souvenir?

— Je me rappelle avoir grondé sévèrement Janet. C'est ma femme de chambre, comprenez-vous? Elle est devenue si négligente! Oui, j'étais très mécontente d'elle. J'étais si mécontente que je suis tombée malade. Je me suis mise au lit avec le sentiment que j'étais malade. On m'a dit que je ne devais pas me mettre dans des états pareils. Mais comment s'empêcher de se mettre en colère? Oui, je me rappelle avoir étouffé. C'était après que la lumière ait été éteinte. J'essayais d'appeler Janet. Mais pourquoi serais-je dans une autre chambre?

— Dans la nuit vous êtes passée dans l'au-delà, madame.

— Passée? Vous voulez dire que je suis morte?

— Oui, madame, vous êtes morte.

Au bout d'un silence prolongé, un cri sauvage retentit:

— Non, non, non! C'est un rêve! Un cauchemar! Réveillez-moi! Réveillez-moi! Comment pourrais-je être morte? Je n'étais pas prête à mourir! Jamais je n'avais pensé que je mourrais! Si je suis morte, pourquoi ne suis-je pas au ciel ou en enfer? Quelle est cette chambre? Cette chambre est une vraie chambre!

— Oui, madame. Vous avez été conduite ici avec l'autorisation d'emprunter le corps de cet homme...

— Un homme...

Elle toucha convulsivement la veste et passa une main sur son visage.

— Oui, c'est un homme! Et je suis morte! Je suis morte! Qu'est-ce que je vais faire?

— Vous êtes ici pour que nous puissions vous expliquer. Vous avez été, je pense, une femme du monde... une mondaine. Vous avez toujours vécu pour des biens matériels.

— J'allais à l'église. J'étais chaque dimanche à Saint-Sauveur.

— Ceci ne veut rien dire. C'est la vie intérieure de tous les jours qui compte. Vous étiez matérialiste. Maintenant, vous êtes retenue en bas vers le monde. Quand vous aurez quitté le corps de cet homme, vous retrouverez votre propre corps et votre ancien milieu. Mais personne ne vous verra. Vous resterez là, impuissante à vous montrer. Votre corps de chair sera enterré. Et cependant vous persisterez, la même qu'autrefois.

— Que dois-je faire? Oh! qu'est-ce que je peux faire?

— Vous accueillerez bien tout ce qui se présentera, et vous comprendrez que vous en avez besoin pour votre purification. Ce n'est qu'en souffrant que nous nous libérons de la matière. Tout ira bien. Nous prierons pour vous.

— Oh! oui! J'en ai besoin! Oh! mon Dieu!...

La voix s'éteignit.

— Mauvais cas! fit le Chinois en se redressant. Femme égoïste, méchante! A vécu pour son plaisir. Dure avec son entourage. Aura beaucoup à souffrir. Mais vous l'avez mise sur la voie. Maintenant, son médium est fatigué. Beaucoup attendent, mais ce sera tout pour aujourd'hui.

— Avons-nous bien agi, Chang?

— Très bien. Beaucoup de bien vous avez fait.

— Où sont tous ces esprits, Chang?

— Je vous l'ai déjà dit.

— Oui, mais je voudrais que ces messieurs l'entendent.

— Sept sphères autour du monde: la plus lourde en bas, la plus légère en haut. La première sphère est sur la terre. Ces esprits appartiennent à la première sphère. Chaque sphère est séparée de la suivante. C'est pourquoi il vous est plus facile à vous qu'aux esprits des sphères supérieures de parler à ceux de la sphère inférieure.

— Et plus facile pour eux de nous parler?

— Oui. Voilà pourquoi vous devez faire très attention quand vous ne savez pas à qui vous parlez. Essayez les esprits.

— A quelle sphère appartenez-vous, Chang?

— Je viens de la sphère N° 4.

— Laquelle est réellement la première sphère de bonheur?

— La sphère N° 3. Le pays de l'été. La Bible l'appelle le troisième ciel. Très sensée, la Bible! Mais peu l'entendent.

– Et le septième ciel?

– Ah! c'est où se trouvent les Christs. Tout le monde y monte à la fin. Vous, moi, tout le monde...

– Et après cela?

– Vous m'en demandez trop, monsieur Mailey. Le pauvre Chang n'en sait pas tant! Allons, bonsoir! Que Dieu vous bénisse! Je pars.

C'était la fin du cercle de sauvetage. Quelques minutes plus tard, Terbane se réveilla en souriant, parfaitement dispos; mais il ne semblait avoir gardé aucun souvenir de ce qui s'était produit. Il était pressé, car il habitait loin; aussi s'en alla-t-il avec pour tout salaire les bénédictions des gens qu'il avait aidés. Humble cœur désintéressé! Où siégera-t-il quand tous nous trouverons nos places réelles dans l'au-delà selon l'ordre de la Création?

Le cercle ne se disloqua pas tout de suite. Les visiteurs désiraient parler, et les Mailey écouter.

– Ce que je veux dire, déclara Roxton, c'est que c'est passionnant et tout ce que vous voudrez, mais cela ressemble à des numéros de music-hall, hein? Difficile d'être tout à fait sûr que ce soit réellement vrai, comprenez-vous?

– C'est aussi ce que je ressens, dit Malone. Bien sûr, la valeur apparente de tout ceci est indicible: il s'agit de phénomènes si considérables que tous les événements ordinaires deviennent d'une banalité insupportable. Mais l'esprit humain est très étrange. J'ai lu le cas qu'a analysé Moreton Prince, et Mlle Beauchamp, et les autres; et j'ai lu également les résultats obtenus par Charcot, à la grande école de Nancy. On pourrait transformer un homme en n'importe quoi. L'esprit semble être une corde qui peut se démêler en fils variés. Chaque fil étant une personnalité différente qui peut prendre une forme dramatique, agir et parler en tant que tel. Cet homme est honnête, et il ne pourrait pas normalement provoquer ces effets. Mais comment savoir s'il n'est pas hypnotisé par lui-même, et si dans ces conditions l'un de ses fils devient M. Chang, un autre fil un marin, un autre une femme du monde, etc?

Mailey rit de bon cœur:

– Chaque homme possède son propre Cinquevalli, dit-il. Mais l'objection est rationnelle, et il faut l'affronter.

– Nous avons vérifié quelques exemples, dit Mme Mailey. Le doute n'est plus possible: noms, adresses, tout était conforme.

– Eh bien! nous avons alors à considérer le problème des connaissances normales de Terbane. Comment pouvez-vous savoir exactement ce qu'il a appris? Je serais enclin à croire qu'un porteur est particulièrement capable de recueillir ce genre d'informations.

– Vous avez assisté à une séance, répondit Mailey. Si vous en aviez vu autant que nous, la preuve cumulative vous interdirait d'être sceptique.

– C'est très possible, dit Malone. Je conçois que mes doutes vous agacent. Et pourtant, dans une affaire comme celle-ci, il faut bien être brutalement honnête. Quoi qu'il en soit de la cause dernière, j'ai rarement passé une heure aussi excitante. Grands dieux! Si c'est vrai, et si vous aviez un millier de cercles de sauvetage au lieu d'un seul, quelle régénération en résulterait?

– Cela viendra! murmura Mailey avec une détermination patiente. Nous vivrons assez pour le voir. Je suis désolé que cette séance n'ait pas affermi vos convictions. Toutefois, vous reviendrez, n'est-ce pas?

Mais des circonstances firent qu'une nouvelle expérience ne fut pas nécessaire. Le soir même, la conviction de Malone s'affermit brusquement et de manière bizarre. A peine était-il rentré au journal et s'était-il mis à relire quelques-unes des notes qu'il avait prises que Mailey se rua dans son bureau: sa barbe rousse s'agitait avec véhémence; il avait à la main les *Evening News*. Sans un mot, il s'assit à côté de Malone et déplia le journal. Puis il commença à lire:

« *Un accident dans la City*. – Cet après-midi, peu après cinq heures, une vieille maison datant, dit-on, du XVe siècle, s'est subitement effondrée. Située entre Lesser Colman Street et Elliot Square, elle était attenante au bureau de la Société des vétérinaires. Quelques craquements préliminaires avertirent les occupants de l'imminence du danger, et la plupart eurent le temps de s'échapper. Trois d'entre eux cependant, James Beale, William Moorson et une femme non identifiée furent ensevelis sous les décombres. Deux semblent avoir été tués sur le coup. Mais le troisième, James Beale, fut écrasé par une grosse poutre et cria au secours. On alla quérir une scie, et l'un des locataires de la maison, Samuel Hawkin, déploya un grand courage pour essayer de libérer le malheureux. Pendant qu'il sciait la poutre, toutefois, le feu se mit aux débris divers qui l'entouraient: il n'en continua pas moins avec vaillance jusqu'à ce qu'il fût sérieusement brûlé; il lui fut impossible de sauver Beale, qui dut mourir asphyxié, Hawkin a été transporté à l'hôpital; aux dernières nouvelles, son état est sans gravité. »

— Voilà! dit Mailey en repliant son journal. Maintenant, monsieur Thomas Didyme, je vous laisse le soin de conclure.

Et le fervent du spiritisme sortit du bureau aussi rapidement qu'il y était entré [1].

[1] Pour les incidents rapportés dans ce chapitre, cf. l'Appendice.

CHAPITRE XI

Silas Linden touche son dû

Silas Linden, boxeur professionnel et faux médium, avait eu de bons jours dans sa vie: des jours marqués d'incidents heureux ou malheureux. L'époque, par exemple, où il avait parié sur Rosalind à cent contre un dans les Oaks, et où il avait passé vingt-quatre heures dans une épouvantable débauche. Ou bien le jour où son uppercut favori du droit s'était rencontré le plus adroitement du monde avec le menton proéminent de Bull Wardell de Whitechapel, exploit qui lui avait ouvert la voie vers la ceinture de lord Lonsdale et le titre de champion. Mais jamais dans sa carrière il n'avait passé une journée semblable à celle qui lui avait permis de faire la connaissance de trois gentlemen plus forts que lui; aussi pensons-nous qu'il n'est pas inutile de la terminer en sa compagnie. Des fanatiques ont décrété qu'il est dangereux de s'attaquer aux choses de l'esprit quand le cœur n'est pas pur. Le nom de Silas Linden pourra être ajouté à la liste de leurs exemples; avant que le jugement s'abattît sur lui, la coupe de ses péchés était pleine et débordait.

Lorsqu'il se trouva hors de la maison d'Algernon Mailey, il éprouva que la poigne de lord Roxton était extrêmement solide. Dans le feu de la bataille, il n'avait guère eu le temps de s'appesantir sur les dégâts qu'il avait subis. A présent, derrière la porte qu'il avait brutalement claquée, il porta la main à sa gorge meurtrie, et un torrent de jurons s'en échappa. Il avait également mal à la poitrine, là où Malone l'avait coincé sous son genou. Le souvenir du coup terrible qu'il avait assené à Mailey ne parvint pas à le dérider; d'ailleurs il l'avait porté avec la main abîmée dont il s'était plaint à son frère... On conviendra que si l'humeur de Silas Linden était très détestable, il ne manquait pas de solides raisons pour cela.

— Je vous aurai à mon heure! gronda-t-il en tournant ses petits yeux porcins vers la porte. Attendez un peu, mes gaillards, et vous verrez!

Puis, comme s'il avait pris une décision, il descendit la rue.

Il se dirigea vers Bardley Square, entra au commissariat de police, où il trouva le jovial et rubicond inspecteur Murphy assis derrière son bureau.

— Alors, qu'est-ce que vous voulez, vous? demanda l'inspecteur, d'une voix qui n'avait rien d'amical.

— Vous l'avez eu, ce médium! Bien eu, même!

— Oui. C'était votre frère, paraît-il?

— Ça ne compte pas. Ces choses-là me dégoûteraient chez n'importe qui. Enfin, vous avez eu votre condamnation. Qu'est-ce que ça va me rapporter, à moi?

— Pas un shilling!

— Comment! C'est pourtant moi qui vous ai donné le tuyau. Si je ne vous avais pas indiqué son bureau, où seriez-vous allé?

— S'il avait été condamné à une amende, nous aurions pu vous verser un petit pourcentage. Et nous aussi, nous aurions touché quelque chose. Mais M. Melrose l'a condamné aux travaux forcés. Il n'y a rien pour personne.

— C'est ce que vous dites! Mais je suis sacrément sûr que vous et vos deux bonnes femmes, vous en avez tiré un peu de fric. Sans blague! Pourquoi vous aurais-je donné mon propre frère? Par amour de types comme vous? Si vous cherchez un pigeon, adressez-vous ailleurs!

Murphy avait le sentiment de son importance, et il était coléreux. Il n'allait pas se laisser narguer dans son bureau. Il se leva, très rouge.

— Vous allez me fiche le camp d'ici, Silas Linden! Et vite! Autrement vous pourriez bien y rester plus que vous ne le souhaitez. Nous sommes assaillis de plaintes concernant les traitements que vous faites subir à vos deux gosses, et figurez-vous que nous nous intéressons aussi à protéger les enfants. Méfiez-vous que nous n'allions pas mettre notre nez chez vous!

Silas Linden décampa sans mot dire. Son humeur ne s'était pas améliorée; deux rhums à l'eau sur le chemin du retour ne contribuèrent pas à l'apaiser. C'était au contraire un homme que l'alcool échauffait au point qu'il devenait dangereux; beaucoup de ses camarades refusaient de boire avec lui.

Silas habitait une petite maison en brique dans Bolton's Court, derrière Tottenham Court Road, au fond d'un cul-de-sac; le mur latéral attenait à une grande brasserie. Dans cette impasse, toutes les maisons étant très petites, leurs locataires, parents et enfants, passaient dans la rue le plus clair de leur temps. A cette heure, plusieurs hommes et femmes étaient dehors; lorsque Silas passa sous l'unique lampadaire, ils le regardèrent de travers; la moralité, dans Bolton's Court, n'était pas de premier ordre, mais tout de même il y avait des degrés, et Silas occupait le point zéro. Une grande juive, Rebecca Levi, mince, sèche, avec un regard perçant, habitait la maison voisine de celle du boxeur. Elle se tenait devant sa porte, et un enfant se cramponnait à son tablier.

— Monsieur Linden, dit-elle quand il passa devant elle, vos gosses ont besoin de plus que ce que vous leur donnez. La petite Margot était ici aujourd'hui. Cette fille ne mange pas assez.

— Occupez-vous de vos affaires! grogna Silas. Je vous ai déjà dit de ne pas plonger votre long nez crochu dans les miennes. Si vous étiez un homme, je saurais mieux comment vous parler!

— Si j'étais un homme, vous n'oseriez sans doute pas me parler sur ce ton. Je vous dis que c'est une honte, Silas Linden, la manière dont ces enfants sont traités! Si la police s'en occupe un jour, je saurai quoi lui dire.

— Oh! la barbe! répondit Silas, en poussant du pied la porte entrouverte de sa maison.

Une femme grosse et malpropre, avec une tignasse oxygénée et quelques restes d'une beauté colorée déjà trop mûre, sortit du salon:

— C'est toi?

— Qu'est-ce que tu croyais qu'c'était? Le duc de Wellington?

— Je croyais que c'était plutôt un taureau enragé qui dévalait la rue et enfonçait la porte.

— Tu t'crois drôle?

— Je suis peut-être drôle, mais je n'ai pas tellement de quoi rire. Pas un rond à la maison, pas une bouteille de bière! Rien que tes maudits gosses qui me mettent le sang à l'envers.

— Qu'est-ce qu'ils ont encore fichu? gronda Silas.

Quand ce couple charmant s'ennuyait ou se disputait, il s'attaquait aux enfants. Silas, dans le salon, se laissa tomber sur le fauteuil en bois.

— Ils ont vu ta première, encore une fois.

— Comment le sais-tu?

— Je l'ai entendu parler à sa sœur: « Maman est là », qu'il a dit. Et ensuite il a piqué sa crise de sommeil.

— C'est d'famille.

— Tu l'as dit! Si tu n'avais pas de crises de sommeil, toi aussi, tu trouverais du travail, comme les autres hommes.

— Oh! ferme ça, hein! Ce que j'veux dire, c'est que mon frère Tom a aussi ce genre de crises, et qu'on dit que le petit est le vivant portrait de son oncle. Alors il est tombé en transe? Qu'est-ce que tu as fait?

La femme eut un mauvais sourire:

— J'ai fait comme toi.

— Quoi! Avec de la cire à cacheter, encore?

— Pas beaucoup. Juste ce qu'il fallait pour le réveiller. C'est l'seul moyen de l'en sortir.

Silas haussa les épaules.

— Attention, ma fille! Il y a eu des bavardages à la police. Si les flics voient les brûlures, nous n'y couperons pas de la taule tous les deux!

— Tu es fou, Silas Linden! Depuis quand les parents n'ont-ils plus le droit de corriger leurs enfants?

— Oui, mais il n'est pas ton enfant à toi, et les belles-mères n'ont pas bonne réputation, figure-toi! Cette juive, la voisine... Elle t'a vue quand tu as pris la corde à linge pour fouetter Margot hier. Elle m'en a parlé. Et aujourd'hui elle m'a dit qu'ils n'avaient pas assez à manger.

— Quoi! Pas assez à manger? Ce sont des goinfres!

Pour déjeuner, ils ont eu chacun un quignon de pain. Un peu de diète ne leur fera pas de mal: ils seront moins insolents.

– Willie a été insolent avec toi?

– Oui, quand il s'est réveillé.

– Après que tu aies laissé tomber sur lui de la cire brûlante?

– Dis donc, je l'ai fait pour son bien, non? Il faut le guérir de cette habitude-là, tout de même!

– Et qu'est-ce qu'il a dit?

– Il m'a engueulée. Il m'a menacée de sa mère. Il m'a dit tout ce que sa mère me ferait... Je commence à en avoir marre de sa mère!

– Ne dis pas trop de mal d'Amy. C'était une brave femme.

– Tu dis ça aujourd'hui, Silas Linden. En tout cas, tu ne le montrais guère quand elle était en vie...

– Surveille ta langue, garce! J'ai eu assez d'ennuis aujourd'hui pour que tu n'y ajoutes pas avec des sermons. Tu es jalouse d'une morte. Voilà ce qu'il y a.

– Et ses morveux ont le droit de m'insulter à longueur de journée, peut-être? Moi qui depuis cinq ans m'occupe de toi!

– Non, je n'ai pas dit ça. S'il t'a insultée, j'en fais mon affaire. Où est-il, ce voyou? Va me l'chercher!

La femme se leva et l'embrassa au passage.

– J'ai que toi, Silas!

– Oh! c'est pas la peine de venir me lécher! Je ne suis pas d'humeur à... Va me chercher Willie. Et amène Margot en plus. Je vais lui ôter à elle aussi l'envie d'être insolente; elle n'en a pas l'air, mais...

La femme sortit, et revint au bout d'un moment:

– Il est encore endormi! dit-elle. Ah! ça me porte sur les nerfs de le voir comme ça! Viens le voir, Silas.

Ils se rendirent dans la cuisine. Un feu maigre s'étiolait dans l'âtre. A côté, pelotonné sur une chaise, un petit blondinet de dix ans était assis. Son visage délicat était levé vers le plafond. De ses yeux mi-clos, seul le blanc était visible. Sur ses traits fins, spirituels, se lisait une grande paix. Dans un coin, une pauvre fillette, d'un an ou deux plus jeune, contemplait son frère avec des yeux tristes, terrorisés.

— C't affreux, hein? dit la femme. On croirait qu'il n'est plus de ce monde. J'voudrais bien que Dieu le fasse passer de l'autre côté! Pour c'qu'il fait ici...

— Allons, debout! cria Silas. Finis tes singeries! Réveille-toi! Tu entends?

Il le secoua brutalement par les épaules, mais le garçonnet continuait de dormir. Le revers de ses mains, qu'il avait posées sur ses genoux, était couvert de taches rouges brillantes.

— Ma parole, tu l'as inondé! Tu ne vas pas me dire, Sarah, que pour le réveiller il a fallu toute cette cire?

— J'en ai p't-être laissé tomber une ou deux gouttes de trop. Il me met dans un tel état que je me contiens plus. Mais tu ne croirais pas comme il dort. Tu peux gueuler dans son oreille: il n'entendra qu'dalle. Regarde!

Elle l'empoigna par les cheveux et le secoua de toutes ses forces. L'enfant gémit et frissonna. Puis il retomba dans sa transe paisible.

— Mais dis donc! s'écria Silas en se grattant le menton. Y aurait peut-être de l'argent à gagner s'il était bien mené? J'vois d'ici une tournée dans les music-halls: « L'enfant-miracle. » Ça ferait bien sur les affiches. Et puis il porte le nom de son oncle que connaissent des tas de gens; ils auraient confiance!

— Je croyais que c'était toi qui te lançais dans le business?

— L'affaire est manquée, gronda Silas. M'en parle plus. C'est terminé.

— T'as déjà été pris?

— Je te dis de ne pas m'en parler! cria l'homme. Je suis exactement dans l'humeur de te donner la raclée de ta vie; alors fous-moi la paix, sans ça tu t'en repentiras!

Il pinça le bras de l'enfant avec une brutalité bestiale.

— Formidable! C'est un champion! Allons voir jusqu'où il tient le coup...

Il se tourna vers le feu agonisant; avec les pincettes il saisit un boulet rougi, qu'il plaça sur la tête de son fils. Il y eut une odeur de cheveux brûlés, puis de chair grillée, et tout à coup l'enfant revint à lui en poussant un hurlement épouvantable.

– Maman! Maman!

Dans son coin, la fillette reprit son cri. On aurait dit deux agneaux qui bêlaient ensemble.

– Au diable ta mère! s'exclama la femme qui empoigna Margot par le col de sa petite robe noire. Arrête de brailler, petite saleté!

De sa main ouverte, elle la gifla. Le petit Willie accourut et frappa sa marâtre à coups de pied dans les tibias jusqu'à ce que Silas le fît rouler par terre. La brute ramassa une cravache et cingla les deux enfants blottis l'un contre l'autre; ils hurlaient au secours, en essayant de se protéger.

– Vous allez vous arrêter, non? cria une voix dans le couloir.

– C'est cette maudite juive! fit la femme, qui alla jusqu'à la porte. Qu'est-ce que vous foutez chez moi? Allez, ouste! Ou tant pis pour vous!

– Si j'entends crier les enfants une fois de plus, je file au commissariat de police!

– Foutez le camp! Allez, décampez!

La marâtre était hors d'elle; elle s'avança. La juive longue et maigre ne bougea pas. Ce fut la bagarre. Mme Silas Linden poussa un cri, et recula en vacillant: le sang coulait de quatre sillons rouges, creusés sur la figure par des ongles acérés. Silas, avec un juron, écarta sa femme, saisit l'intruse par la taille et la jeta dans la rue. Elle tomba et elle resta là, avec ses longs membres qui s'agitaient et battaient en l'air comme une volaille à demi égorgée. Elle leva les poings et dévida un chapelet de malédictions à l'adresse de Silas, qui referma sa porte. Les voisins se précipitèrent autour de la juive pour avoir des détails. Mme Linden, qui regardait la scène à travers la jalousie baissée, constata avec soulagement que son adversaire se relevait et qu'elle regagnait en boitant sa maison, d'où elle entama d'une voix perçante l'énumération de ses maux. Une juive n'oublie pas facilement ses maux; sa race est capable de haïr autant que d'aimer.

— Ça va, Silas. J'ai cru que tu l'avais tuée.

— Elle n'aurait eu que ce qu'elle mérite, cette garce. C'est déjà bien assez de l'avoir pour voisine sans qu'elle mette les pieds ici. Je vais arracher la peau à ce Willie. C'est lui qui est la cause de tout. Où est-il?

— Ils ont couru dans leur chambre. Je les ai entendus se boucler.

— Attends! Je vais m'occuper d'eux!

— Ne les touche pas maintenant, Silas. Les voisins sont tous debout. C'est pas la peine d'avoir des ennuis.

— Tu as raison! grommela-t-il. Leur correction attendra bien que je revienne.

— Où vas-tu?

— Je descends à l'Amiral-Vernon. Il y a une chance que je sois embauché comme sparring-partner de Long Davis. Il commence son entraînement lundi prochain, et je sais qu'il cherche un type de mon poids.

— Bon! Quand tu reviendras, je le verrai bien. J'en ai soupé de ce bistrot. Je sais ce qu'on y trouve aussi!

— On y trouve la paix et le repos, répondit Silas. C'est le seul endroit au monde qui me les procure.

— Ah! j'en ai fait, une aubaine, le jour où je me suis mariée avec toi!

— Tu as raison. Ronchonne! Ronchonne toujours! Si ronchonner peut faire le bonheur d'un homme, tu es la championne de l'amour!

Il prit son chapeau et sortit. Dans la rue, son pas pesant résonna sur la trappe de bois qui ouvrait sur les caves de la brasserie.

En haut, dans une mansarde minuscule, deux petites formes enfantines étaient assises entrelacées au bord d'une mauvaise paillasse; leurs joues se touchaient; leurs larmes se mêlaient. Il leur fallait pleurer en silence, car le moindre bruit pouvait rappeler aux ogres d'en bas leur existence. Périodiquement, l'un des deux enfants éclatait en sanglots, et l'autre murmurait: « Chut! chut! » Ils entendirent la porte claquer, le pas pesant résonner sur la trappe de bois. De joie, ils se serrèrent l'un contre l'autre. Quand il reviendrait, il les tuerait peut-être, mais pendant quelques heures au moins ils seraient en sécurité. La femme était méchante et vindicative, mais elle ne leur semblait pas aussi terrible que l'homme. Ils se doutaient qu'il avait poussé leur mère au tombeau: il serait bien capable d'en faire autant avec eux.

La chambre était sombre; un peu de lumière passait par la fenêtre sale, et dessinait une barre blanche sur le plancher, mais tout autour c'était le noir absolu. Soudain le petit garçon se raidit, serra fortement la main de sa sœur, et regarda fixement dans la nuit.

— Elle vient! murmura-t-il. Elle vient!

La petite Margot se cramponna à lui.

— Oh! Willie! C'est maman?

— C'est une lumière, une jolie lumière dorée. Tu ne peux pas la voir, Margot?

Mais la fillette, comme le reste du monde, n'avait pas de vision. Pour elle, tout était noir.

— Raconte-moi, Willie!... Raconte!

Elle suppliait d'une voix grave; elle n'avait pas vraiment peur, car bien des fois leur maman morte était venue la nuit les consoler.

— Oui, elle vient, elle vient... Oh! maman! Maman!

— Que dit-elle, Willie?

— Oh! qu'elle est belle! Elle ne pleure pas. Elle sourit. Elle ressemble à l'image de l'ange que nous avons vue. Elle paraît si heureuse! Maman! Maman chérie!... Maintenant elle parle: « C'est fini! » Voilà ce qu'elle dit. « C'est fini! » Et elle nous fait signe avec la main. Pour que nous la suivions. Elle se dirige vers la porte.

— Oh! Willie, je n'ose pas!

— Si, si! Elle nous dit de n'avoir pas peur. Nous n'avons rien à craindre. Maintenant elle a franchi la porte. Viens, Margot, ou nous allons la perdre.

Les deux gosses se levèrent, et Willie ouvrit doucement la porte. Leur mère se tenait devant l'escalier et leur faisait signe pour qu'ils descendent. Marche après marche, ils la suivirent jusque dans la cuisine vide. La femme paraissait sortie. Tout était tranquille dans la maison. Le fantôme continuait à leur faire signe d'avancer.

— Nous sortons.

— Oh! Willie, nous n'avons pas de chapeaux!

– Il faut la suivre, Margot. Elle nous sourit et nous entraîne.

– Papa nous tuera!

– Elle dit que non. Que nous n'avons rien à craindre. Viens!

Ils se retrouvèrent dans la rue déserte. Ils suivirent la gracieuse présence lumineuse et, à travers un dédale de rues, ils s'engagèrent dans la foule de Tottenham Court Road. Une ou deux fois, au milieu de ce flot d'humanité aveugle, un homme ou une femme douée du don précieux du discernement s'arrêtait et regardait; prenaient-ils conscience d'une présence angélique devant ces deux gamins pâles qui marchaient, le garçon avec les yeux fixes et la fille jetant derrière elle par-dessus son épaule des regards de terreur? Ils descendirent toute la longue rue, longèrent ensuite une rangée d'humbles maisons en brique. Sur les marches de l'une, l'esprit s'était arrêté.

– Il faut que nous frappions, dit Willie.

– Oh! Willie, qu'est-ce que nous dirons? Nous ne les connaissons pas!

– Il faut que nous frappions, répéta-t-il avec fermeté. Toc, toc! Tout va bien, Margot. Elle bat des mains et elle rit.

C'est ainsi que Mme Tom Linden, qui était assise toute seule avec son chagrin et qui se lamentait sur le sort de son martyr emprisonné, fut subitement conviée à aller ouvrir sa porte; les deux enfants se tenaient derrière, apeurés. Quelques mots, l'élan d'un instinct de femme, et elle jeta ses bras autour d'eux. Enfin ils avaient trouvé un havre de paix où aucune tempête ne les atteindrait plus.

Il se passa cette nuit-là d'étranges événements dans Bolton's Court. Des gens ont pensé qu'il n'y avait entre eux aucun rapport. Mais ce n'a pas été l'avis unanime. En tout cas la loi anglaise, n'ayant rien vu, n'a rien eu à dire.

Dans l'avant-dernière maison de ce cul-de-sac, une tête aiguë, à profil de faucon, regardait la rue couverte de nuit à travers une jalousie. A côté de ce visage redoutable, sombre comme la mort et aussi dépouillé de remords qu'un tombeau, il y avait une bougie. Et derrière Rebecca

Levi se tenait un homme jeune dont les traits révélaient qu'il appartenait à la même race. Pendant une heure, pendant deux heures, la femme demeura assise à guetter en silence. A guetter, à guetter... A l'entrée de l'impasse pendait une lampe qui projetait sur le sol un cercle de lumière jaune. C'était sur cette mare brillante que ses yeux demeuraient attachés.

Tout à coup, elle aperçut ce qu'elle attendait. Elle sursauta, et ses lèvres sifflèrent un mot. Le jeune homme s'élança hors de la pièce; une fois dans l'impasse, il disparut dans la brasserie par une porte latérale.

Ivre, Silas Linden rentrait chez lui, l'esprit alourdi par l'impression d'une injustice. A cause de sa main abîmée, il n'avait pas obtenu l'emploi qu'il ambitionnait. Il était demeuré au bar, attendant qu'on lui paie à boire. Il avait bu, mais pas suffisamment. Il était d'humeur querelleuse. Gare à l'homme, à la femme, ou à l'enfant qui se trouverait sur son chemin! Il pensa avec fureur à la juive qui habitait cette maison où tout était éteint. Avec la même fureur, il pensa à tous ses voisins. Ils s'interposaient entre lui et ses gosses, n'est-ce pas? Eh bien! il allait leur montrer quelque chose! Le lendemain matin, il les jetterait à la rue, et il les fouetterait publiquement jusqu'à la mort. Voilà le cas que Silas Linden faisait de leur opinion! Au fait, pourquoi ne pas les battre tout de suite? Si les hurlements des gosses réveillaient ses voisins, ceux-ci reconnaîtraient tout de suite qu'on ne le défiait pas impunément. L'idée lui plut. Il avança d'un pas plus léger. Il était presque arrivé devant sa porte quand...

Jamais on ne réussit à éclaircir comment il se fit que cette nuit-là la trappe de la cave n'était pas solidement attachée. Le jury était tenté de mettre en cause la brasserie, mais le coroner insista sur le fait que Linden était lourd, qu'il avait pu tomber s'il était en état d'ébriété, et que toutes les précautions raisonnables avaient été prises. Il était tombé de six mètres sur des pierres coupantes, et il s'était brisé la colonne vertébrale. On ne l'avait pas trouvé avant le lendemain matin car, chose assez curieuse, sa voisine, la juive, n'avait pas entendu le bruit de l'accident. Le médecin déclara qu'il n'avait pas été tué sur le coup. Des traces horribles avaient, en effet, révélé qu'il avait tardé à mourir. Dans l'obscurité, vomissant du sang et de la bière, Silas Linden avait mis, par une mort ignoble, un terme à sa vie ignoble.

Point n'est besoin de s'apitoyer sur la femme qu'il laissa. Libérée de son abominable partenaire, elle retourna au music-hall où elle s'était laissé séduire par sa force de taureau. Elle essaya de s'y tailler une place avec :

Hi! Hi! Hi! C'est moi le dernier cri,
La fille qui fait la roue à l'envers...

Car c'était là le slogan sous lequel elle avait acquis un nom. Mais il devint vite évident qu'elle n'était qu'un dernier cri, et qu'elle ne pouvait pas remonter la pente sur sa roue à l'envers. Lentement, elle glissa des grands music-halls à des petits music-halls, des petits music-halls à des beuglants de quartier, puis elle sombra de plus en plus bas pour s'enliser dans d'horribles sables mouvants où elle s'enterra pour toujours.

CHAPITRE XII

Cimes et abîmes

L'Institut métapsychique était un bâtiment imposant de l'avenue de Wagram; sa porte n'eût pas dépareillé le château d'un baronet. C'est là que se présentèrent en fin d'après-midi les trois amis. Un chasseur les introduisit dans un salon d'attente où ils furent bientôt accueillis par le docteur Maupuis en personne. Cet homme qui faisait autorité en sciences psychiques était petit et trapu; il avait une tête massive, rasée, et une expression où se confondaient la sagesse de ce monde et un altruisme aimable. Il parla en français avec Mailey et Roxton, mais il baragouina un anglais détestable avec Malone, qui ne put lui répondre qu'en un français détestable. Il exprima tout le plaisir que lui causait leur visite, et il le dit comme seul sait le dire un Français de bonne race; il vanta en quelques mots les merveilleuses qualités de Panbek, le médium galicien; après quoi il les fit descendre dans la pièce où devaient avoir lieu les expériences. Son air remarquablement intelligent et la sagacité pénétrante de ses propos avaient déjà convaincu les trois étrangers de l'absurdité des théories qui prétendaient expliquer les étonnants résultats qu'il obtenait par l'hypothèse qu'il était homme à se laisser duper.

Au bas d'un escalier en colimaçon, ils se trouvèrent dans un vaste local qui au premier coup d'œil ressemblait à un laboratoire de chimie: les étagères étaient remplies de bouteilles, de cornues, d'éprouvettes, de balances et de divers instruments. Mais l'ameublement était moins austère: une grande table en chêne massif occupait le centre de la pièce et était entourée de chaises confortables. A une extrémité, le portrait du professeur Crookes était accroché au mur, flanqué par un autre portrait: celui de Lombroso.

Entre les deux figurait une remarquable reproduction photographique d'une séance chez Eusapia Palladino. Près de la table, un groupe d'hommes conversait à voix basse; ils étaient trop absorbés par leur discussion pour s'intéresser de près aux nouveaux venus.

– Trois de ces messieurs sont, comme vous-mêmes, des visiteurs distingués, expliqua le docteur Maupuis. Deux autres sont mes assistants de laboratoire, le docteur Sauvage et le docteur Buisson. Les autres sont des Parisiens réputés. La presse est représentée aujourd'hui par M. Forte, sous-directeur du *Matin*. Cet homme grand, brun, qui a l'allure d'un général en retraite, vous le connaissez probablement... Non? C'est le professeur Charles Richet, notre vénéré doyen, qui a montré un grand courage dans cette affaire, bien qu'il n'ait pas tout à fait abouti aux mêmes conclusions que vous, monsieur Mailey. Mais cela aussi peut venir. N'oubliez pas que nous devons être prudents: moins nous mêlerons la religion à nos recherches et à nos conclusions, moins nous aurons de difficultés avec l'Eglise, qui est encore très puissante dans ce pays. Ce personnage racé au front haut est le comte de Grammont. Le gentleman qui a le visage de Jupiter avec une barbe blanche est Flammarion, l'astronome... A présent, messieurs, ajouta-t-il d'une voix forte, si vous voulez prendre place, nous allons nous mettre au travail.

Ils s'assirent au hasard autour de la longue table; les trois Britanniques étaient restés ensemble. A une extrémité de la salle, un grand appareil photographique fut dressé. Deux seaux en zinc occupaient aussi une position en vue sur une table voisine. La porte fut soigneusement fermée et la clé remise au professeur Richet. Le docteur Maupuis s'assit à un bout de la table; il avait à sa droite un homme petit, d'un âge moyen, moustachu, chauve et intelligent.

– Quelques-uns parmi vous, dit-il, n'ont pas encore rencontré M. Panbek. Permettez-moi de vous le présenter. M. Panbek, messieurs, a mis ses pouvoirs remarquables à notre disposition en vue de nos recherches scientifiques, et nous avons envers lui une dette de gratitude. Il est maintenant âgé de quarante-sept ans; c'est un homme d'une santé normale, avec prédisposition au neuro-arthritisme. J'ai relevé une légère hyperexcitabilité de son système nerveux, et ses réflexes sont exagérés; mais sa pression sanguine est normale. Son pouls est de 72; en état de transe, il bat à 100. Sur ses membres, il y a des zones d'une hyperesthésie accentuée. Son champ visuel et sa réaction pupillaire sont normaux. Je ne sais pas s'il y a autre chose à ajouter...

– Je pourrais dire, observa le professeur Richet, que l'hypersensibilité est morale autant que physique. Panbek est impressionnable, riche en émotivité; il a un tempérament de poète et il n'est pas dépourvu de ces petites faiblesses, si nous nous permettons de les appeler ainsi, que le poète paie en guise de rançon pour les dons qu'il a reçus. Un grand médium est un grand artiste et doit être jugé sur la même échelle.

– Il me semble, messieurs, qu'on vous prépare au pire! dit le médium avec un charmant sourire qui amusa toute la société.

– Nous sommes ici dans l'espoir que se renouvelleront quelques très remarquables matérialisations que nous avons eues récemment, et qu'elles se renouvelleront sous une forme telle que nous pourrons les enregistrer définitivement...

Le docteur Maupuis parlait d'une voix sèche, d'où l'émotion était absente.

– Ces matérialisations ayant assumé des formes tout à fait imprévues, je prie cette honorable société de réprimer tout sentiment de frayeur, quelle que soit leur étrangeté: une atmosphère calme et impartiale est tout à fait nécessaire. Nous allons maintenant éteindre la lumière blanche; nous commencerons au plus bas degré de la lumière rouge jusqu'à ce que les conditions permettent un éclairage meilleur.

Les lampes étaient contrôlées du siège du docteur Maupuis à la table. Pendant un moment, les assistants furent plongés dans une profonde obscurité. Puis une lampe rouge s'alluma dans un coin, suffisante pour dessiner les profils des hommes assis autour de la table. Il n'y avait ni musique ni atmosphère religieuse. Les assistants chuchotaient entre eux.

– Voilà qui ne ressemble pas à la manière anglaise, dit Malone.

– Pas du tout! confirma Mailey. J'ai l'impression que nous sommes tout grands ouverts à n'importe quoi. Ils ont tort. Ils ne réalisent pas le danger.

– Quel danger peut-il y avoir?

– De mon point de vue, nous sommes assis au bord d'une mare qui ne contient peut-être que d'inoffensives grenouilles, mais où il y a peut-être aussi des crocodiles anthropophages. Vous ne pouvez pas savoir ce qui va sortir.

Le professeur Richet, qui parlait couramment un excellent anglais, l'entendit.

– Je connais votre opinion, monsieur Mailey, dit-il. Ne croyez pas que je la traite avec légèreté. J'ai vu certaines choses qui font que j'apprécie pleinement votre comparaison avec la grenouille et le crocodile. Dans cette pièce, ici, j'ai été conscient de la présence de créatures qui, si elles s'étaient mises en colère, auraient rendu nos expériences assez périlleuses. Je crois avec vous que des gens méchants pourraient ici susciter une réaction de méchanceté à l'égard de notre cercle.

– Je suis heureux, monsieur, répondit Mailey, que vous vous aiguilliez dans cette direction.

Partageant l'avis général, Mailey considérait Richet comme l'un des plus grands hommes de cette terre.

– Je m'aiguille, peut-être, et cependant je ne saurais affirmer que je vous rejoins. Les forces latentes chez l'homme s'étendent vers des régions qui me semblent à présent être tout à fait en dehors de ma compétence. En ma qualité de vieux matérialiste, je me bats sur chaque pouce de terrain, mais j'admets que j'ai déjà dû en céder pas mal. Mon illustre ami Challenger a encore gardé son front intact, je crois?

– Oui, monsieur, répondit Malone, et pourtant j'ai quelque espoir...

– Chut! cria Maupuis, d'une voix soudain passionnée.

Un silence de mort s'établit. Puis surgit le bruit d'un mouvement malhabile, accompagné d'une étrange vibration de battements d'ailes.

— L'oiseau! fit une voix chargée d'une terreur mystérieuse.

De nouveau le silence, de nouveau le bruit de ce mouvement avec un battement d'ailes impatient.

— Tout est prêt, René? demanda le docteur.

— Prêt!

— Alors, allez-y!

L'éclair d'un mélange lumineux emplit la pièce tandis que retombait l'obturateur de l'appareil photographique. Les visiteurs entrevirent un spectacle extraordinaire. Le médium était étendu, les mains sous la tête, dans un état d'insensibilité apparente. Sur ses épaules arrondies était perché un gros oiseau de proie — un grand faucon ou un aigle. Un instant cette étrange image frappa leurs rétines et s'imprima sur elles comme sur la plaque photographique. Puis l'obscurité enveloppa tout à nouveau, sauf deux lampes rouges qui ressemblaient aux yeux d'un démon sinistre tapi dans l'angle de la pièce.

— Ma parole! haletait Malone. Vous avez vu?

— Le crocodile de la mare, répondit Mailey.

— Mais inoffensif! ajouta le professeur Richet. Cet oiseau est venu ici plusieurs fois. Il agite ses ailes, comme vous l'avez entendu, mais il demeure immobile. Il se peut que nous ayons un autre visiteur plus dangereux.

L'éclair de lumière avait, bien sûr, dissipé tout ectoplasme. Il était nécessaire de tout recommencer. Les assistants étaient assis depuis un quart d'heure peut-être, quand Richet toucha le bras de Mailey.

— Vous ne sentez rien, monsieur Mailey?

Mailey renifla l'air.

— Si, évidemment. Cela me rappelle notre zoo, à Londres.

— Il y a une autre analogie plus banale. Vous êtes-vous déjà trouvé dans une chambre chaude avec un chien mouillé?

— Exactement, répondit Mailey. C'est la description exacte! Mais où est le chien?

— Ce n'est pas un chien. Attendez un peu! Attendez!

L'odeur animale devint plus prononcée. Elle éclipsait toutes les autres. Soudain Malone prit conscience que quelque chose se déplaçait sous la table. A la lueur trouble des lampes rouges, il distingua une silhouette d'avorton, accroupie, mal constituée, qui ressemblait vaguement à un homme. Il la vit mieux quand elle se profila contre la lumière. Elle était massive et large; elle avait une tête ronde, un cou court, des épaules lourdes et mal formées. Elle traînait le pas autour du cercle. Puis elle s'arrêta, et un cri de surprise, d'où la peur n'était pas absente, s'échappa de la gorge de l'un des assistants.

– N'ayez pas peur! dit la voix paisible du docteur Maupuis. C'est le pithécanthrope. Il ne vous fera pas de mal.

Si ç'avait été un chat qui s'était glissé dans la pièce, le savant n'en aurait pas parlé avec plus de calme.

– Il a de longues griffes. Il les a posées sur mon cou! cria une voix.

– Mais oui! Il voulait vous faire une caresse.

– Je vous lègue ma part de caresses! cria la voix qui tremblait.

– Ne le repoussez pas. Ce pourrait être grave. Il est bien disposé. Mais il a ses réactions personnelles, sans doute, comme chacun d'entre nous.

La bête avançait furtivement. Elle contourna le bout de la table et vint se poster derrière les trois amis. Ils sentaient sur leur cou son souffle qui s'exhalait en de rapides bouffées. Lord Roxton poussa subitement une exclamation de dégoût.

– Du calme! Du calme! dit Maupuis.

– Il lèche ma main! cria Roxton.

La seconde suivante, Malone eut conscience qu'une tête hirsute s'interposait entre la sienne et celle de lord Roxton. De sa main gauche, il put éprouver la longueur et la rudesse des cheveux. La tête se tourna vers lui, et il eut besoin de toute sa maîtrise pour ne pas déplacer sa main quand une longue langue douce se promena sur elle. Puis elle le quitta.

– Au nom du Ciel, qu'est-ce que c'est? demanda-t-il.

– On nous a priés de ne pas le photographier. Il se pourrait que la lumière le rende furieux. L'ordre venu du médium était précis. Nous pouvons tout juste dire que ce n'est pas un homme-singe, ni un singe-homme. Nous l'avons vu plus nettement que ce soir. Le visage est simiesque, mais le front est droit; les bras longs, les mains énormes, le corps velu.

— Tom Linden nous a donné quelque chose de moins désagréable, murmura Mailey.

Il parlait à voix basse, mais Richet surprit ses paroles:

— Toute la nature est le champ de notre enquête, monsieur Mailey. Ce n'est pas à nous de choisir. Etablirons-nous un classement des fleurs, mais négligerons-nous les champignons?

— Mais vous reconnaissez que c'est dangereux.

— Les rayons X étaient dangereux. Combien de martyrs ont perdu leurs bras, articulation par articulation, avant que leurs dangers soient compris? Et pourtant c'était nécessaire. Il en est de même avec nous. Nous ne savons pas encore ce que nous faisons. Mais si nous pouvons vraiment montrer au monde que ce pithécanthrope vient à nous de l'Invisible et nous quitte comme il vient, alors c'est une connaissance si formidable que même s'il devait nous réduire en miettes avec ses griffes terribles, ce serait néanmoins notre devoir de poursuivre nos expériences.

— La science peut être héroïque, dit Mailey. Qui le nierait? Et cependant j'ai entendu ces mêmes hommes de science nous dire que nous déraillons quand nous essayons de nous mettre en rapport avec les forces spirituelles. Nous sacrifierions joyeusement nos raisons ou nos vies si nous pouvions aider l'humanité! Ne devrions-nous pas faire autant pour le progrès spirituel que pour le progrès matériel?

On avait rallumé, et il y eut une pause que chacun mit à profit pour se relaxer avant que soit tentée la grande expérience de la soirée. Les assistants formèrent de petits groupes et discutaient à mi-voix de ce qu'ils avaient vu. A regarder la pièce confortable et ses accessoires à la mode, l'oiseau étrange et le monstre furtif ressemblaient à des cauchemars. Et pourtant ils avaient été des réalités, comme en témoignaient des photographies. Car le photographe avait été autorisé à quitter la pièce, et à présent il se précipitait hors de la chambre noire attenante et, très excité, agitait la plaque qu'il venait de développer et de fixer. Il la présentait à la lumière et là, suffisamment précise, il y avait l'image de la tête chauve du médium, et, accroupi sur ses épaules, le profil de l'oiseau sinistre. Le docteur Maupuis frottait ses petites mains grasses avec joie. Comme tous les pionniers, il avait subi la persécution de la presse parisienne; chaque phénomène nouveau était à ses yeux une arme excellente pour sa défense.

– Nous marchons! Hein! Nous marchons! répétait-il.

Et Richet, absorbé dans ses pensées, répondait mécaniquement:

– Oui, mon ami, vous marchez!

Le petit Galicien était assis, et il trempait un biscuit dans un verre de vin rouge. Malone alla le trouver; il découvrit qu'il était allé en Amérique et qu'il pouvait dire quelques mots d'anglais.

– Etes-vous fatigué? Est-ce que cela vous épuise?

– En me modérant, non. Deux séances par semaine, voilà ce qui m'est permis. Le docteur ne m'autoriserait pas davantage.

– Vous rappelez-vous quelque chose?

– Cela me vient comme un rêve. Un peu ici... Un peu là.

– Avez-vous toujours eu ce pouvoir?

– Oui. Toujours. Même lorsque j'étais enfant. Et mon père l'avait. Et mon oncle. Ils ne parlaient que de visions. Moi, j'allais m'asseoir dans les bois, et des animaux étranges venaient autour de moi. Je me rappelle mon ahurissement quand je découvris que les autres enfants ne les voyaient pas!

– Est-ce que vous êtes prêt? demanda le docteur Maupuis.

– Parfaitement, répondit le médium, en époussetant les miettes de son biscuit.

Le docteur alluma une lampe à alcool au-dessus de l'un des seaux de zinc.

– Nous allons collaborer, messieurs, à une expérience qui devrait, une fois pour toutes, convaincre le monde de l'existence des formes ectoplasmiques. On pourra discuter de leur nature, mais leur réalité objective ne fera plus de doute, à moins que mes plans n'échouent. Je voudrais d'abord vous parler de ces deux seaux. Celui-ci, que je suis en train de chauffer, contient de la paraffine, qui est en voie de fondre. Le deuxième contient de l'eau. Ceux d'entre vous qui viennent ici pour la première fois doivent comprendre que les phénomènes de Panbek se produisent habituellement dans le même ordre et qu'à présent nous nous attendons à l'apparition du vieil homme. Ce soir, nous sommes réunis pour voir le vieil homme, et nous pourrons, je l'espère, l'immortaliser dans l'histoire de la recherche psychique. Je me rassieds, j'allume la lampe rouge N° 3, qui permet une visibilité plus grande.

Le cercle était maintenant tout à fait visible. La tête du médium s'était affaissée, et son ronflement grave révélait qu'il était déjà en transe. Tous les visages étaient tournés vers lui, car le merveilleux processus de la matérialisation se déroulait devant eux. D'abord il y eut un remous de lumière, quelque chose comme une vapeur qui s'enroulait autour de sa figure. Puis, derrière lui, un ondoiement qui évoquait une draperie blanche diaphane. Elle s'épaissit. Elle se fusionna. Elle accusa bientôt une forme précise. C'était la tête. Des épaules se dessinèrent; des bras en surgirent. Oui, il ne pouvait pas y avoir de doute: derrière la chaise se tenait un homme, un vieil homme. Il remua lentement la tête vers la droite, puis vers la gauche. Il regardait les assistants, indécis. On avait l'impression qu'il se demandait: « Où suis-je? Et pourquoi suis-je ici? »

— Il ne parle pas, mais il entend, et il possède l'intelligence, dit le docteur Maupuis, regardant l'apparition par-dessus son épaule. Nous sommes ici, monsieur, dans l'espoir que vous nous aiderez à mener à bien une expérience très importante. Pouvons-nous compter sur votre coopération?

Le vieil homme fit de la tête un signe d'assentiment.

— Nous vous remercions. Quand vous aurez atteint votre pleine puissance vous vous éloignerez, probablement, du médium?

La silhouette fit le même signe de tête, mais ne bougea pas. Malone le vit qui prenait de plus en plus de volume.

Il distingua son visage. C'était parfaitement un vieil homme, qui avait un long nez, et une lèvre inférieure curieusement saillante. Tout à coup, il opéra un mouvement brusque qui l'éloigna de Panbek, et il s'avança dans la pièce.

– Maintenant, monsieur, dit Maupuis avec sa précision habituelle, vous apercevez le seau en zinc sur la gauche. Je vous serais reconnaissant d'avoir la bonté de vous en approcher et d'y plonger votre main droite.

Le vieil homme se dirigea vers les seaux, qui parurent l'intéresser; il les examina avec attention. Puis il plongea une main dans le seau que le docteur lui avait indiqué.

– Parfait! s'écria Maupuis, la voix tremblante d'excitation. A présent, monsieur, auriez-vous l'obligeance de plonger la même main dans l'eau froide de l'autre seau?

L'apparition obéit.

– Monsieur, vous nous permettriez de réussir pleinement notre expérience si vous posiez votre main sur la table et si, pendant qu'elle s'appuierait là, vous vous dématérialisiez et retourniez dans le médium.

Le vieil homme fit signe qu'il comprenait et qu'il acceptait. Il avança lentement vers la table, se pencha au-dessus d'elle, étendit sa main... et disparut. La respiration pesante du médium cessa; il remua comme s'il allait s'éveiller. Maupuis alluma les lampes blanches et leva les mains en poussant un cri de joie et de surprise qui fut répété par toute l'assemblée.

Sur la surface brillante du bois de la table, il y avait un gant de paraffine d'un délicat jaune rosé, large aux jointures, mince au poignet, deux des doigts étant recourbés vers la paume. Maupuis le considéra avec enchantement. Il arracha un petit morceau de cire au poignet et le tendit à un assistant, qui sortit de la pièce en courant.

– C'est décisif! s'écria-t-il. Que peut-on dire maintenant? Messieurs, je me tourne vers vous. Vous avez vu ce qui s'est passé. L'un de vous peut-il fournir une explication rationnelle de ce moule en paraffine, sinon qu'il s'agit du résultat de la dématérialisation de la main à l'intérieur du moule?

– Je n'en vois pas d'autre, répondit Richet. Mais vous

avez affaire à des gens très entêtés, pourris de préjugés. S'ils ne peuvent pas nier, ils ignorent!

— La presse est ici, et la presse représente le public! protesta Maupuis. Pour la presse anglaise, il y a M. Malone... à qui je demande maintenant s'il aperçoit une autre solution?

— Je n'en vois pas d'autre, répondit Malone.

— Et vous, monsieur, demanda le docteur en s'adressant au représentant du *Matin*.

Le journaliste français haussa les épaules en disant:

— Pour nous qui avons eu le privilège d'être là, c'était parfaitement convaincant. Et pourtant vous allez devoir affronter beaucoup d'objections. On ne comprendra pas la valeur de ce moule. On dira que le médium l'a apporté dans sa poche et qu'il l'a posé sur la table.

Maupuis battit des mains triomphalement. Son assistant venait de rentrer et de lui remettre une feuille de papier.

— Voici déjà une réponse à votre objection, dit-il en agitant son papier. Je l'avais prévue et j'avais mélangé un peu de cholestérine avec de la paraffine dans le seau. Vous avez pu remarquer que j'avais détaché un coin du moulage. C'était en vue d'une analyse chimique. Elle vient d'être faite. La voici: la cholestérine a été repérée.

— Très bien! admit le journaliste français. Vous avez bouché le dernier trou. Mais la prochaine fois?

— Ce que nous avons fait une fois, nous pourrons le refaire, répliqua Maupuis. Je préparerai une certaine quantité de ces moules. Dans quelques-uns j'aurai des poignets et des mains. Puis je tirerai d'eux des moulages de plâtre. Je ferai couler le plâtre à l'intérieur du moule. C'est délicat mais possible. J'en aurai des douzaines ainsi traités, et je les enverrai dans toutes les capitales du monde, afin que le public puisse voir de ses propres yeux. Est-ce que cela ne le convaincra pas au moins de la réalité de nos conclusions?

— N'espérez pas trop, mon pauvre ami! dit Richet en posant sa main sur l'épaule de l'enthousiaste. Vous n'avez pas encore réalisé l'énorme force d'inertie du monde. Mais comme vous l'avez dit vous-même: « Vous marchez! Vous marchez toujours! »

— Et notre marche est ordonnée, déclara Mailey. Il s'agit d'une libération progressive pour l'humanité.

Richet sourit et secoua la tête.

— Toujours transcendental! fit-il. Toujours en train de voir plus loin que l'œil et de transformer la science en philosophie! Je crains que vous ne soyez incorrigible. Est-ce que votre position est raisonnable?

— Professeur Richet, répliqua Mailey avec un grand sérieux, je voudrais vous prier de répondre à la même question. J'ai un profond respect pour votre génie, et je suis en complète sympathie avec votre prudence. Mais n'êtes-vous pas arrivé au carrefour? Vous voici maintenant dans la position d'admettre... vous devez admettre qu'une apparition intelligente sous une forme humaine, composée à partir de la substance que vous avez vous-même appelée ectoplasme, peut marcher dans une pièce et obéir à des instructions, tandis que le médium gît sous nos yeux sans connaissance... Et cependant vous hésitez à affirmer que cet esprit a une existence autonome. Cela est-il raisonnable?

Richet répéta son sourire et son hochement de tête. Sans répondre, il se détourna et salua le docteur Maupuis en lui adressant ses compliments. Quelques instants plus tard, l'assistance s'était dispersée, et nos amis roulaient dans un taxi vers leur hôtel.

Malone était grandement impressionné par ce qu'il avait vu. Il passa la moitié de la nuit à écrire un compte rendu très complet pour l'agence *Central News*. Il n'oublia pas de citer les noms des personnalités qui se portaient garantes du résultat: ces noms étaient si honorables qu'il ne serait venu à l'esprit de personne de les associer à une tromperie ou à de la bêtise.

— Sûrement, sûrement, c'est un tournant, l'avènement d'une ère nouvelle! répétait-il.

Ainsi courait son rêve. Le surlendemain, il ouvrit tous les grands quotidiens de Londres les uns après les autres. Il y avait plusieurs colonnes sur le football. Plusieurs colonnes sur le golf. Une page entière était consacrée aux actions cotées en Bourse. Dans le *Times*, il y avait une longue correspondance très documentée sur les mœurs du vanneau. Mais dans aucun journal il ne trouva une ligne sur les choses merveilleuses qu'il avait vues et relatées. Mailey se moqua de son air dégoûté.

— Un monde de fous, messeigneurs! dit-il. Un monde de toqués! Mais ce n'est pas fini! [1]

[1] Cf. Appendice.

CHAPITRE XIII

Le professeur Challenger part en guerre

Le professeur Challenger était de mauvaise humeur. Et quand il était de mauvaise humeur, il le faisait savoir à toute sa maisonnée. Les effets de son courroux ne se limitaient d'ailleurs pas à son entourage immédiat, car la plupart des lettres terribles qui apparaissaient de temps à autre dans la presse, et dans lesquelles il étrillait jusqu'au sang un malheureux adversaire, étaient autant de coups de foudre que lançait un Jupiter offensé, assis dans une sombre majesté sur son trône de travail du haut de son appartement à Victoria. Les domestiques osaient à peine pénétrer dans la pièce où, lançant des éclairs, la tête chevelue et barbue s'arrachait de ses papiers comme un lion d'un os. Seule Enid, dans de pareils moments, pouvait l'affronter; elle n'en éprouvait pas moins parfois ce pincement au cœur que ressentent les dompteurs les plus téméraires quand ils pénètrent dans une cage. Elle n'évitait pas l'âcreté des propos, mais au moins elle n'avait pas à redouter de violences physiques: tout le monde ne pouvait en dire autant.

En certaines occasions, les crises du célèbre professeur avaient une cause matérielle: « Je suis un hépatique, monsieur! Oui, un hépatique! » Telle était l'explication qu'il donnait à un accès exagéré. Mais cette fois-ci le foie n'était nullement responsable de sa mauvaise humeur: c'était le spiritisme!

Il n'avait jamais réussi à s'affranchir mentalement de la maudite superstition qui allait à l'encontre de tout le travail et de toute la philosophie de la vie. Il essayait de la repousser avec mépris, d'en rire, de l'ignorer dédaigneusement, mais elle insistait toujours pour se placer sur son chemin. Le lundi, il se jetait dans ses livres pour ne plus y penser; bien avant le samedi suivant, il se retrouvait plongé dedans jusqu'au cou. C'était absurde! Il avait l'impression que son esprit se retirait des grands problèmes matériels pressants de l'univers pour se gaspiller sur les contes de Grimm ou les revenants d'un romancier noir.

Puis la situation empira. D'abord Malone, qui représentait pour lui le type moyen d'une humanité lucide, avait été plus ou moins tourneboulé par les spirites, et il s'était rallié à leurs vues pernicieuses. Deuxièmement Enid, son petit agneau, son unique lien véritable avec le reste du monde, avait été corrompue à son tour. Elle avait adhéré aux conclusions de Malone. Elle avait même déterré des faits qui constituaient des « preuves » cumulatives. Vainement s'était-il penché lui-même sur un cas précis: il avait démontré sans l'ombre d'un doute que le médium était un bandit intrigant qui apportait à une veuve des messages de son mari défunt pour avoir la femme sous sa coupe. Le cas était clair, et Enid l'avait admis. Mais ni elle ni Malone ne consentaient à généraliser. Ils répondaient qu'il y avait des coquins dans toutes les professions, et qu'il fallait juger chaque mouvement par ce qu'il offrait de meilleur et non par ce qu'il comportait de pire.

Tout ceci était déjà assez mauvais, mais le plus mauvais reste à dire. Challenger venait d'être publiquement humilié par les spirites, par un homme qui avait reconnu qu'il était inculte, et que sur tout autre sujet il serait resté assis aux pieds du professeur comme un enfant sage; et pourtant, au cours d'un débat public... Mais l'histoire mérite d'être contée.

Apprenez donc que Challenger, fort du mépris dans lequel il tenait toute opposition et ignorant la valeur véritable des faits qui lui seraient soumis, avait récemment déclaré — moment fatal! — qu'il descendrait de son olympe et qu'il rencontrerait au cours d'un débat public n'importe quel représentant du spiritisme.

« Je suis pleinement conscient, écrivit-il, que par une telle condescendance je cours le risque, comme tout autre homme de science d'un égal standing, d'accorder un crédit de dignité à ces absurdes et grotesques aberrations de l'esprit humain — dignité qu'ils seraient bien incapables de revendiquer autrement! – mais nous devons accomplir notre devoir vis-à-vis du public; nous devons périodiquement nous détourner de notre travail sérieux, gâcher quelques instants pour donner un coup de balai à ces toiles d'araignée éphémères qui pourraient se réunir et devenir nocives si la science les épargnait. »

Ainsi, de cette même manière trop confiante Goliath s'était avancé pour rencontrer son minuscule adversaire.

Les détails du débat sont tombés dans le domaine public, et il n'est pas nécessaire de retracer minutieusement les phases de ce pénible événement. On rappellera que le grand homme de science descendit au Queen's Hall, accompagné par de nombreux sympathisants rationalistes qui souhaitaient assister à la destruction impitoyable des visionnaires. De ces pauvres créatures abusées une foule considérable était également au rendez-vous, espérant contre toute espérance que leur champion ne serait pas complètement immolé sur l'autel de la science outragée. Les deux clans remplissaient la salle et se défiaient du regard avec autant d'hostilité que les Bleus et les Verts mille ans plus tôt dans l'hippodrome de Constantinople. Sur la gauche de l'estrade se tenaient les rangs serrés de ces farouches rationalistes, qui accusent de crédulité les agnostiques victoriens et qui rafraîchissent leur foi dans les collections de la *Gazette littéraire* et du *Libre Penseur.*

Sur la droite de l'estrade, la barbe rousse de Mailey flamboyait comme une oriflamme. Sa femme et Mervin, le journaliste, étaient assis à côté de lui. Il était entouré de gens sérieux: hommes et femmes de l'Alliance spirituelle de Queen Square, du Collège psychique et de tous les temples éloignés, rassemblés pour encourager leur champion dans sa tâche ingrate. Sur ce mur solide d'humanité se détachaient les visages bienveillants de Bolsover, l'épicier, accompagné de ses amis de Hammersmith, de Terbane, le porteur-médium, du Révérend Charles Mason, aux traits ascétiques, de Tom Linden, qui venait de sortir du bagne, de Mme Linden, du docteur Atkinson, de lord Roxton, de Malone, etc. Entre les deux camps était assis, solennel, impassible et dodu, le juge Gaverson, de la Cour royale, qui avait accepté de présider. Il était intéressant et symptomatique de noter que les Eglises organisées s'étaient abstenues de participer à ce débat critique qui mettait en cause le cœur et les centres vitaux de la vraie religion. Elles somnolaient; elles étaient à demi inconscientes; elles ne pouvaient donc pas se rendre compte que l'esprit vivant de la nation s'interrogeait pour savoir si elles étaient condamnées à l'asphyxie vers quoi elles tendaient déjà, ou si une résurrection sous d'autres formes était possible pour l'avenir.

Au premier rang, sur le côté, était assis le professeur Challenger, monstrueux et menaçant, avec, derrière lui, ses disciples au front large; sa barbe assyrienne pointait, très agressive; un demi-sourire flottait sur ses lèvres; ses lourdes paupières retombaient insolemment sur ses yeux gris intolérants. Symétriquement, sur l'autre côté, était perché un personnage terne et sans prétention; le chapeau de Challenger lui serait tombé sur les épaules; il était pâle, plein d'appréhension; il jetait vers son adversaire léonin des regards où se lisaient l'excuse et la supplication. Toutefois, ceux qui connaissaient bien James Smith n'avaient pas peur: ils savaient en effet que derrière son apparence vulgaire et démocratique se dissimulait une connaissance à la fois pratique et théorique du sujet comme peu d'êtres vivants en possédaient une. Les sages de la Société de recherche psychique n'étaient que des enfants en science psychique, par comparaison avec des spirites pratiquants comme James Smith, qui passaient leur vie dans diverses formes de communion avec l'invisible; il leur arrivait de perdre tout contact avec le monde où ils vivaient, et d'être inutilisables pour les tâches quotidiennes; mais la direction d'un journal plein de vie et l'administration d'une communauté étendue et dispersée avaient maintenu James Smith les pieds solidement sur la terre. Ce qui n'avait pas empêché ses excellentes facultés naturelles, non corrompues par une culture superfétatoire, de se concentrer sur le seul terrain de savoir qui offrait à la plus grande intelligence humaine une liberté d'action suffisante. Challenger avait pu s'y tromper: mais le débat allait mettre aux prises un brillant amateur discursif et un professionnel concis hautement spécialisé.

Toute l'assistance convint que le premier morceau de Challenger fut pendant une demi-heure une exhibition magnifique de talent oratoire et de génie polémique. Sa voix avait la profondeur des orgues; seuls peuvent la sortir des hommes ayant un mètre vingt-cinq de tour de poitrine; elle s'élevait et retombait selon une cadence parfaite qui enchanta son auditoire. Il était né pour diriger une assemblée; c'était un chef, évidemment, pour l'humanité! Tour à tour il fut descriptif, humoriste, convaincant. Il brossa le tableau du développement naturel de l'animisme parmi des sauvages tremblants sous le ciel nu, incapables de rendre compte du battement de la pluie ou du rugissement du tonnerre, et voyant une intelligence bienveillante ou malveillante derrière ces opérations de la nature que la science avait à présent classées et expliquées.

De là, sur de fausses prémisses, s'échafauda cette foi dans des esprits ou dans des êtres invisibles hors de nous; par un curieux atavisme, voici qu'elles émergeaient à nouveau à notre époque, au sein des couches les moins cultivées de l'humanité. C'était le devoir de la science de résister à de pareilles tendances rétrogrades, et c'était le sentiment qu'il avait de ce devoir qui l'avait tiré, lui, Challenger, malgré sa répugnance, du privé de son cabinet vers cette estrade publicitaire. Il fit une caricature rapide du mouvement tel que ses calomniateurs le décrivaient. De la façon dont il la conta, c'était une histoire de mauvais goût: une histoire de phalanges d'orteils qui craquaient, de peinture phosphorescente, de fantômes en mousseline, d'un commerce nauséeux de commissions sordides entre les ossements des morts et les pleurs des veuves. Ces gens étaient les hyènes de l'espèce humaine qui s'engraissaient sur des tombeaux. *(Applaudissements des rationalistes et rires ironiques chez les partisans du spiritisme.)* Ils n'étaient pas tous des coquins. *(« Merci, professeur! » cria une voix de stentor.)* Mais les autres étaient idiots. *(Rires.)* Etait-ce exagéré d'appeler idiot l'homme qui croyait que sa grand-mère pouvait transmettre des messages au moyen d'un pied de table à manger? Jamais des sauvages n'étaient descendus aussi bas dans la superstition! Ces gens avaient pris à la mort sa dignité, et ils avaient souillé de leur propre vulgarité la sérénité des tombes. C'était vraiment une affaire haïssable! Il regrettait d'avoir à parler si fermement, mais seuls le scalpel ou le cautère pouvaient arrêter la croissance de ce cancer. Certainement, l'homme n'avait pas besoin de se laisser troubler par des spéculations grotesques sur la nature de la vie dans l'au-delà. N'avions-nous pas suffisamment à faire avec ce monde? La vie était une chose merveilleuse. L'homme qui appréciait les vrais devoirs et les vraies beautés qu'elle comportait avait de quoi s'occuper sans barboter dans les pseudo-sciences qui avaient leurs racines dans la fraude, ainsi que les tribunaux l'avaient prouvé des centaines de fois, et qui néanmoins trouvaient toujours de nouveaux adeptes dont la crédulité folle et les préjugés irrationnels les rendaient imperméables à toute discussion.

Tel fut, en résumé cru et brutal, l'exposé qui ouvrit le débat. Les matérialistes l'accueillirent avec des hurlements de joie. Les partisans du spiritisme paraissaient furieux et mal à l'aise. Leur orateur se leva, pâle mais résolu, pour répondre à cet assaut massif.

Son physique, ses accents ne possédaient aucune des qualités qui rendaient Challenger si impressionnant, mais il parlait d'une voix nette et il exposa ses arguments avec la précision d'un ouvrier à qui ses outils sont depuis longtemps familiers. Le début de son discours fut courtois et humble au point qu'il donna l'impression que M. James Smith était fort intimidé. Il sentait bien toute la présomption qu'il y avait de sa part, à lui qui manquait tellement de culture, à se mesurer avec un antagoniste si célèbre qu'il avait lui-même si fort respecté. Il lui paraissait pourtant que dans la longue liste des exploits accomplis par le professeur Challenger, exploits qui avaient rendu son nom fameux dans le monde entier, il en manquait un; or c'était malheureusement sur cette lacune de son savoir qu'il avait été tenté de discourir. Il avait écouté le professeur avec admiration quant à l'éloquence, mais avec surprise et même avec mépris, pourrait-il dire, quant aux affirmations qu'il avait entendues. Il était clair que le professeur avait préparé sa conférence en lisant toute la littérature antispirite qu'il avait pu rassembler — et cette source d'information était bien impure! — mais qu'il avait négligé de prendre connaissance des ouvrages d'auteurs parlant du haut de leur expérience comme de leurs convictions.

Toute cette histoire d'articulations craquantes et d'autres trucs frauduleux remontait au milieu de l'ère victorienne; et dans l'anecdote de la grand-mère communiquant par l'intermédiaire d'un pied de table il ne reconnaissait rien qui ressemblât à une description équitable des phénomènes psychiques. De telles comparaisons lui rappelaient les plaisanteries dont furent saluées les grenouilles dansantes de Volta, et qui retardèrent la prise en considération de ses expériences sur l'électricité. Elles n'étaient pas dignes du professeur Challenger! Comment pouvait-il ignorer que le médium frauduleux était le pire ennemi des spirites, qu'il était dénoncé sous son nom dans les journaux qui s'occupaient de psychisme chaque fois qu'il était découvert, et que cette sorte de révélation était le fait des spirites eux-mêmes, car ils stigmatisaient les « hyènes humaines » aussi sévèrement que son adversaire l'avait fait? On ne condamne pas les banques parce que des faussaires s'en servent quelquefois pour des desseins néfastes. C'était perdre du temps devant un auditoire si distingué que de descendre jusqu'à réfuter des arguments aussi puérils. Si le professeur Challenger avait nié les implications religieuses du spiritisme tout en acceptant les phénomènes, il aurait été plus difficile de lui répondre. Mais en niant tout il se plaçait dans une position absolument impossible. Sans doute le professeur Challenger avait-il lu le récent travail du professeur Richet, célèbre physiologue. Ce travail avait requis trente années; mais Richet avait vérifié tous les phénomènes.

Peut-être le professeur Challenger consentirait-il à révéler à l'assistance la nature des expériences personnelles auxquelles il s'était livré, et qui lui conféraient le droit de parler de Richet, de Lombroso ou de Crookes comme d'autant de sauvages superstitieux? Il était fort possible que son adversaire eût poursuivi en privé des expériences dont nul ne savait rien. Mais dans ce cas, qu'il les porte à la connaissance du monde! Et jusqu'à ce qu'il le fît, il serait antiscientifique et réellement indécent de bafouer des hommes dont la réputation était à peine inférieure à la sienne, et qui avaient procédé, eux, à des expériences qu'ils avaient révélées au public.

Quant à dire que le monde se suffit à lui-même, c'était peut-être un point de vue valable pour un professeur à succès doté d'un corps parfaitement sain, mais si l'on vivait dans une mansarde de Londres avec un cancer à l'estomac, on pourrait remettre en cause la doctrine selon laquelle point n'était utile de languir après tout autre état que l'actuel.

James Smith exécutait un travail d'ouvrier, illustré par des faits, des dates et des chiffres. Il avait beau ne pas atteindre les cimes de l'éloquence, il énonçait quantité d'idées qui sollicitaient une réplique. Or il apparut bientôt, non sans tristesse, que Challenger n'était pas capable d'apporter cette réplique. Il avait soigneusement lu ce qui étayait sa propre thèse, mais il avait négligé d'étudier celle de son adversaire; il avait trop facilement accepté les hypothèses spécieuses et puériles des écrivains incompétents qui avaient traité d'un sujet qu'ils n'avaient pas exploré par eux-mêmes. Au lieu de répondre à M. James Smith, Challenger se mit en colère. Le lion commença à rugir. Il secouait sa crinière sombre, et ses yeux étincelaient tandis que retentissait à nouveau dans la salle sa voix grave. Qu'étaient donc ces gens qui s'abritaient derrière des noms honorés certes, mais qui s'étaient fourvoyés? De quel droit attendaient-ils des hommes de science les plus sérieux qu'ils suspendissent leurs travaux pour perdre leur temps à examiner leurs folles suppositions? Il y avait des choses qui allaient de soi, qui ne nécessitaient pas de démonstration. C'était à ceux qui lançaient des affirmations qu'il incombait d'apporter des preuves. Si son contradicteur, dont le nom lui échappait, déclare qu'il peut susciter des esprits, alors qu'il en fasse surgir un tout de suite, devant cet auditoire sain et impartial! S'il dit qu'il reçoit des messages, alors qu'il nous donne des nouvelles en avance sur les agences d'information et de presse! *(« Cela a souvent été fait! » crièrent des spirites.)* Vous le prétendez, mais moi je le nie! J'ai trop l'habitude de vos assertions ridicules pour les prendre au sérieux. *(Tumulte. L'orateur écrase les pieds du juge Gaverson.)* S'il affirme qu'il bénéficie d'une inspiration supérieure, alors qu'il apporte la clé de l'énigme policière de Peckham Rye! S'il est en rapport avec les êtres angéliques, alors qu'il nous donne une philosophie plus haute que celle qu'un mortel est capable de concevoir! Cette fausse science, ce camouflage de l'ignorance, ces idioties à propos de l'ectoplasme et d'autres produits mythiques de l'imagination psychique n'étaient que des manifestations du pur et simple obscurantisme, des bâtards nés de la superstition et du noir des ténèbres. Partout où l'affaire avait été soumise à examen, on avait abouti à de la corruption et à de la putridité mentale. Tous les médiums étaient des imposteurs conscients. *(« Et vous un menteur! » cria une voix de femme dans l'entourage des Linden.)* Les voix des morts n'ont jamais prononcé autre chose que des babillages enfantins. Les asiles regorgaient de supporters de ce culte, et ils en compteraient encore plus si chacun avait ce qu'il méritait.

Son discours avait été violent, mais il s'avéra parfaitement inopérant. Le grand homme était consterné. Il réalisait que l'affaire était sérieuse, et qu'il s'y était embarqué à la légère. Il s'était réfugié dans la colère, il avait tonné, procédé par affirmations définitives, ce qui ne peut être valable que lorsqu'il n'y a pas d'adversaire capable d'en tirer avantage. Les partisans du spiritisme semblaient plus amusés que mécontents. Les matérialistes s'agitaient, mal à l'aise, sur leurs sièges. James Smith se leva pour son dernier coup de batte. Il arborait un sourire malicieux. Tout dans son attitude était une menace vivante.

Il était obligé, dit-il, de réclamer de son illustre contradicteur une attitude plus scientifique. N'était-ce pas un fait extraordinaire que tant de savants, lorsque leurs passions ou leurs préventions étaient en cause, affichassent un si profond mépris pour leurs propres principes? De ces principes, le plus rigide était qu'un sujet devait être examiné avant d'être condamné. Nous avons vu récemment, dans des problèmes tels que la télégraphie sans fil ou les machines plus lourdes que l'air, que les choses les plus invraisemblables pouvaient survenir et se vérifier. Il est extrêmement dangereux de dire à priori qu'une chose est impossible. Et pourtant le professeur Challenger était tombé dans cette erreur. La réputation qu'il avait si justement gagnée à propos de problèmes qu'il avait étudiés, il l'avait utilisée pour jeter le discrédit sur un problème qu'il n'avait pas étudié. Un homme peut être un grand physiologue et un grand physicien: n'en concluons pas pour cela qu'il fait autorité en science psychique.

Il était évident que le professeur Challenger n'avait pas lu les ouvrages types qui avaient traité du sujet sur lequel il se posait en autorité. Pouvait-il dire à l'auditoire le nom du médium de Schrenck Notzing? Il marqua un temps d'arrêt pour la réponse. Pouvait-il dire alors le nom du médium du docteur Crawford? Non? Pouvait-il dire quel avait été le sujet des expériences du professeur Zollner à Leipzig? Comment! Son silence persistait? Mais c'étaient pourtant les points essentiels du débat! Il avait hésité à faire des personnalités, mais le robuste langage du professeur exigeait de sa part une franchise correspondante. Le professeur savait-il que cet ectoplasme qu'il venait de tourner en dérision avait été soumis à l'examen de vingt professeurs allemands — il tenait leurs noms à sa disposition — et que tous avaient authentifié son existence? Comment le professeur Challenger pouvait-il nier si légèrement ce que ses éminents collègues avaient affirmé? Avancerait-il qu'ils étaient eux aussi des criminels ou des idiots? La vérité était que le professeur était venu dans cette salle complètement ignorant des faits, et qu'il les apprenait à présent pour la première fois. Il ne se doutait absolument pas que la science psychique avait déjà ses lois; sinon il n'aurait pas formulé une requête aussi puérile que de demander à une forme ectoplasmique de se manifester en pleine lumière sur cette estrade, alors que n'importe quel étudiant savait que l'ectoplasme était soluble à la lumière. Quant à l'énigme policière de Peckham Rye, il n'avait jamais été question que le monde des anges fût une succursale de Scotland Yard. Jeter de la poudre aux yeux du public, voilà ce qui, de la part d'un homme comme le professeur Challenger...

A cet instant, l'éruption se produisit. Challenger avait frétillé sur sa chaise. Challenger avait tiré sur sa barbe. Challenger avait bombardé l'orateur de regards meurtriers. Mais soudain il bondit comme un lion blessé vers la table à côté du président qui, bien calé dans son fauteuil, était plongé dans un demi-sommeil, avait croisé ses mains dodues sur son ample bedaine et qui, devant cette subite apparition, sursauta si fort qu'il faillit tomber dans l'orchestre.

— Asseyez-vous, monsieur! Asseyez-vous! cria-t-il.

— Je refuse de m'asseoir! rugit Challenger. Monsieur, j'en appelle à vous, qui présidez ce débat! Suis-je ici pour être insulté? Ces procédés sont intolérables. Je ne les supporterai pas plus longtemps. Puisque mon honneur personnel est mis en cause, je me vois obligé de prendre moi-même l'affaire en main!

Comme beaucoup de ceux qui foulent aux pieds les opinions des autres, Challenger était extrêmement susceptible dès que quelqu'un s'avisait de prendre la plus petite liberté vis-à-vis des siennes. Chacune des phrases incisives de son contradicteur avait été une banderille pointue qui s'enfonçait dans le flanc d'un taureau écumant. Maintenant, dans sa fureur muette, il brandissait son énorme poing velu par-dessus la tête du président dans la direction de son adversaire, dont le sourire ironique décuplait ses velléités de bagarre. A force de menacer James Smith du poing, il tomba en avant et entraîna dans sa chute le président, qui s'étala de tout son long sur l'estrade. Du coup le vacarme fut à son comble dans la salle. La moitié des rationalistes était scandalisée; l'autre moitié, en signe de sympathie à l'adresse de leur champion, criait: « C'est une honte! » Les partisans du spiritisme avaient éclaté en clameurs de raillerie; mais plusieurs s'étaient élancés vers l'estrade afin de protéger leur champion contre toute violence physique.

— Il faut que nous sortions d'ici le cher vieux! dit Roxton à Malone. Il va assassiner quelqu'un si nous ne nous en mêlons pas. Je veux dire... Il va distribuer des coups tout autour de lui, hein? et la police devra s'en mêler!

L'estrade était devenue une foule grouillante et hurlante. Malone et Roxton jouèrent des coudes pour arriver jusqu'à Challenger. Soit en le poussant judicieusement, soit en usant d'éloquents artifices de persuasion, ils le conduisirent hors du bâtiment. Il proférait encore toutes sortes de menaces. Dans la salle, une adresse pour la forme fut votée en l'honneur du président, et la réunion se termina dans des rixes et des bagarres.

« Toute cette histoire, déclara le lendemain matin le *Times*, est déplorable: elle illustre avec force le danger de ces débats publics sur des questions qui passionnent les préjugés des orateurs et de l'auditoire. Des termes tels que « idiot microcéphale! » ou « survivant simiesque! » quand ils sont proférés à l'adresse d'un contradicteur par un professeur de réputation mondiale, témoignent des distances qu'on se permet aujourd'hui de franchir. »

Après cette longue digression, revenons à l'humeur du professeur Challenger. Nous avons dit qu'elle était détestable: il était assis derrière son bureau; il tenait d'une main le *Times*, et ses sourcils ployaient sous le faix de la colère. Pourtant ce fut le moment que choisit le maladroit Malone pour lui poser la question la plus intime qu'un homme puisse soumettre à son semblable.

Soyons objectifs: il serait peut-être injuste à l'égard du sens diplomatique de Malone de dire qu'il avait « choisi » ce moment. En vérité, il était allé s'assurer que l'homme pour lequel, en dépit de toutes ses excentricités, il nourissait autant de respect que d'affection, n'avait pas souffert des événements de la veille au soir. Sur ce point du moins, il fut rapidement rassuré.

– Intolérable! rugit le professeur.

A l'entendre, on aurait dit qu'il avait passé la nuit à vociférer. Challenger répéta:

– Intolérable! Vous-même étiez là, Malone. Malgré votre sympathie inexplicable et mal dirigée pour les opinions imbéciles de ces gens-là, vous admettrez bien que toute la tenue des débats était intolérable pour moi, et que ma protestation était justifiée, plus que justifiée! Il est possible que lorsque j'ai lancé la table présidentielle à la tête du directeur du collège psychique j'aie outrepassé les limites de la courtoisie, mais la provocation avait été excessive! Rappelez-vous que ce Smith, ou Brown... son nom est le plus matériel du monde... osait m'accuser d'ignorance, et jeter de la poudre aux yeux du public!

— C'est vrai! dit Malone sur un ton apaisant. Mais quand même, professeur! Vous leur avez flanqué deux ou trois coups terribles.

Les traits tirés de Challenger se détendirent, et il se frotta les mains de ravissement.

— Oui, je crois que quelques-uns de mes coups ont porté! Je suppose qu'ils ne seront pas oubliés. Quand j'ai dit que les asiles de fous seraient remplis si chacun d'entre eux avait ce qu'il méritait, ils ont accusé le choc. Ils ont tous glapi, je m'en souviens, comme un chenil rempli de chiots. C'est leur absurde observation touchant au fait que j'aurais dû lire leur littérature en peau de lapin qui m'a échauffé. Mais j'espère, mon garçon, que vous êtes venu me voir ce matin pour me dire que mon discours d'hier soir a produit d'heureux effets sur votre cervelle, et que vous avez reconsidéré des opinions qui nuisent grandement, je l'avoue, à notre amitié.

Malone plongea hardiment.

— Quand je suis venu ici, j'avais autre chose dans la tête, dit-il. Vous devez savoir que votre fille Enid et moi, nous avons beaucoup travaillé ensemble tous ces temps-ci. Pour moi, monsieur, elle est devenue « l'unique », et je ne serai heureux que du jour où elle sera ma femme. Je ne suis pas riche, mais un poste de rédacteur en chef adjoint dans un journal m'a été proposé, et je possède toutes les ressources pécuniaires nécessaires pour fonder un foyer. Vous me connaissez depuis quelque temps; j'espère que vous n'avez rien contre moi. J'ai donc de bonnes raisons de croire que je puis compter sur votre approbation relativement à mes projets.

Challenger frappa sa barbe, et ses paupières glissèrent dangereusement devant ses yeux.

— Mes facultés, dit-il, ne sont pas tellement amoindries que je n'aie rien remarqué des rapports qui se sont établis entre ma fille et vous. Ce problème se trouve cependant étroitement mêlé à celui que nous étions en train de discuter. Vous avez tous deux, je le crains, sucé le lait empoisonné de ces sophismes; or je me sens de plus en plus enclin à consacrer le reste de mes jours à les extirper de l'humanité. Sur le seul plan de l'eugénisme, je ne pourrais donner mon consentement à une union basée sur de pareils fondements. Je dois donc vous prier de me donner l'assurance précise que vos opinions sont devenues plus saines. Je demanderai à Enid la même chose.

C'est ainsi que Malone se trouva enrôlé dans la noble phalange des martyrs. Le dilemme était cruel; il l'affronta en homme.

– Je suis sûr, monsieur, que vous ne m'estimeriez guère si mes opinions sur la vérité, qu'elles fussent justes ou fausses, oscillaient au gré de considérations matérielles. Je suis incapable de modifier mes opinions, même pour conquérir Enid. Je suis sûr qu'elle serait de mon avis.

– Vous ne pensez pas que j'ai été hier soir le meilleur?

– J'ai trouvé que votre discours était très éloquent.

– Ne vous ai-je pas convaincu?

– Pas contre le témoignage de mes propres sens.

– Nimporte quel imposteur pourrait tromper vos sens.

– Je crains, monsieur, que sur ce point mon opinion ne soit arrêtée.

– Alors la mienne l'est aussi! rugit Challenger, avec un mauvais éclat dans le regard. Vous allez quitter cette maison, monsieur, et vous n'y reviendrez que lorsque vous aurez recouvré la santé.

– Un moment! s'écria Malone. Je vous prie, monsieur, de ne pas précipiter les choses. J'attache trop de valeur à votre amitié pour risquer de la perdre si cette perte peut, de quelque façon que ce soit, être évitée. Il est possible que sous votre direction je comprenne mieux ces phénomènes qui m'embarrassent. Si je pouvais m'arranger, accepteriez-vous d'être personnellement présent à l'une de ces démonstrations au cours desquelles vos puissantes facultés d'observation pourraient jeter un rayon de lumière sur les choses qui me déroutent?

Challenger était très sensible à la flatterie. Il fit la roue comme un paon royal.

— Mon cher Malone, dit-il, si je puis vous aider à expulser ce virus... comment l'appellerons-nous? *Microbus spiritualensis*... de votre organisme, je me mets à votre disposition. Je serai heureux de consacrer un peu de mon temps à démonter ces erreurs spécieuses dont vous avez été si aisément une victime. Je ne dirai pas que vous êtes complètement dépourvu de cervelle, mais je dirai que votre bonne nature se laisse trop facilement influencer. Je vous avertis que je serai un enquêteur précis et que j'apporterai à cette enquête les méthodes de laboratoire où, comme on veut bien généralement en convenir, je suis passé maître.

— C'est ce que je désire.

— Alors faites naître l'occasion, et je ne la manquerai pas. Mais jusque-là, vous comprendrez que j'insiste pour que vos projets avec ma fille ne soient pas poussés plus avant.

Malone hésita.

— Je vous en donne ma promesse pour six mois! fit-il enfin.

— Et que ferez-vous passé ce laps de temps?

— Je prendrai ma décision, répondit-il avec diplomatie.

Ainsi se sortit-il honorablement d'une situation qui avait été, à un moment donné, périlleuse.

Il eut la chance, lorsqu'il se trouva sur le palier, de rencontrer Enid, qui revenait d'un shopping matinal. Comme tout Irlandais, il avait la conscience large: il pensa que ces six mois n'étaient pas à quelques minutes près, et il persuada Enid de descendre avec lui dans l'ascenseur. C'était l'un de ces ascenseurs que seuls peuvent diriger leurs utilisateurs; en l'occurrence, il se coinça entre deux paliers d'une manière à laquelle Malone uniquement pouvait remédier. Malgré plusieurs appels impatients, il demeura coincé un bon quart d'heure. Quand il consentit à fonctionner correctement, quand Enid put enfin regagner son étage, et Malone la rue, les amoureux s'étaient préparés à attendre six mois, et tous deux partageaient l'espoir que cette expérience connaîtrait un dénouement heureux.

CHAPITRE XIV

Challenger rencontre un étrange collègue

Le professeur Challenger n'avait pas l'amitié facile. Si vous vouliez devenir son ami, vous deviez consentir à être aussi son protégé. Il n'admettait pas d'égaux. Mais en tant que patron il était superbe. Avec son air jupitérien, sa colossale condescendance, son sourire amusé, son allure générale d'un dieu qui visitait les mortels, il pouvait se montrer d'une amabilité accablante. Mais en retour il exigeait certaines qualités. La stupidité le dégoûtait. La laideur physique le rebutait. L'indépendance lui faisait horreur. Il avait un faible pour l'homme que le monde entier admirerait mais qui en retour admirerait le surhomme au-dessus de lui: par exemple le docteur Ross Scotton qui, pour cette raison, avait été l'élève favori de Challenger.

Maintenant, il était mourant. Le docteur Atkinson, de Sainte-Marie, qui a déjà joué un rôle mineur dans ce récit, le soignait; mais ses bulletins de santé affichaient un pessimisme croissant. Le mal était une terrible sclérose généralisée; Challenger savait qu'Atkinson ne se trompait guère lorsqu'il affirmait que la guérison était une possibilité lointaine et peu vraisemblable. Quelle preuve plus atroce de la nature déraisonnable des choses qu'un jeune savant, ayant déjà publié deux ouvrages de grande valeur comme *L'Embryologie du Système nerveux sympathique* ou *La Fausseté de l'Indice obsonique,* dût bientôt se décomposer en ses éléments chimiques sans laisser derrière lui le moindre résidu personnel ou spirituel! Le professeur haussait ses épaules massives, secouait sa grosse tête, et acceptait cependant l'inévitable. Aux dernières nouvelles, l'état du docteur Ross Scotton empirait; finalement, ce fut le silence: un silence de mauvais augure.

Challenger se rendit à l'appartement de son jeune ami, dans Gower Street. Cette expérience s'avéra torturante, et il ne récidiva pas. Les crampes musculaires, qui sont les caractéristiques du mal, nouaient des nœuds sur le patient, qui mordait ses lèvres pour étouffer les hurlements qui l'auraient soulagé mais qui auraient été indignes de l'homme qu'il était. Il saisit son mentor par la main comme le nageur qui se noie saisit la première planche venue.

— Est-ce bien réellement comme vous l'avez dit? N'y a-t-il aucun espoir au-delà des six mois de tourments que m'accorde encore la Faculté? Vous, avec toute votre sagesse et toute votre science, est-il possible que vous n'aperceviez pas une étincelle de vie ou de lumière dans cette nuit éternelle où je vais me décomposer?

— Faites face, mon garçon, faites face! dit Challenger. Il vaut mieux regarder les faits en face que de se bercer d'illusions.

Alors les lèvres du malade s'écartèrent pour laisser échapper un hurlement long et sinistre. Challenger se leva et sortit en courant.

Mais voici qu'un épisode surprenant était en cours: il avait commencé par l'apparition de Mlle Delicia Freeman.

Un matin, on frappa à la porte de l'appartement, à Victoria. Austin, toujours aussi austère et taciturne, n'aperçut rien à hauteur de ses yeux lorsqu'il ouvrit. Abaissant son regard, il découvrit une petite demoiselle dont le visage délicat et les yeux brillants comme ceux d'un oiseau étaient levés vers lui.

— Je désire voir le professeur, dit-elle en plongeant une main dans son sac pour en extraire une carte de visite.

— Peut pas vous voir! répondit Austin.

— Oh! si, il le peut très bien, insista la petite demoiselle, avec une invincible sérénité.

Aucune rédaction de journal, aucun sanctuaire d'homme d'Etat, aucune chancellerie politique ne l'aurait retenue du moment qu'elle croyait qu'il y avait une bonne œuvre à faire.

— Peut pas vous voir! répéta Austin.

— Oh! mais, il faut que je le voie, figurez-vous! dit Mlle Freeman.

Elle plongea brusquement sous le bras du maître d'hôtel et, avec un instinct infaillible, fonça vers la porte du bureau sacré, frappa, entra.

La tête du lion émergea derrière un bureau encombré de papiers. Les yeux du lion lancèrent des éclairs.

— Que signifie cette intrusion? rugit le lion.

La petite demoiselle était tout à fait paisible. Elle sourit doucement au visage léonin.

— Je suis si heureuse de faire votre connaissance! dit-elle. Je m'appelle Delicia Freeman.

— Austin! hurla le professeur.

La figure impassible apparut dans l'entrebâillement de la porte.

— Qu'est-ce que c'est, Austin? Comment cette personne est-elle entrée ici?

— Je n'ai pas pu l'en empêcher, gémit Austin. Venez, mademoiselle, en voilà assez!

— Il ne faut surtout pas que vous vous mettiez en colère! Vraiment, vous auriez tort! fit la petite demoiselle avec une grande douceur. On m'avait dit que vous étiez un personnage tout à fait terrible, mais à mon avis vous êtes plutôt un chou!

— Qui êtes-vous? Que me voulez-vous? Vous rendez-vous compte que je suis l'un des hommes les plus occupés de Londres?

Mlle Freeman plongea une fois encore dans son sac. Elle pêchait toujours quelque chose dans son sac: tantôt un papillon publicitaire sur l'Arménie, tantôt un pamphlet contre la Grèce, tantôt une note sur les missions évangéliques, et parfois un manifeste psychique. Ce jour-là, ce fut une feuille de papier à lettres pliée qu'elle tira.

— De la part du docteur Ross Scotton, dit-elle.

Le feuillet avait été grossièrement gribouillé. Il était presque illisible. Challenger abaissa vers lui son front puissant.

Je vous en prie, mon cher patron et ami, écoutez ce que la porteuse de ce billet a à vous dire. Je sais que vous ne partagez pas ses opinions. Et pourtant je vous l'envoie.

Vous m'avez dit qu'il ne me restait plus d'espoir. Or j'ai essayé et il vient. Je sais que cette tentative paraît indigne d'un civilisé, et folle. Mais n'importe quel espoir vaut mieux que pas d'espoir du tout. A ma place, vous auriez agi de même. Voudriez-vous ne pas brandir vos préjugés et vous rendre compte par vous-même? Le docteur Felkin vient à trois heures.

J. Ross Scotton.

Challenger lut le papier deux fois et soupira. Le cerveau devait être attaqué par la lésion.

— Il dit que je dois vous écouter. De quoi s'agit-il? Soyez aussi brève que possible.

— Il s'agit d'un esprit médecin.

Challenger bondit sur son fauteuil.

— Bon Dieu! cria-t-il. Ne parviendrai-je donc jamais à échapper à ces absurdités? Ne peut-on pas laisser tranquille ce pauvre diable sur son lit d'agonie sans lui jouer des tours pendables?

Mlle Delicia battit des mains; ses petits yeux vifs pétillèrent de joie.

— Ce n'est plus son lit d'agonie. Il va mieux.

— Qui dit qu'il va mieux?

— Le docteur Felkin. Il ne se trompe jamais.

Challenger renifla.

— Y a-t-il longtemps que vous l'avez vu? interrogea-t-elle.

— Quelques semaines.

— Oh! vous ne le reconnaîtriez pas! Il est presque guéri.

— Guéri! Guéri d'une sclérose généralisée en quelques semaines!

— Allez le voir.

— Vous voulez me pousser à être le complice d'un charlatanisme de l'enfer! Et, tout de suite après, mon nom serait inscrit parmi les garants de cette canaillerie? Je connais la musique! Si j'y vais, je le prendrai probablement par le collet et je le jetterai dans l'escalier!

La visiteuse rit de bon cœur.

— Il dirait avec Aristide: « Frappe, mais écoute-moi! »

D'abord vous commenceriez par l'écouter, j'en suis sûre. Votre élève est un morceau de vous-même. Il semble tout à fait honteux de se mieux porter grâce à une méthode si peu orthodoxe. C'est moi qui ai appelé le docteur Felkin à son chevet. Il ne voulait pas.

– Ah! c'est vous qui...? Vous ne manquez ni d'audace ni d'initiative!

– Je suis prête à prendre n'importe quelle responsabilité, tant que je sais que j'ai raison. J'ai parlé au docteur Atkinson. Il connaît un peu le psychisme. Il le considère avec beaucoup moins de préjugés que la plupart des hommes de science... comme vous! Il a émis l'opinion que lorsqu'un homme était mourant, tout pouvait être tenté. Alors le docteur Felkin est venu.

– Et dites-moi donc comment ce charlatan traite son patient?

– C'est ce que le docteur Ross Scotton désire que vous voyiez...

Elle tira des profondeurs de son sac une petite montre qu'elle regarda.

– Dans une heure il sera là-bas. Je dirai à votre ami que vous viendrez. Je suis sûre que vous n'allez pas le désappointer. Oh!...

Elle replongea dans son sac avant d'ajouter:

– Voici une toute récente note d'information sur le problème bessarabien. Problème beaucoup plus sérieux qu'on le croit généralement. Vous aurez juste le temps de la lire avant de venir. Bonsoir, professeur, et au revoir!

Elle s'inclina vers le lion grognant et sortit.

Mais elle avait réussi dans sa mission. Il y avait quelque chose de contraignant dans cet enthousiasme absolument désintéressé, et Challenger n'y résista pas. Peu après le départ de cette petite demoiselle, il se fit conduire chez son élève, clopina dans l'escalier étroit, et sa silhouette massive bloqua la porte de l'humble chambre où gisait son élève favori. Ross Scotton était allongé sur le lit, dans une robe de chambre rouge. Avec un élan de surprise joyeuse, son professeur vit qu'il avait repris des joues, et que dans le regard brillait une flamme de vie et d'espérance.

– Oui, je suis en train de gagner! s'écria-t-il. Depuis que Felkin a eu sa première consultation avec Atkinson, j'ai senti la force de vivre qui revenait en moi. Oh! patron, c'est affreux de demeurer éveillé toute la nuit, de sentir ces maudits microbes qui vous grignotent jusqu'aux racines de la vie! Je pouvais presque les entendre. Et ces crampes qui tordaient mon corps comme un squelette mal articulé! Mais maintenant, en dehors d'un peu de dyspepsie et d'urticaire dans les paumes des mains, je ne souffre plus. Et cela grâce à ce cher médecin qui m'a aidé.

Il fit un geste de la main comme s'il désignait une personne présente. Challenger se retourna avec irritation: il s'attendait à trouver derrière lui un charlatan satisfait de lui-même. Mais il n'y avait pas de médecin. Une frêle jeune femme qui avait l'air d'une infirmière, calme, discrète, avec un trésor de cheveux noirs, sommeillait dans un coin. Mlle Delicia, parée du sourire de sainte nitouche, se tenait près de la fenêtre.

– Je suis heureux que vous alliez mieux, mon cher garçon! fit Challenger. Mais ne perdez pas votre raison. Un tel mal a naturellement sa systole et sa diastole.

– Parlez-lui, docteur Felkin. Eclairez-le! dit le malade.

Le regard de Challenger fit le tour de la corniche et des boiseries. Son élève s'adressait à un médecin dans la pièce, et pourtant il n'y en avait aucun de visible. Son aberration avait-elle atteint le point où il croyait que des apparitions flottantes gouvernaient sa cure?

– En vérité, il a grand besoin d'être éclairé! fit une voix grave et virile contre son coude.

Il fit un bond. C'était la frêle jeune femme qui lui avait parlé.

– Permettez-moi de vous présenter au docteur Felkin, dit Mlle Delicia, avec un sourire malicieux.

– Qu'est-ce que c'est que cette bouffonnerie? cria Challenger.

La jeune femme se leva et fouilla un côté de sa robe. Puis elle eut un geste impatient de la main.

– Il fut un temps, mon cher collègue, où une tabatière faisait partie de mon équipement, tout comme ma trousse de phlébotomie. J'ai vécu avant l'époque de Laennec, et nous ne nous munissions pas d'un stéthoscope; mais nous avions notre petit attirail chirurgical, pas moins. Toutefois la tabatière était un symbole de paix et j'allais vous offrir d'en user, mais, hélas! elle a trépassé!

Pendant ce petit discours, Challenger se tenait debout avec un regard fixe et les narines dilatées. Puis il se tourna vers le lit:

– Dois-je comprendre que c'est votre médecin... que vous avez pris conseil de cette personne?

La jeune fille se dressa très droit.

– Monsieur, je n'irai pas par quatre chemins avec vous. Je perçois très clairement que vous êtes l'un de ceux qui ont plongé si avant dans le savoir matériel que vous n'avez pas eu le temps de vous pencher sur les possibilités de l'esprit.

– Je n'ai certainement pas de temps à consacrer à des absurdités! dit Challenger.

– Mon cher patron! cria une voix venant du lit. Je vous supplie de garder en mémoire tout ce que le docteur Felkin a déjà fait pour moi. Vous avez vu comment j'étais il y a un mois, vous voyez comme je suis maintenant. Vous n'offenserez pas mon meilleur ami!

– Je crois, professeur, que vous devez des excuses à notre cher docteur Felkin! ajouta Mlle Delicia.

– Me voilà dans un asile de fous privé! ricana Challenger.

Puis, cédant à son penchant favori, il arbora l'ironie éléphantesque qui était l'une de ses armes les plus efficaces envers des étudiants récalcitrants.

– Peut-être, jeune dame... à moins que je ne doive dire: très vénérable professeur?... permettrez-vous à un modeste apprenti mal dégrossi, qui ne possède en fait de science que ce que le monde peut lui offrir, de s'asseoir humblement dans un coin et d'essayer d'apprendre quelque chose d'après vos méthodes et votre enseignement?

Il avait prononcé ces paroles avec les épaules remontées jusqu'aux oreilles, les paupières occultant les yeux, et les mains ouvertes devant lui: une vraie statue du sarcasme! Toutefois, le docteur Felkin arpentait la chambre à pas lourds et impatients, et ne se souciait guère de son apparence alarmante.

— D'accord! fit-elle négligemment. Tout à fait d'accord! Mettez-vous dans le coin et restez-y. Par-dessus tout, ne parlez plus! Ce cas exige la plénitude de toutes mes facultés...

Le docteur Felkin se tourna avec un air dominateur vers le malade.

— Bien! Bien! Vous revenez... Dans deux mois vous serez de nouveau dans votre amphithéâtre.

— Oh! c'est impossible! s'écria Ross Scotton dans un sanglot étouffé.

— Pas du tout impossible. Je vous le garantis. Je ne fais pas de fausses promesses!

— Je réponds d'elle pour cela, dit Mlle Delicia. Cher docteur, dites-nous donc qui vous étiez lorsque vous viviez.

— Tut! Tut! O femme éternellement femme! De mon temps, elles bavardaient, et elles bavardent encore. Non! Nous allons examiner notre jeune ami ici. Le pouls?... L'irrégularité a disparu. Voilà quelque chose de gagné. La température?... Parfaitement normale. La pression sanguine?... Encore plus élevée que je ne le voudrais. La digestion?... Laisse beaucoup à désirer. Ce que vous appelez, vous modernes, la grève de la faim, ne serait pas mal. Hé bien! l'état général est acceptable. Maintenant, voyons le centre local du méfait. Baissez votre chemise, monsieur! Couchez-vous sur le ventre. Parfait!

Elle promena ses doigts avec autant de force que de précision le long de la partie supérieure de la colonne vertébrale, puis elle enfonça ses articulations dans la chair avec une violence subite qui fit gémir le malade.

— Voilà qui est mieux! Il y a, comme je l'ai expliqué, un léger défaut d'alignement dans les vertèbres cervicales; ce défaut a, je le sens, l'effet de rétrécir les passages foraminés à travers lesquels émergent les racines nerveuses. Ce qui a provoqué une compression. Comme ces nerfs sont les vrais conducteurs de la force vitale, l'équilibre total en a été bouleversé. Mes yeux sont les mêmes que vos maladroits rayons X: j'aperçois que la position est presque rétablie et que la constriction fatale disparaît...

» J'espère, monsieur, poursuivit-elle en s'adressant à Challenger, que je vous ai rendu intelligible la pathologie de ce cas.

Challenger grogna pour exprimer son hostilité en général et son désaccord particulier sur « ce cas ».

— Je vais dissiper les petites difficultés qui hantent encore votre esprit. Mais en attendant, mon cher enfant, vous allez nettement mieux, et je me réjouis de vos progrès. Vous présenterez mes compliments à mon collègue de cette terre, le docteur Atkinson, et vous lui direz que je ne puis rien suggérer de plus. Le médium est une pauvre petite fille fatiguée; aussi ne resterai-je pas plus longtemps aujourd'hui.

— Mais vous avez dit que vous nous diriez qui vous étiez!

— Vraiment, il y a peu à dire. J'étais un médecin très banal. Dans ma jeunesse, j'ai pratiqué sous le grand Abernethy, et peut-être me suis-je imprégné de ses méthodes. Quand, jeune encore, je suis passé dans l'au-delà, j'ai continué mes études et j'ai eu l'autorisation, à condition que je découvre un moyen d'expression convenable, de faire ce que je pourrais pour aider l'humanité. Vous comprenez, naturellement, que c'est seulement en servant et en pratiquant l'abnégation que nous avançons dans le monde supérieur. Ceci est mon service, et je ne puis que remercier le Destin d'avoir été capable de découvrir dans cette jeune fille un être dont les vibrations correspondent aux miennes si parfaitement que je peux facilement diriger le contrôle de son corps.

— Et où est-elle? demanda le malade.

— Elle attend à côté de moi, et bientôt elle récupérera son cadre personnel. Quant à vous, monsieur, dit-elle en se tournant vers Challenger, vous êtes un homme de caractère et de savoir, mais vous êtes nettement enlisé dans le matérialisme, ce qui, à votre âge, est une véritable malédiction. Permettez-moi de vous assurer que la profession médicale, qui est la plus haute sur terre étant donné le travail désintéressé de ses membres, a trop concédé au dogmatisme d'hommes comme vous; elle a négligé à tort l'élément spirituel, qui est beaucoup plus important dans l'homme que toutes vos plantes et tous vos minéraux. Il y a une force vitale, monsieur, et c'est dans le contrôle de cette force vitale que travaillera la médecine de l'avenir. Si vous lui fermez votre intelligence, tant pis! La confiance du public s'adressera aux savants disposés à adopter tous les moyens de guérir, qu'ils aient une approbation officielle ou non.

Jamais, sûrement, le jeune Ross Scotton ne pourrait oublier cette scène! Le professeur, le maître, le patron, celui à qui il parlait le souffle coupé, était assis la bouche ouverte, les yeux ahuris, le buste incliné en avant, et en face de lui la jeune femme secouait sa masse de cheveux noirs, agitait un doigt grondeur, parlait comme parle un père à un enfant rebelle. Son pouvoir était si intense que Challenger, l'espace d'un moment, fut contraint d'accepter la situation. Il haletait, il grognait, mais il ne répliqua rien. La jeune fille lui tourna le dos et s'assit sur une chaise.

– Il s'en va, annonça Mlle Delicia.

– Pas encore! fit le docteur Felkin en souriant. Oui, je dois partir, car j'ai beaucoup à faire. Elle n'est pas mon unique médium d'expression, et je dois être à Edimbourg dans quelques minutes. Mais soyez heureux, jeune homme! Je pourvoirai mon assistante de deux batteries supplémentaires pour accroître votre vitalité, si votre organisme le supporte... Pour vous, monsieur, dit-elle à Challenger, je vous supplie de vous méfier de l'égotisme cérébral et du repliement de l'intelligence sur soi-même. Conservez ce qui est vieux, mais soyez toujours réceptif à ce qui est neuf, et ne jugez pas comme vous souhaiteriez de le faire: jugez comme Dieu le désire.

Elle poussa un profond soupir et retomba sur sa chaise. Il y eut une minute de silence pendant laquelle elle resta la tête reposant sur sa poitrine. Puis, avec un autre soupir et un frisson, elle ouvrit une paire d'yeux bleus très étonnés.

– Eh bien! est-il venu? demanda-t-elle d'une voix très féminine.

– Oui, vraiment! s'écria le malade. Il a été magnifique.

Il m'a dit que dans deux mois j'aurais repris ma place dans l'amphithéâtre.

– Merveilleux! Rien de spécial pour moi?

– Juste le message spécial comme avant. Mais il va mettre en route deux nouvelles batteries d'énergie si je peux les supporter.

– Ma parole, ce ne sera plus long, maintenant!

Soudain les yeux de la jeune fille se posèrent sur Challenger, et elle s'arrêta, confuse.

– Voici la nurse Ursule, dit Mlle Delicia. Nurse, permettez-moi de vous présenter au célèbre professeur Challenger.

Challenger avait de grandes manières avec les femmes. Surtout s'il se trouvait en présence d'une fille jeune et jolie. Il s'avança comme Salomon aurait pu s'avancer vers la reine de Saba, prit sa main et caressa sa chevelure avec une assurance patriarcale.

– Ma chère, vous êtes beaucoup trop jeune et charmante pour de telles tromperies. Finissez-en à jamais. Soyez satisfaite d'être une nurse ensorcelante, et ne prétendez plus exercer les fonctions de médecin. Où avez-vous pris, dites-moi, tout ce jargon au sujet des vertèbres cervicales et des passages foraminés?

La nurse Ursule regarda tout autour d'elle comme si elle se trouvait subitement entre les pattes d'un gorille.

– Elle ne comprend pas un mot de ce que vous lui dites! s'exclama le malade. Oh! patron, faites donc un effort pour voir la réalité! Je sais quels réajustements cela nécessite. A mon humble manière, j'ai dû les entreprendre moi-même. Mais, croyez-moi, vous verrez toutes choses à travers un prisme et non à travers une glace sans tain, tant que vous ne ferez pas intervenir le facteur spirituel!

Mais Challenger continuait ses gentillesses paternelles; la fille commença à reculer.

– Allons! lui dit-il. Qui était l'habile médecin avec qui vous jouiez le rôle d'infirmière? L'homme qui vous a appris tous ces mots savants? Vous sentez bien que vous ne parviendrez pas à me tromper! Vous serez tellement plus contente, ma chère enfant, quand vous aurez tout avoué, et quand nous pourrons rire ensemble de la conférence que vous m'avez infligée!

Une interruption imprévue mit en échec l'exploration par Challenger de la conscience de la jeune fille. Le malade s'était assis sur son séant: une vraie tache rouge contre les blancs oreillers! Il prit la parole avec une énergie qui indiquait nettement qu'il était sur le chemin de la guérison.

– Professeur Challenger, criait-il, vous êtes en train d'insulter ma meilleure amie! Sous ce toit au moins, elle sera à l'abri des ricanements d'une science imbue de préjugés. Je vous prie de quitter ma chambre si vous ne vous adressez pas à la nurse Ursule d'une manière plus respectueuse!

Challenger sursauta comme si un taon l'avait piqué; mais la conciliante Delicia se mit à l'ouvrage:

– Vous allez beaucoup trop vite, cher docteur Ross Scotton! minauda-t-elle. Le professeur Challenger n'a pas eu le temps de tout comprendre. Vous étiez aussi sceptique que lui, au début. Comment pourriez-vous le blâmer?

– Oui, c'est vrai! répondit le jeune docteur. Il me semblait que j'ouvrais ma porte à tout le charlatanisme du monde... En tout cas, les faits demeurent!

– Je ne sais qu'une chose: j'étais aveugle, et à présent je vois, dit Mlle Delicia en citant l'Evangile. Ah! professeur, vous pouvez lever le sourcil et hausser les épaules, mais nous avons semé cet après-midi dans votre grosse tête un germe qui poussera, qui poussera si long que personne n'en pourra voir la fin!...

Elle plongea dans son sac.

– Voici un petit fascicule: *Le Cerveau contre l'Ame*. J'espère, cher professeur, que vous le lirez et que vous le ferez lire autour de vous!

CHAPITRE XV

Où l'on tend des pièges pour un gros gibier

Malone avait donné sa parole d'honneur qu'il ne parlerait plus d'amour à Enid Challenger. Mais les regards pouvant être éloquents, leurs communications intimes ne s'en trouvèrent pas interrompues pour autant. Sur tous les autres plans, il s'en tint au pacte qu'il avait conclu; la situation était pourtant délicate. D'autant plus délicate qu'il visitait régulièrement le professeur et que, l'irritation provoquée par leur discussion s'étant évanouie, il était toujours bien accueilli. Malone n'avait qu'un seul objectif: obtenir que le grand homme considérât avec sympathie les problèmes psychiques qui l'intéressaient si fort. Il le poursuivait avec assiduité, mais non sans prudence, car il savait que la couche de lave était mince et qu'une éruption était toujours à craindre. Elle se produisit d'ailleurs une ou deux fois, ce qui obligea Malone à laisser tomber le sujet pendant huit ou quinze jours, jusqu'à ce que le terrain se fût solidifié et refroidi.

Dans ses travaux d'approche, Malone déployait une astuce remarquable. Son truc favori consistait à consulter Challenger sur un problème scientifique quelconque: par exemple sur l'importance zoologique des îles Banda, ou sur les insectes de l'archipel malais; il le laissait parler jusqu'à ce qu'il en arrivât à expliquer que sur ce point toutes nos connaissances étaient dues à Alfred Russel Wallace.

– Tiens, vraiment! Wallace, le partisan du spiritisme? disait Malone d'une voix innocente.

Challenger alors lui jetait un regard furieux et changeait de thème.

En d'autres occasions, c'était Lodge que Malone utilisait comme piège.

— Je suppose que vous avez une haute opinion de lui?
— Le premier cerveau d'Europe! disait Challenger.
— Il est bien l'autorité suprême sur l'éther, n'est-ce pas?
— Sans aucun doute!
— Naturellement, moi, je ne le connais qu'à travers ses travaux psychiques...

Challenger se refermait comme une huître. Malone attendait quelques jours, puis posait à brûle-pourpoint cette question:

— Avez-vous déjà rencontré Lombroso?
— Oui, au congrès de Milan.
— Je viens de lire un livre de lui.
— Un traité de criminologie, je présume?
— Non. Il s'intitule: *Après la Mort, quoi?*
— Jamais entendu parler de cela.
— Il discute du problème du psychisme.
— Ah! Un homme comme Lombroso, avec un esprit aussi pénétrant, a dû vite régler leur compte à ces charlatans!
— Non, ce livre les soutient, au contraire!
— Hé bien! tous les grands esprits ont leurs faiblesses!

C'est ainsi qu'avec une patience et une ruse infinies Malone distillait ses petites gouttes de raison; il espérait ronger les préjugés; mais aucun effet n'était encore visible. Il allait être obligé de se rallier à des mesures plus énergiques. Une démonstration directe? Mais comment? quand? et où? Malone se décida à consulter là-dessus Algernon Mailey. Un après-midi de printemps, il se retrouva donc dans le salon où il avait boulé pour plaquer aux jambes Silas Linden. Il y rencontra le Révérend Charles Mason et Smith, le héros du débat du Queen's Hall, en discussion serrée avec Mailey. Le sujet de cet entretien paraîtra probablement beaucoup plus important à nos descendants que d'autres qui occupent une place immense dans les préoccupations actuelles du public: il ne s'agissait de rien moins que de décider si le mouvement psychique en Grande-Bretagne devait être unitaire ou trinitaire. Smith avait toujours été partisan d'une solution unitaire, de même que tous les vieux chefs du mouvement et les temples spirites organisés. En revanche Charles Mason était un fils loyal de l'Eglise anglicane, et il se faisait le porte-parole de noms réputés tels que Lodge et Barrett parmi les laïques, Wilberforce, Haweis et Chambers dans le clergé, lesquels continuaient d'adhérer aux vieux enseignements tout en admettant le fait de la communication spirituelle. Mailey était neutre, et, tel un arbitre zélé qui dans un match de boxe sépare deux adversaires, il risquait constamment de recevoir un coup. Malone était ravi d'écouter: ayant réalisé une fois pour toutes que l'avenir du monde pouvait dépendre de ce mouvement, chaque phrase par laquelle il passait l'intéressait prodigieusement. Quand il était entré, Mason dissertait avec autant de sérieux que de bonne humeur.

— Le public n'est pas mûr pour un trop grand bouleversement. Il n'est pas nécessaire. Ajoutons seulement notre savoir vivant et la communion directe avec les saints à la liturgie splendide et aux traditions de l'Eglise: vous aurez alors une force dirigeante qui revitalisera toute la religion. Vous ne pourrez pas faire s'épanouir le spiritisme sur ses seules racines. Les premiers chrétiens eux-mêmes ont constaté qu'il leur fallait concéder beaucoup aux autres religions.

— C'est exactement ce qui leur a fait le plus grand mal, répliqua Smith. Lorsque l'Eglise a aliéné sa force et sa pureté originelles, ça été sa fin.

— Elle dure encore, pourtant!

— Mais elle n'a plus jamais été la même, depuis que ce bandit de Constantin a mis la main dessus.

— Allons, allons! protesta Mailey. Vous ne pouvez tout de même pas traiter de bandit le premier empereur chrétien!

Mais Smith était tout d'une pièce; il n'acceptait aucun compromis, et il fonçait comme un bouledogue.

— Quel autre nom donneriez-vous à un homme qui a assassiné la moitié de sa propre famille? demanda-t-il.

— Son tempérament personnel n'est pas en question. Nous parlions de l'organisation de l'Eglise chrétienne.

— Vous pardonnez à ma franchise, monsieur Mason?

Le clergyman sourit avec bonté:

— Tant que vous ne niez pas l'existence du Nouveau

Testament, je vous pardonne. Si vous deviez me prouver que Notre-Seigneur était un mythe, comme certains Allemands ont essayé de le démontrer, je n'en serais pas le moins du monde affecté tant que je pourrais me consoler dans son enseignement sublime. Il est bien venu de quelque part, n'est-ce pas? Je l'ai donc adopté et je dis: « C'est mon credo. »

— Oh! sur ce point, nous ne différons pas beaucoup! fit Smith. Je n'ai pas découvert de meilleur enseignement. Il est bien, par conséquent, que nous ne l'abandonnions pas. Mais nous devons en supprimer les détails superflus. D'où sont-ils venus? Des compromis avec beaucoup de religions, grâce auxquels notre ami Constantin a obtenu l'uniformité religieuse dans son immense empire. Il a soudé ensemble des pièces et des morceaux de toute origine. Il a pris le rite égyptien: les vêtements, la mitre, la crosse, la tonsure, l'anneau nuptial, tout cela est égyptien. Les fêtes de Pâques sont païennes et se rapportent à l'équinoxe du printemps. La confirmation est mithriaque. Le baptême également, avec cette différence que l'eau a remplacé le sang. Quand au repas du sacrifice...

Mason se boucha les oreilles et l'interrompit:

— Vous nous récitez une vieille conférence! dit-il en riant. Louez une salle, mais ne la prononcez pas dans une demeure privée. Sérieusement, Smith, cela est en dehors de la question. En admettant que vous ayez raison, je n'en modifierais pas ma position: je considère que nous avons un grand corps de doctrine qui fait du bon travail, qui est vénéré par beaucoup de monde, y compris votre humble serviteur, et que ce serait une erreur et une folie de le jeter au rebut. Là-dessus vous êtes certainement d'accord?

— Non, je ne suis pas d'accord! répondit Smith en serrant ses mâchoires. Vous pensez beaucoup trop aux sentiments de vos ouailles bénies. Mais vous devriez penser aussi que sur dix êtres humains, neuf ne sont jamais entrés dans une église. Ils ont été rebutés par ce qu'ils considèrent, y compris votre humble serviteur, comme déraisonnable et bizarre. Comment les gagnerez-vous si vous continuez à leur servir les mêmes choses, même en les pimentant des enseignements du spiritisme? Au contraire, si vous approchez les athées et les agnostiques et si vous leur dites: « Je suis tout à fait d'accord que tout ceci ne tient pas debout et est souillé d'une longue histoire de violence et de réaction. Mais voici que nous avons quelque chose de pur et de neuf. Venez et examinez-le! » Par ce moyen, je pourrais les ramener à la foi en Dieu et leur redonner toutes les bases religieuses sans faire violence à leur raison en les obligeant à accepter votre théologie!

Mailey tirait sur sa barbe rousse tout en écoutant ces avis contradictoires. Il connaissait les deux hommes; il savait que peu de choses les séparaient au fond, en dehors des querelles de mots: Smith révérait le Christ comme homme semblable à Dieu, et Mason comme Dieu fait homme; le résultat en était le même. Mais en même temps il n'ignorait pas que leurs fidèles extrémistes s'opposaient violemment: un compromis était par conséquent impossible.

— Ce que je ne peux pas comprendre, dit Malone, c'est pourquoi vous ne posez pas ces questions à vos amis de l'au-delà; vous vous conformeriez aux décisions des esprits, et...

— Ce n'est pas si simple que vous le pensez! répondit Mailey. Après la mort, nous emportons tous nos préjugés terrestres, et nous nous trouvons dans une atmosphère qui les représente plus ou moins. Au début, chacun fait écho à ses vieilles opinions. Puis l'esprit s'élargit, élargit ses vues jusqu'à tendre vers un credo universel qui inclut seulement la fraternité des hommes et la paternité de Dieu. Mais cela prend du temps. J'ai entendu des bigots fanatiques nous parler de l'au-delà.

— Moi aussi, dit Malone. Et dans cette même pièce. Mais les matérialistes? Eux au moins ne peuvent plus rester matérialistes?

— Je crois que leur esprit influe sur leur état, et qu'ils sont plongés parfois très longtemps dans l'inertie, obsédés qu'ils sont par l'idée que rien ne peut plus arriver. Puis finalement ils s'éveillent, ils réalisent tout le temps qu'ils ont perdu, et il arrive fréquemment qu'ils prennent la tête du cortège, quand ce sont des hommes d'un beau caractère qui ont été animés par des motifs élevés... quelles que soient les erreurs qu'ils aient commises!

– Oui, ils sont souvent le sel de la terre! dit avec chaleur le Révérend Mason.

– Et ils offrent les meilleures recrues pour notre mouvement, ajouta Smith. Quand ils découvrent par le témoignage de leurs propres sens qu'il existe réellement une force intelligente hors de nous, ils réagissent avec un enthousiasme qui les transforme en missionnaires idéaux. Vous qui avez une religion et qui y ajoutez quelque chose, vous ne pouvez pas imaginer ce que cela signifie pour l'homme qui a au-dedans de lui un vide parfait et qui tout à coup trouve quelque chose qui le comble. Quand je rencontre un pauvre type sérieux qui tâtonne dans l'obscurité, je brûle du désir de lui mettre quelque chose dans la main.

Sur ces entrefaites, Mme Mailey et le thé firent leur apparition. Mais la conversation n'en languit pas pour autant. C'est l'un des traits de ceux qui explorent les possibilités psychiques – sujet si divers et d'un intérêt si prenant – que lorsqu'ils se rencontrent ils entament aussitôt le plus passionnant échange de vues et d'expériences. Malone eut du mal à ramener la discussion autour du point qui était l'objet particulier de sa visite. Pour le conseiller, il n'aurait pu trouver des hommes plus capables que ceux qui étaient réunis; tous trois d'ailleurs montrèrent un grand souci à ce qu'un géant comme Challenger fût servi au mieux.

Mais où? L'accord fut vite réalisé: la grande salle du Collège psychique était la plus distinguée, la plus confortable, la mieux fréquentée de Londres. Et quand? Le plus tôt serait le mieux. N'importe quel spirite, n'importe quel médium se dégagerait pour une telle occasion... Mais quel médium? Ah! voilà le hic! Bien entendu, le cercle Bolsover serait l'idéal: il était privé, gratuit; mais Bolsover avait le tempérament vif, et on pouvait être sûr que Challenger serait offensant, empoisonnant! La réunion pourrait se terminer en bagarre, avec un fiasco complet. Il ne fallait pas courir un tel risque. Fallait-il l'emmener à Paris? Mais qui prendrait la responsabilité de lâcher un tel taureau dans le magasin de porcelaines du docteur Maupuis?

Tel que nous le connaissons, il empoignerait probablement le pithécanthrope par la gorge, et il mettrait en péril la vie de tous les assistants! dit Mailey. Non, ça ne marcherait pas!

– Il est incontestable que Banderby est le médium le plus costaud de l'Angleterre, dit Smith. Mais nous savons quel est son tempérament. Nous ne pourrions pas nous fier à lui.

– Pourquoi pas? interrogea Malone.

Smith posa un doigt sur ses lèvres.

– Il a pris la route que beaucoup de médiums ont empruntée avant lui.

– Voilà assurément, réfléchit Malone, un argument puissant contre notre cause. Comment une chose peut-elle être bonne si elle aboutit à un tel résultat?

– Estimez-vous que la poésie est une bonne chose?

– Bien sûr!

– Et pourtant Poe était un ivrogne, Coleridge s'adonnait aux stupéfiants, Byron était un viveur, et Verlaine un dégénéré. Il faut toujours séparer l'homme de son art. Le génie doit payer une rançon parce que le génie réside dans l'instabilité d'un tempérament. Un grand médium est souvent plus sensible qu'un génie. Beaucoup sont magnifiques dans leur façon de vivre. Certains ne le sont pas. Ils ont des excuses. Ils exercent une profession très fatigante, et ils ont besoin de stimulants. Alors ils perdent tout contrôle. Mais leur pouvoir médiumnique persiste.

– Ceci me rappelle une histoire sur Banderby, dit Mailey. Peut-être ne le connaissez-vous pas, Malone? Sa silhouette est surprenante: imaginez un petit bonhomme tout rond qui depuis des années n'a pas vu ses doigts de pied. Quand il est ivre, il est encore plus drôle. Voici quelques semaines, je reçus un message urgent aux termes duquel il était dans le bar d'un certain hôtel, et qu'il était parti trop loin pour rentrer chez lui tout seul. Je filai avec un ami pour lui porter secours. Nous le ramenâmes après toutes sortes de mésaventures. Bien. Mais que s'était-il mis dans la tête? Il voulait tenir une séance. Nous essayâmes de le raisonner, mais le porte-voix était sur la table, et il éteignit l'électricité. Au même instant, les phénomènes commencèrent. Jamais ils ne furent si extraordinaires. Mais ils furent interrompus par Princeps, son contrôle, qui se saisit du porte-voix et qui se mit à le rouer de coups avec l'instrument: «Canaille! Ivrogne! Comment oses-tu?... » Le porte-voix était tout cabossé. Banderby sortit de la pièce en courant, et nous en profitâmes pour partir.

— Hé bien! cette fois-là au moins, ce n'est pas le médium qui s'est mis en colère! observa Mason. Mais avec le professeur Challenger... il vaudrait mieux, évidemment, ne pas courir le risque.

— Et Tom Linden? proposa Mme Mailey.

Mailey secoua la tête.

— Tom n'a plus jamais été le même depuis son passage en prison. Ces imbéciles ne se contentent pas de persécuter nos plus précieux médiums: ils détruisent leur pouvoir.

— Comment! Il a perdu son pouvoir?

— Je n'irai pas jusque-là. Simplement, il n'est plus aussi bon qu'il l'était. Sur chaque chaise il voit un policier déguisé, et il est distrait. Tout de même, il est digne de confiance, mais il ne s'aventure pas. Oui, après tout, nous ferions mieux d'avoir Tom.

— Et comme assistance?

— Je m'attends à ce que le professeur Challenger désire amener un ou deux de ses amis.

— Ce qui formera un horrible bloc de vibrations. Il nous faut donc avoir quelques sympathisants pour compenser: par exemple Delicia Freeman, moi-même. Viendrez-vous, Mason?

— Bien sûr!

— Et vous, Smith?

— Non! J'ai la surveillance de mon journal, trois services, deux enterrements, un mariage, et cinq réunions la semaine prochaine!

— Il nous faut un ou deux partenaires de plus. Le chiffre huit favorise Linden. En attendant, Malone, il vous reste à obtenir le consentement du grand homme et sa date.

— Ainsi que celle de l'esprit, ajouta sérieusement Mason. Nous avons à consulter nos partenaires.

— Mais oui, padre! C'est indispensable... Eh bien! Malone, voilà qui est convenu; nous n'avons plus qu'à attendre l'événement.

Comme par hasard, un événement tout à fait différent attendait Malone ce soir-là, et il tomba dans l'un de ces gouffres qui s'ouvrent toujours de manière imprévue sous les pas de la vie. Quand il arriva, comme d'habitude, à la *Gazette*, il fut informé par l'huissier que M. Beaumont désirait le voir. Or le supérieur direct de Malone était le vieil Ecossais McArdle, le rédacteur en chef, et il était extrêmement rare que le directeur consentît à descendre des cimes d'où il surveillait les royaumes de ce monde pour montrer qu'il connaissait l'un des modestes ouvriers qui travaillaient sous lui. Ce grand homme, riche, capable, siégeait dans un sanctuaire orné de vieux meubles en chêne et de cuir rouge. Il continua la lettre qu'il avait commencée quand Malone pénétra dans son bureau, et ce n'est qu'au bout de quelques minutes qu'il leva les sourcils et montra des yeux gris, mais perspicaces.

— Ah! monsieur Malone, bonsoir! Il y a déjà quelque temps que je désirais vous voir. Voudriez-vous vous asseoir? C'est au sujet de ces articles sur les affaires psychiques... Vous aviez débuté sur un ton de scepticisme sain, d'humour agréable qui étaient tout à fait acceptables à la fois pour moi et pour les lecteurs. Je regrette cependant d'avoir à remarquer que votre opinion s'est modifiée au fur et à mesure que vous poursuiviez votre enquête; votre position donne à présent l'impression que vous semblez excuser quelques-unes de ces pratiques. Elle ne correspond pas, ai-je besoin de vous le dire, à la politique de la *Gazette*, et nous aurions interrompu votre série si nous ne l'avions pas annoncée comme devant être signée d'un enquêteur impartial. Il faut donc que cette série continue, mais le ton doit changer.

— Que souhaiteriez-vous que je fisse, monsieur?

— Il faut que vous reveniez au côté amusant. C'est cela qu'aime notre public. Distillez de l'humour sur tout. Faites apparaître la vieille tante non mariée, et traduisez de façon amusante ce qu'elle dira. Vous comprenez ce que je veux dire?

— J'ai peur, monsieur, qu'à mes yeux le spiritisme ne soit plus une plaisanterie. Au contraire, je le prends de plus en plus sérieusement.

Beaumont hocha solennellement la tête.

— Nos abonnés aussi, malheureusement...

Il avait sur son bureau une pile de lettres; il en prit une.

— Lisez: *J'ai toujours considéré votre journal comme une publication rédigée dans la crainte de Dieu. Je vous rappelle que les pratiques que votre correspondant paraît excuser sont expressément interdites à la fois dans le Lévitique et dans le Deutéronome. Je partagerais votre péché si je continuais à être votre abonné.*

— Tartuffe! murmura Malone.

— Peut-être, mais l'argent d'un tarfuffe est aussi bon à prendre que n'importe quel argent. Voici une autre lettre: *Sûrement, à cette époque de la libre pensée et de l'illumination, vous n'allez pas aider un mouvement qui tente de nous ramener à l'idée discréditée d'une intelligence angélique ou diabolique hors de nous-mêmes? Si vous récidivez, je vous prierai de cesser mon abonnement.*

— Il serait amusant, monsieur, d'enfermer ces divers objecteurs dans une pièce, et de les laisser régler cette affaire entre eux!

— Peut-être, monsieur Malone, mais ce que je dois prendre d'abord en considération, c'est le tirage de la *Gazette.*

— Ne croyez-vous pas, monsieur, que vous sous-estimez l'intelligence de vos lecteurs? Derrière ces extrémistes, il existe une grande quantité de gens qui ont été impressionnés par les témoignages de personnes hautement honorables. N'est-ce pas notre devoir de nous tenir à la hauteur des faits de vérité sans les tourner en ridicule?

M. Beaumont haussa les épaules.

— Que les partisans du spiritisme livrent leur propre bataille! Notre journal n'est pas une feuille de propagande, et nous ne prétendons pas nous faire les directeurs de conscience des lecteurs.

— Je parlais uniquement des faits vérifiables. Regardez

comme ils sont tenus systématiquement sous le boisseau! Quand avez-vous lu, par exemple, un article intelligent sur l'ectoplasme? Qui pourrait imaginer que cette substance essentielle a été examinée, décrite, et certifiée exacte par des savants, avec d'innombrables photos à l'appui pour étayer leurs dires?

– Bon, bon! coupa Beaumont avec un geste d'impatience. J'ai peur d'avoir trop à faire pour discuter de la question. Ce que j'avais à vous dire, c'est que j'ai reçu une lettre de M. Cornelius, lettre me disant que nous devions changer immédiatement notre ligne.

M. Cornelius était le propriétaire de la *Gazette;* il l'était devenu, non par mérite personnel, mais parce que son père lui ayant laissé plusieurs millions, il en avait consacré quelques-uns à acheter ce journal. On le voyait rarement dans les bureaux, mais de temps à autre un filet dans le journal informait « ses » lecteurs que son yacht avait fait escale à Menton, qu'il avait été vu aux tables de jeu de Monte-Carlo, ou qu'il était attendu pour la saison dans le Leicestershire. C'était un homme qui n'avait pas plus de cerveau que de caractère, et pas plus de caractère que de cerveau. Cependant il se mêlait occasionnellement aux affaires publiques par quelque manifeste qui était imprimé en première page sous de gros titres et en gras. Il n'était pas dissolu, mais c'était un bon vivant; sa luxure coutumière le plaçait toujours au bord du scandale et l'y faisait basculer quelquefois. Malone eut le sang qui lui monta à la tête quand il pensa à ce frivole, à cet insecte qui s'interposait entre l'humanité et un message de culture et de consolation qui descendait d'en haut. Seulement voilà; ces petits doigts d'enfant gâté pouvaient couper la manne divine!

– Telle est ma conclusion, monsieur Malone! dit Beaumont.

– Elle conclut tout! dit Malone. Si totalement qu'elle met un terme à ma collaboration avec votre journal. J'ai un contrat avec préavis de six mois. Quand ce délai sera terminé, je partirai.

– Comme vous voudrez! fit M. Beaumont en reprenant sa lettre.

Malone, toujours prêt à se battre, se rendit dans le bureau de McArdle et lui raconta ce qui venait de se passer. Le vieil Ecossais en fut tout troublé.

— Hé! mon cher, c'est votre sacré sang irlandais! Un peu de scotch n'est pas mauvais, soit dans le sang, soit au fond d'un verre. Retournez le voir et dites-lui que vous avez réfléchi.

— Ah! non! L'idée de ce Cornelius, avec son visage sanguin et son ventre en forme de pot, et... Enfin, vous connaissez bien sa vie privée!... L'idée d'un tel homme dictant aux populations ce qu'elles doivent croire et me demandant de ridiculiser ce qu'il y a de plus sacré sur la terre!

— Mon cher, vous êtes foutu!

— Je veux bien être foutu pour ça. Mais je trouverai un autre emploi!

— Pas si Cornelius s'en mêle. S'il vous fait la réputation d'un chien enragé, il n'y aura pas d'emploi pour vous dans Fleet Street!

— C'est une honte! s'écria Malone. La façon dont cette affaire a été traitée est la condamnation du journalisme. Et pas seulement en Grande-Bretagne. L'Amérique est pire! On dirait que dans la presse il n'y a que les âmes les plus basses, les plus matérialistes! Oh! il y a aussi de braves types, mais... Mais qui dirige le peuple? C'est affreux!

McArdle posa une main paternelle sur l'épaule de son rédacteur.

— Allons, allons, mon garçon! Il nous faut prendre le monde comme nous l'avons trouvé. Nous ne l'avons pas fabriqué, et nous ne sommes pas responsables. Prenez votre temps! Nous ne sommes pas si pressés! Calmez-vous, réfléchissez, songez à votre carrière, pensez à cette jeune demoiselle qui est votre fiancée, et puis revenez et prenez part à ce vieux brouet qu'il nous faut tous manger si nous voulons conserver nos places en ce monde!

CHAPITRE XVI

Challenger fait l'expérience de sa vie

Les filets étaient tendus, la fosse creusée, les chasseurs à l'affût. Toute la question était de savoir si le gros gibier consentirait à se laisser mener dans la bonne direction. Pour peu que Challenger apprît que la séance avait pour but de lui administrer les preuves convaincantes de l'existence des esprits, voire de le convertir, il se livrerait à tous les excès de la fureur et de la raillerie. Mais l'adroit Malone, secondé par sa complice Enid, mit en avant l'idée que sa présence constituerait une protection contre la fraude et qu'il serait capable de leur montrer comment et pourquoi ils avaient été abusés. Une fois que cette idée eut fait son chemin dans sa tête, Challenger donna son accord avec une condescendance hautaine: il honorerait de sa présence une séance qui, à l'entendre, conviendrait beaucoup mieux à un sauvage de l'âge néolithique qu'à un représentant de la culture et de la sagesse du monde civilisé.

Enid accompagna son père, qui amena également avec lui un compagnon curieux que personne ne connaissait: un jeune Ecossais grand et costaud, avec des taches de son sur la figure, et taciturne au-delà de toute espérance. Il fut impossible de définir l'intérêt qu'il portait aux recherches psychiques; tout ce qu'on obtint de lui fut qu'il s'appelait Nicholl. Malone et Mailey s'étaient dirigés ensemble vers le lieu du rendez-vous. Ils retrouvèrent, à Holland Park, Delicia Freeman, le Révérend Charles Mason, M. et Mme Ogilvy, M. Bolsover, plus lord Roxton, qui poursuivait avec assiduité le cours de ses études psychiques et qui progressait rapidement. Ils étaient neuf en tout pour constituer une assemblée disparate, aussi peu harmonieuse que possible. Quand ils entrèrent dans la pièce où devait se tenir la séance, Linden était assis sur un fauteuil, sa femme à côté de lui; il fut présenté à la compagnie collectivement; la majorité était composée par ses amis personnels. Challenger prit l'affaire en main tout de suite, avec l'air de quelqu'un qui ne tolérera aucune absurdité.

– Est-ce le médium? demanda-t-il en regardant Linden plutôt défavorablement.

– Oui.

– A-t-il été fouillé?

– Pas encore.

– Qui le fouillera?

– Deux hommes de la société ont été choisis.

Challenger renifla.

– Quels hommes? demande-t-il, très soupçonneux.

– Voici notre suggestion: vous-même et votre ami M. Nicholl, vous le fouillerez. Il y a une chambre à côté.

Le pauvre Linden s'en alla, encadré par ses deux surveillants; cette escorte et cette fouille lui rappelaient fâcheusement la prison. Auparavant déjà il s'était montré nerveux; de tels procédés et la présence formidable de Challenger portèrent sa nervosité à son comble. Quand il reparut, il hocha la tête tristement à l'intention de Mailey.

– Je serais bien surpris si nous attrapions quelque chose avec cette ambiance. Peut-être serait-il plus sage de reporter la séance à un autre jour.

Mailey alla vers lui et lui tapota l'épaule, tandis que Mme Linden lui prenait la main.

– Tout va bien, Tom! dit Mailey. Rappelez-vous que vous avez une garde d'honneur composée d'amis qui veilleront à ce qu'il ne vous arrive rien...

Puis Mailey s'adressa à Challenger avec plus de fermeté qu'il n'aurait voulu en mettre dans sa voix:

– Je vous prie de vous souvenir, monsieur, qu'un médium est un instrument aussi délicat que tous ceux dont vous vous servez dans vos laboratoires. Ne le maltraitez pas. Je suppose que vous n'avez rien trouvé sur lui de compromettant?

– Non, monsieur, je n'ai rien trouvé. Et le résultat en est qu'il nous assure que nous n'aurons rien aujourd'hui.

– Il dit cela parce que vos manières l'ont troublé. Vous devez le traiter avec plus de gentillesse.

L'expression de Challenger ne promettait nul amendement. Ses yeux se posèrent sur Mme Linden.

– Si j'ai bien compris, cette personne est la femme du médium. Elle aussi devrait être fouillée.

– C'est l'évidence même, dit l'Ecossais Ogilvy. Ma femme et votre fille vont le faire à côté. Mais je vous prie, professeur, de vous mettre autant que possible en harmonie avec nous, et de vous rappeler que nous sommes aussi intéressés que vous aux résultats possibles: si vous troubliez les conditions, ce serait toute la société qui en pâtirait.

M. Bolsover, l'épicier, se leva avec autant de dignité que s'il présidait aux cérémonies de son temple familial.

– Je propose, dit-il, que le professeur Challenger soit fouillé.

La barbe de Challenger s'agita furieusement.

– Me fouiller! Qu'entendez-vous par là, monsieur?

Bolsover n'était pas un homme à se laisser intimider.

– Vous êtes ici non comme notre ami, mais comme notre ennemi. Si vous pouviez prouver une fraude, ce serait un triomphe personnel pour vous, n'est-ce pas? C'est pourquoi moi, du moins, je dis que vous devriez être fouillé.

– Insinuez-vous, monsieur, trompetta Challenger, que je suis capable de tricher?

– Ma foi, professeur, chacun son tour! fit Mailey en souriant. Au début, nous nous sommes indignés, tout comme vous. A la longue on s'habitue... J'ai été traité de menteur, de fou, de Dieu sait quoi. Qu'est-ce que ça peut faire?

– C'est une proposition monstrueuse! dit Challenger, en dévisageant tous les assistants.

– Hé bien! monsieur, intervint Ogilvy, qui était un Ecossais particulièrement entêté, vous êtes tout à fait libre de vous lever et de nous quitter. Mais si vous restez, monsieur, vous devez vous plier à ce que nous appelons des conditions scientifiques. Il n'est pas scientifique qu'un homme connu pour sa grande hostilité à notre mouvement s'assoie dans le noir avec nous sans qu'ait été vérifié le contenu de ses poches.

— Allons, allons! s'écria Malone. Il va sans dire que nous pouvons nous fier à l'honneur du professeur Challenger!

— Très bien! fit Bolsover. Mais je n'ai pas remarqué que le professeur Challenger se fût fié à l'honneur de M. et de Mme Linden.

— Nous avons des motifs sérieux pour être vigilants, dit Ogilvy. Je puis vous assurer qu'il y a des fraudes pratiquées sur des médiums comme il y a des fraudes pratiquées par des médiums. Je pourrais vous citer de nombreux exemples. Non, monsieur, il faut que vous soyez fouillé!

— Ce sera fait en moins d'une minute, dit lord Roxton. Par exemple, ce sera le jeune Malone et moi qui vérifierons.

— D'accord! Allons-y! commanda Malone.

C'est ainsi que Challenger, tel un taureau aux yeux rouges et aux naseaux dilatés, fut conduit hors de la pièce. Quelques instants plus tard, tous les préliminaires étant achevés, ils firent le cercle et la séance commença.

Mais déjà les conditions avaient été détruites. Ces enquêteurs méticuleux qui insistent pour que le médium soit attaché et ficelé comme une volaille qu'on va mettre à la broche, ou qui proclament leurs soupçons avant que les lumières soient éteintes, ne comprennent pas qu'ils ressemblent à des gens qui mouillent de la poudre et qui attendent quand même qu'elle explose. Ils empêchent tout résultat; et, quand les résultats sont nuls, ils s'imaginent que c'est leur propre astuce, et non leur manque de compréhension, qui en a été la cause.

D'où il ressort qu'à ces humbles réunions qui se tiennent dans tout le pays dans une ambiance de sympathie et de respect, il se produit des phénomènes qu'un homme de « science » n'a jamais le privilège de voir.

Tous les assistants étaient certes énervés par l'altercation du début, mais que dire de leur centre sensible! Linden sentait la pièce remplie de remous et d'élans de forces psychiques contradictoires, qui tourbillonnaient dans tous les sens; il était aussi difficile pour lui de naviguer au milieu d'eux que pour un pilote de naviguer dans les rapides qui précèdent le Niagara. Il gémit de désespoir. Tout était mêlé, confus. Il commença comme d'habitude par de la clairvoyance, mais les noms bourdonnaient dans ses oreilles sans suite ni ordre. Le nom de John semblait prédominer. Est-ce que John signifiait quelque chose pour quelqu'un? Un rire caverneux de Challenger fut la seule réponse qu'il obtint. Puis il eut le nom de Chapman. Oui, Mailey avait perdu un ami du nom de Chapman. Mais il y avait longtemps qu'il était mort, et sa présence ici était bien improbable. Il ne put fournir le prénom. Alors Budworth? Non, personne n'avait d'ami nommé Budworth. Des messages précis survenaient, mais ils ne se rapportaient pas aux assistants. Tout allait de mal en pis, et les espoirs de Malone tombèrent à zéro. Challenger reniflait si bruyamment qu'Ogilvy lui adressa une remontrance.

– Vous aggravez la situation, monsieur, en exhibant vos sentiments! dit-il. Je vous certifie que, en dix années d'une expérience constante, je n'ai jamais vu un médium aussi égaré, et j'attribue ce résultat uniquement à votre comportement.

– D'accord! glapit Challenger avec satisfaction.

– J'ai peur que ce ne soit inutile, Tom! fit Mme Linden. Comment te sens-tu maintenant, mon chéri? Veux-tu t'arrêter?

– Non. Je crois que c'est la partie mentale qui ne va pas. Si j'entre en transe, j'irai au-delà. Les phénomènes physiques seront peut-être meilleurs. De toute manière je vais essayer.

Les lumières furent baissées; il n'y eut plus qu'une faible lueur rouge. Le rideau du cabinet noir fut tiré. A côté, se profilant confusément pour l'assistance, Tom Linden, qui respirait dans sa transe par ronflements successifs, était retombé dans son fauteuil en bois. Sa femme, de l'autre côté du cabinet noir, veillait attentivement.

Mais rien ne se produisit.

Un quart d'heure passa. Puis un autre quart d'heure. La société était patiente, mais Challenger commençait à frétiller sur sa chaise. Tout semblait être devenu froid et mort. Non seulement rien ne se produisait, mais on ne s'attendait plus à ce que quelque chose se produisît.

— Inutile! cria enfin Mailey.

— Je le crains, approuva Malone.

Le médium s'agita et gémit; il se réveillait. Challenger bâilla avec ostentation.

— N'est-ce pas du temps perdu? demanda-t-il.

Mme Linden passait sa main sur le front et sur la tête du médium, qui avait ouvert les yeux.

— Pas de résultats? interrogea-t-il.

— Inutile, Tom. Il nous faut reporter la séance à un autre jour.

— C'est aussi mon avis, dit Mailey.

— Il a subi une tension terrible, étant donné les conditions contraires, observa Ogilvy en regardant Challenger avec colère.

— Je m'en doute! fit le professeur avec un sourire de complaisance.

Mais Linden refusa de s'avouer vaincu.

— Les conditions ne sont pas bonnes, dit-il. Les vibrations ne s'accordent pas. Mais je vais essayer à l'intérieur du cabinet noir: l'énergie s'y sera mieux concentrée.

— Bon. C'est la dernière chance, décida Mailey. Aussi bien, pourquoi ne pas la tenter?

Le fauteuil fut tiré sous la tente, et le médium referma le rideau derrière lui. Ogilvy expliqua que cette méthode permettait de condenser les émanations ectoplasmiques.

— Sans aucun doute, répondit Challenger. Mais par ailleurs, dans l'intérêt de la vérité, je dois signaler que la disparition du médium est infiniment regrettable.

— Pour l'amour de Dieu, ne recommençons pas à nous disputer! fit Mailey, qui avait perdu un peu de son calme. Obtenons d'abord des résultats, nous les discuterons ensuite.

De nouveau ce fut une attente lourde. Puis de l'intérieur du cabinet s'élevèrent quelques légers gémissements. Les adeptes du spiritisme se dressèrent sur leurs chaises.

— Voilà l'ectoplasme, dit Ogilvy. Son émission est toujours douloureuse.

Il avait à peine fini de parler que les rideaux s'écartèrent violemment; tous les anneaux cliquetèrent. Dans la sombre ouverture se dessinait une vague silhouette blanche. Elle avança lentement, en hésitant, vers le centre de la pièce. Sous la lumière rougeâtre, il était impossible de préciser son contour: c'était une tache blanche qui se déplaçait dans l'obscurité. Avec une réserve qui trahissait de la crainte, elle approcha, pas à pas, jusqu'à venir se placer en face du professeur.

— Allez! hurla celui-ci d'une voix de stentor.

Il y eut un cri, un hurlement et le fracas d'une chute.

— Je l'ai! rugit une voix.

— Allumez! cria quelqu'un.

— Attention! vous pouvez tuer le médium! hurla un troisième.

Le cercle était rompu. Challenger se rua vers le commutateur et la lumière jaillit; elle jaillit avec un tel éclat qu'il fallut quelques secondes aux spectateurs ahuris et éblouis pour voir la scène.

Elle parut déplorable à la majorité de la société. Tom Linden, tout pâle, hébété, fort mal en point, était assis par terre. A cheval sur lui se tenait le jeune Ecossais qui l'avait projeté sur le plancher. Mme Linden, agenouillée près de son mari, fusillait du regard son assaillant. Il y eut un moment de silence, qu'interrompit la voix du professeur Challenger.

— Hé bien! messieurs, je crois qu'il n'y a plus grand-chose à dire, n'est-ce pas? Voilà votre médium exposé comme il méritait de l'être. Vous pouvez voir maintenant la nature de vos fantômes. Je remercie M. Nicholl qui, je le précise, est le célèbre joueur de football de ce nom, pour la promptitude avec laquelle il a exécuté mes instructions.

— Je l'ai ceinturé, dit le grand jeune homme. Il s'est laissé faire.

— Vous l'avez ceinturé avec beaucoup d'efficacité. Vous avez rendu un véritable service public en m'aidant à démasquer un tricheur effronté. Je n'ai pas besoin de vous dire que des poursuites seront engagées.

Mais Mailey intervint, et avec une telle autorité que Challenger fut obligé de l'écouter.

– Votre erreur est assez naturelle, monsieur. Mais la méthode que vous avez adoptée dans votre ignorance est de celles qui auraient pu être fatales au médium.

– Mon ignorance, vraiment! Si vous me parlez sur ce ton, je vous avertis que je ne vous considérerai pas comme des dupes, mais comme des complices!

– Un instant, professeur Challenger! Je voudrais vous poser une question directe, qui exige une réponse directe. Est-ce que la silhouette que nous avons tous vue avant cet épisode était une silhouette blanche?

– Oui.

– Vous voyez bien que le médium est entièrement habillé de noir. Où est le vêtement blanc?

– Peu m'importe où il est! Je me sers uniquement de mon bon sens. Cet homme est démasqué: il jouait les esprits. Dans quel coin ou dans quel trou il a jeté son déguisement, voilà qui n'a aucune importance.

– Au contraire! C'est une question essentielle. Ce que vous avez vu n'était pas une imposture, mais un phénomène tout à fait réel.

Challenger éclata de rire.

– Oui, monsieur! reprit Mailey, tout à fait réel! Vous avez vu une transfiguration, à mi-chemin de la matérialisation. Vous voudrez bien admettre que les guides qui conduisent de telles affaires n'ont rien à craindre de vos doutes ou de vos soupçons. Ils s'accordent pour obtenir certains résultats, et s'ils sont empêchés par les infirmités du cercle de les obtenir d'une façon, ils les obtiennent d'une autre, sans consulter vos préventions ou vos convenances. Ce soir, incapables de composer une forme ectoplasmique étant donné les mauvaises conditions que vous avez créées vous-même, ils ont enveloppé le médium inconscient d'une sorte de couverture ectoplasmique et ils l'ont fait sortir du cabinet noir. Il est aussi peu coupable que vous d'une imposture.

– Devant Dieu je jure, dit Linden, que depuis le moment où je suis entré dans le cabinet jusqu'au moment où je me suis trouvé par terre, je n'ai rien su!

Il s'était remis debout, et il était tellement secoué par une agitation nerveuse qu'il ne pouvait pas garder dans ses mains le verre d'eau que sa femme lui avait apporté.

Challenger haussa les épaules.

— Vos mauvaises raisons, dit-il, approfondissent encore les abîmes de la crédulité humaine. Mon propre devoir est évident, et je l'accomplirai jusqu'au bout. Tout ce que vous pourrez dire sera accueilli, j'en suis sûr, par le tribunal avec la considération qui vous est due.

Le professeur Challenger se retourna, et il se prépara ostensiblement à partir avec la satisfaction de quelqu'un qui aurait mené à bien la tâche pour laquelle il était venu.

— Viens, Enid! ordonna-t-il.

C'est alors que se produisit un incident si soudain, si imprévu, si dramatique, qu'aucun des assistants ne pourra jamais l'oublier.

A l'interpellation de Challenger, Enid ne répondit pas.

Tout le monde s'était mis debout. Enid seule était restée sur sa chaise. Elle était assise, et sa tête reposait sur son épaule. Ses yeux étaient fermés. Ses cheveux s'étaient partiellement dénoués. Quel merveilleux modèle pour un sculpteur!

— Elle s'est endormie, dit Challenger. Réveille-toi Enid! Je pars.

La jeune fille ne répondit pas. Mailey se pencha vers elle.

— Chut! Ne la dérangez pas! Elle est en transe!

Challenger se précipita:

— Qu'est-ce que vous avez fait? Votre supercherie l'a épouvantée. Elle s'est évanouie!

Mailey lui avait soulevé la paupière.

— Non: ses yeux sont révulsés. Elle est en transe. Votre fille, monsieur, est un médium extraordinaire!

— Un médium! Vous divaguez! Réveille-toi, ma fille!

— Au nom du Ciel, laissez-la! Si vous la touchez, vous pourriez le regretter toute votre vie! Il ne faut jamais interrompre brutalement la transe d'un médium!

Challenger resta immobile, complètement désemparé. Pour une fois il ne savait plus quoi dire. Etait-il possible que sa fille fût au bord du précipice mystérieux, et qu'il pût l'y faire sombrer?

— Qu'est-ce que je dois faire? demanda-t-il.

— Ne craignez rien, tout ira bien. Asseyez-vous! Asseyez-vous tous!... Ah! elle va parler!

La jeune fille avait remué. Elle s'assit toute droite sur sa chaise. Ses lèvres tremblaient. Elle allongea un bras.

— Pour lui! s'écria-t-elle en désignant Challenger. Il ne faut pas qu'il fasse du mal à mon médium! C'est un message pour lui!

Chacun retenait sa respiration.

— Qui parle? demanda Mailey.

— Victor, Victor! Il ne fera pas de mal à mon médium. J'ai un message. Pour lui.

— Oui, bien! Quel message?

— Sa femme est ici.

— Oui.

— Elle dit qu'elle est venue déjà une fois. Qu'elle est venue par cette jeune fille. C'était après son incinération. Elle a frappé, il l'a entendue frapper, mais il n'a pas compris.

— Est-ce que cela signifie quelque chose pour vous, professeur Challenger?

Ses grands sourcils étaient serrés au-dessus de ses yeux soupçonneux, interrogateurs; il regardait comme une bête aux abois tous les visages qui l'entouraient. C'était un truc... un artifice ignoble! Ils avaient corrompu sa propre fille. Ils étaient passibles de condamnation. Il les poursuivrait, tous! Non, non, il n'avait pas de question à poser... Il voyait clair dans ce jeu-là. Elle avait été conquise. Il n'aurait jamais cru cela d'elle, mais le fait était là. Elle agissait aussi pour l'amour de Malone. Une femme ferait n'importe quoi pour l'homme qu'elle aimait. Oui, une bonne condamnation! Loin d'être adouci, il devenait de plus en plus vindicatif. Son visage rouge de fureur n'affichait plus que de la haine.

Une fois encore, le bras de la jeune fille se tendit devant elle.

— Un autre message!

— Pour qui?

— Pour lui. L'homme qui voulait faire du mal à mon médium. Il ne faut pas qu'il fasse du mal à mon médium. Un homme ici... Deux hommes... Qui veulent lui transmettre un message.

— Bien, Victor. Communiquez-le.

— Le nom du premier homme est...

La tête de la jeune fille se pencha, et son oreille se dressa, comme si elle écoutait.

— Oui, je l'ai, je l'ai! C'est Al... Al... Aldridge.

— Est-ce que cela signifie quelque chose pour vous?

Challenger chancela. Une expression de surprise totale passa sur son visage.

— Qui est le deuxième homme? demanda-t-il.

— Ware. Oui, c'est cela. Ware.

Challenger s'affaissa sur sa chaise. Il promena sa main sur sa figure. Il était pâle. Mortellement pâle. La sueur coulait de son front.

— Les connaissez-vous?

— J'ai connu deux hommes qui s'appelaient ainsi.

— Ils ont un message pour vous, dit la jeune fille.

Challenger parut se ramasser comme pour encaisser un coup.

— Bien. Quel message?

— Trop personnel. Parlerai pas. Trop de monde ici.

— Nous attendrons dehors, dit Mailey, Venez, mes amis. Laissons le professeur recevoir son message.

Ils se dirigèrent tous vers la porte. Une nervosité incontrôlable avait l'air de s'être emparée tout à coup de Challenger.

— Malone, restez avec moi! ordonna-t-il.

La porte se referma, et tous trois restèrent seuls.

— Quel est ce message?

— C'est à propos d'une poudre.

— Oui, oui.

— Une poudre grise?

— Oui.

— Voici le message que ces hommes me demandent de transmettre: « Vous ne nous avez pas tués. »

— Demandez-leur... demandez-leur alors... Comment sont-ils morts?

Sa voix se cassa. Une émotion terrible secouait sa forte charpente.

— Ils sont morts de maladie.

— Quelle maladie?

— Nie... Nie... Qu'est-ce que c'est?... Pneumonie.

Challenger se rejeta en arrière en poussant un immense soupir de soulagement.

— Mon Dieu! s'écria-t-il en s'épongeant le front. Malone, faites rentrer les autres!

Ils avaient attendu sur le palier; ils accoururent: Challenger s'était levé pour aller à leur rencontre. Ses premiers mots furent pour Tom Linden. Il parla comme un homme dont tout l'orgueil venait d'être réduit en miettes.

— Pour vous, monsieur, je ne m'aventure plus à vous juger. Il vient de se produire une chose tellement étrange, et aussi tellement réelle puisque mes sens entraînés peuvent l'attester, que je vois mal comment je pourrais écarter l'explication qui m'a été donnée quant à votre comportement de tout à l'heure. Je retire toutes les paroles offensantes que j'ai pu prononcer.

Linden avait un caractère foncièrement chrétien. Son pardon fut immédiat et sincère.

— Je ne puis pas douter à présent que ma fille possède un pouvoir étrange qui confirme ce que vous m'aviez dit, monsieur Mailey. Mon scepticisme scientifique était justifié, mais vous m'avez offert aujourd'hui une preuve irréfutable.

— Nous sommes tous passés par là, professeur. Nous doutons et puis, à notre tour, nous subissons le doute des autres.

— Je conçois mal comment ma parole pourrait être mise en doute! répondit Challenger avec dignité. Je veux seulement dire que j'ai reçu ce soir une information qu'aucune personne en vie sur cette terre n'aurait pu me donner. Ceci est hors de question.

— La jeune demoiselle se remet, interrompit Mme Linden.

Enid s'était redressée; elle regarda tout autour d'elle avec des yeux étonnés.

— Qu'est-ce qui est arrivé, papa? Je crois que je me suis endormie.

— Tout va bien, ma chérie. Nous en parlerons plus tard. Rentre avec moi, maintenant. J'ai à réfléchir beaucoup. Peut-être voudrez-vous nous accompagner, Malone: il me semble que je vous dois une explication.

Quand le professeur Challenger eut regagné son appartement, il avertit Austin qu'il ne voulait être dérangé sous aucun prétexte; il se dirigea vers sa bibliothèque, et il s'assit dans un grand fauteuil; Malone était à sa gauche, sa fille à sa droite. Il étendit sa grosse patte et la referma sur la petite main d'Enid.

— Ma chérie, commença-t-il après un long silence, je ne peux pas nier le fait que tu possèdes un pouvoir étrange; cela m'a été démontré ce soir avec une plénitude et une clarté définitives. Puisque tu le possèdes, je ne saurais nier davantage que d'autres le possèdent sans doute, si bien que l'idée générale du pouvoir médiumnique fait maintenant partie de mes conceptions du possible. Je ne débattrai pas cette question, car mes pensées sont encore troublées, et j'aurai besoin de la creuser avec vous, jeune Malone, et avec vos amis, avant de me la préciser davantage. Je me bornerai à dire que mon esprit a reçu un choc et qu'une nouvelle œuvre du savoir semble s'être ouverte devant moi.

— Nous serons vraiment très fiers, dit Malone, si nous pouvons vous aider.

Challenger grimaça un sourire.

— Oui, je suis certain qu'une manchette dans votre journal: « Conversion du professeur Challenger », serait un triomphe! Je vous avertis que je n'en suis pas encore là.

— Nous ne nous livrerons sûrement pas à une manifestation prématurée, et votre opinion peut demeurer strictement privée.

— Le courage moral ne m'a jamais manqué pour proclamer mes opinions quand je les avais formées! Mais pour celle-ci il n'est pas temps encore. Ce soir toutefois, j'ai reçu deux messages, et je ne puis leur assigner qu'une origine extracorporelle. Je tiens pour vrai, Enid, que tu étais réellement inconsciente?

— Je vous affirme, papa, que je n'ai rien su de ce qui est arrivé.

— Parfait. Tu as toujours été incapable de me mentir. Le premier message est venu de ta mère. Elle m'a assuré que c'était elle qui avait frappé comme je l'avais entendu et comme je vous l'avais dit. Il est évident à présent que tu étais le médium et que tu ne dormais pas, mais que tu étais en transe. C'est incroyable, inconcevable, grotesquement merveilleux... Mais cela me paraît vrai.

— Crookes a employé presque les mêmes mots, dit Malone. Il a écrit que c'était « parfaitement impossible et absolument vrai ».

— Je lui dois des excuses. Mais peut-être dois-je des excuses à beaucoup de monde?

— Personne n'en exigera, répondit Malone. Les spirites ne se chauffent pas de ce bois-là.

— C'est le deuxième message que je voudrais expliquer... fit le professeur en se tortillant sur son siège. C'est une histoire tout à fait privée... Je n'y ai jamais fait allusion. Personne n'aurait pu la connaître. Puisque vous en avez entendu une partie, autant que vous sachiez le tout.

» J'étais un jeune physicien... Et cette aventure a assombri toute ma vie; avant ce soir, le nuage ne s'était jamais levé. Que d'autres essaient d'expliquer l'événement par la télépathie, par une action du subconscient, par ce qu'ils voudront! Mais je ne saurais douter... Il m'est impossible de douter qu'un message me soit venu du monde des morts.

» Il y avait à l'époque une nouvelle drogue dont on discutait ferme. Inutile d'entrer dans des détails que vous seriez incapables d'apprécier à leur juste valeur. Qu'il me suffise de vous dire que cette plante appartenait à une famille qui fournit des poisons mortels comme des médicaments puissants. J'en avais reçu un spécimen, l'un des premiers en Angleterre. Et je souhaitais que mon nom fût associé à l'exploration de ses propriétés. J'en ai donné à deux hommes, Ware et Aldridge. Je leur en ai donné ce que je croyais être une dose sans danger. C'étaient deux malades, comprenez-vous? Deux malades dans ma salle de garde à l'hôpital. Au matin, tous deux étaient morts.

» Je les avais servis secrètement. Personne ne le savait. Il ne pouvait pas y avoir de scandale, car tous deux étaient de grands malades, et leur décès parut naturel.

Mais au fond de mon cœur, j'ai eu peur. Je croyais que je les avais tués. Et cela a toujours été, dans toute ma vie, un arrière-plan très sombre. Ce soir, vous avez entendu qu'ils sont morts de maladie et non pas de la drogue!

– Pauvre papa! chuchota Enid, en caressant la grosse main aux poils rebelles. Comme vous avez dû souffrir!

Challenger était trop fier pour supporter la pitié, même une pitié venant de sa propre fille. Il retira sa main.

– Je travaillais pour la science! dit-il. La science doit prendre des risques. Je ne sais pas si je suis blâmable. Et pourtant, pourtant, je me sens le cœur léger ce soir.

CHAPITRE XVII

Les brumes se dissipent

Malone avait perdu son emploi; dans Fleet Street, le bruit de son indépendance s'était répandu, et ses perspectives étaient sombres. Sa place au journal avait été prise par un jeune juif qui se soûlait, qui avait gagné ses galons en écrivant une série d'articles humoristiques sur les problèmes psychiques, et qui n'avait cessé dans ses papiers de répéter qu'il avait abordé le sujet avec un esprit ouvert et impartial. Il conclut en offrant cinq mille livres si les esprits des morts lui indiquaient les trois premiers chevaux dans le prochain Derby. Auparavant, il avait démontré que l'ectoplasme était en réalité la mousse d'une bouteille de bière brune soigneusement dissimulée par le médium. Ces arguments comptent parmi les pièces rares du musée du journalisme; ils sont encore dans la mémoire du lecteur.

Mais la voie qui s'était bouchée à une extrémité s'ouvrit à l'autre. Challenger, absorbé par ses rêves audacieux et d'ingénieuses expériences, avait depuis longtemps besoin d'un homme actif, à l'esprit clair, pour gouverner ses intérêts, et pour contrôler les brevets qu'il avait pris un peu partout dans le monde. Il y avait beaucoup d'appareils — fruits de sa vie de labeur — qui lui rapportaient un revenu, mais dont l'exploitation devait être surveillée. Son signal d'alarme automatique pour les navires familiers des eaux profondes, son appareil pour éviter les torpilles, sa méthode nouvelle et économique pour séparer l'azote de l'air, les améliorations sensationnelles qu'il avait apportées à la transmission par radio et son nouveau traitement du pechblende faisaient de l'argent. Mis en fureur par l'attitude de Cornelius, le professeur confia la gérance de ses intérêts à son futur gendre: il n'eut pas à s'en repentir.

Challenger n'était plus le même homme. Ses collègues et ses proches observaient sa transformation sans en deviner la cause. Il était plus gentil, plus modeste, plus spirituel dans le sens supérieur du mot. Au fond de son âme s'étalait une conviction pénible: lui, champion de la méthode scientifique et de la vérité, il avait été en fait pendant de longues années tout le contraire d'un scientifique dans ses méthodes; il s'était rendu coupable d'une obstruction formidable, à l'encontre du progrès de l'âme humaine dans la jungle de l'inconnu. Cette condamnation de soi suscita le changement de son caractère. Par ailleurs avec l'énergie qui le caractérisait, il s'était plongé dans la magnifique littérature qui traitait de ce sujet neuf. Débarrassé des préjugés qui avaient obscurci son esprit, il lut les témoignages lumineux de Hare, de Morgan, Crookes, Lombroso, Barett, Lodge, et de tant d'autres grands hommes. Alors il s'émerveilla d'avoir pu un instant imaginer qu'un tel concours d'opinions pouvait être fondé sur une erreur. Sa nature violente et impulsive l'entraîna à embrasser la cause du psychisme avec la même véhémence et parfois le même sectarisme qu'il avait déployés à la dénoncer. Le vieux lion montra les dents et rugit à l'adresse de ses associés d'autrefois.

Voici le début de son article remarquable dans le *Spectator*:

» L'incrédulité obtuse et la déraison opiniâtre des prélats qui ont refusé de regarder dans le télescope de Galilée et d'observer les lunes de Jupiter ont été de loin surpassées, de nos jours, par ces bruyants polémistes qui expriment à la légère des avis définitifs sur les problèmes psychiques qu'ils n'ont eu ni le temps ni le désir d'examiner. »

Et dans la conclusion il déclarait que ses contradicteurs « ne représentaient pas en vérité la pensée du XXe siècle, mais qu'ils pouvaient bien plutôt être considérés comme des fossiles mentaux exhumés de quelque antique horizon du Pliocène ». Les critiques horrifiés levèrent les bras: le robuste langage du professeur les embarrassait beaucoup plus que les violences qui accablaient depuis tant d'années les partisans du spiritisme.

Nous pouvons laisser là Challenger. Sa crinière noire vire lentement au gris. Mais son grand cerveau s'affermit encore et devient plus lucide devant les problèmes que l'avenir tient en réserve. Cet avenir n'est plus limité par l'étroit horizon de la mort; il s'étend au loin parmi les possibilités et les développements infinis d'une survivance de la personnalité, du caractère, de l'œuvre.

Le mariage a eu lieu. Ce fut une cérémonie paisible, mais quel prophète aurait pu prédire les invités que le père d'Enid avait rassemblés dans les salons de Whitehall? Ils formaient une foule joyeuse, bien soudée par l'opposition du monde, et unie dans un savoir commun. Il y avait le Révérend Charles Mason, qui avait officié à la cérémonie: si jamais un saint consacra une union, ce fut bien le cas ce matin-là! A présent, dans son costume noir, avec ce sourire qui lui découvrait les dents, il faisait le tour de la foule, distribuant à tous la paix et la bonté. Mailey à la barbe rousse, vieux combattant aux cicatrices innombrables, qui aspirait encore à de nouveaux combats, était là avec sa femme. Le docteur Maupuis était venu de Paris; il essayait de faire comprendre au maître d'hôtel qu'il désirait du café, et on lui présentait des cure-dents, ce qui faisait beaucoup rire lord Roxton. Il y avait aussi le bon Bolsover, qu'avaient accompagné plusieurs membres de son cercle de famille de Hammersmith; et Tom Linden avec sa femme; et Smith, le bouledogue du Nord; et le docteur Atkinson; et Marvin, le journaliste psychiste; et les deux Ogilvy; et la petite Mlle Delicia, avec son sac et ses prospectus; et le docteur Ross Scotton, tout à fait guéri; et le docteur Felkin, qui l'avait si bien soigné qu'à présent la nurse Ursule pouvait vaquer à tout. Oui, ils étaient tous là, visibles sur notre spectre de couleurs et audibles sur nos quatre octaves sonores. Mais combien d'invités, à l'extérieur de ces limites, ajoutèrent leur présence et leurs vœux?... Nul ne le sait.

Une dernière scène avant de terminer. Elle se passe dans un salon de l'Impérial Hotel, à Folkestone. Devant une fenêtre sont assis M. et Mme Edward Malone; Mme Malone regarde la Manche vers l'est; le ciel du soir est mécontent: de grands tentacules pourprés, avant-coureurs menaçants de ce qui se cache invisible et inconnu derrière l'horizon, se tordent vers le zénith. Au-dessous, le petit bateau de Dieppe s'essouffle pour rentrer au plus vite. Plus loin, les grands navires demeurent au milieu de la Manche comme s'ils subodoraient un danger. Ce ciel incertain agit sur l'esprit des deux jeunes mariés.

— Dis-moi, Enid: de toutes nos merveilleuses expériences psychiques, laquelle reste la plus vivace dans ta mémoire?

— C'est curieux que tu me le demandes, Ned! Justement, j'étais en train d'y réfléchir. Je suppose que c'est par association d'idées avec ce ciel terrible... Je pensais à Miromar, cet étrange bonhomme mystérieux avec ses accents de Jugement dernier.

— Moi aussi.

— As-tu eu de ses nouvelles depuis?

— Une seule fois. C'était un dimanche matin, dans Hyde Park. Il parlait à un petit groupe d'hommes. Je me suis mêlé aux gens et j'ai écouté. C'était le même avertissement.

— Comment l'ont-il pris? Ont-ils ri?

— Ecoute: tu l'as vu et entendu! Pouvais-tu rire?

— Non, mais tu ne le prends pas au sérieux, Ned, dis-moi? Regarde cette vieille terre solide de l'Angleterre. Regarde notre grand hôtel et tous ces gens dehors. Pense à ces journaux indigestes, à l'ordre bien établi d'un pays civilisé. Crois-tu vraiment qu'il pourrait arriver quelque chose qui détruirait tout cela?

— Qui sait! Miromar n'est pas le seul à prophétiser sur ce thème.

— Est-ce qu'il appelle cela la fin du monde?

— Non, une nouvelle naissance du monde: naîtra alors le vrai monde, le monde conforme aux désirs de Dieu.

— C'est un message épouvantable. Mais qu'est-ce qui ne va pas? Pourquoi un jugement aussi terrible serait-il prononcé?

— Le matérialisme, le formalisme rigide des Eglises, l'altération de tous les mouvements de l'esprit, la négation de l'Invisible, le scepticisme méprisant qui accueille cette nouvelle révélation... Telles sont, selon lui, les causes.

— Mais le monde a été sûrement pire auparavant!

— Mais jamais avec autant d'atouts. Jamais avec l'éducation, le savoir, la soi-disant civilisation qui auraient dû mener l'homme sur des plans supérieurs. Regarde comme tout a été dévié vers le mal. Nous avons conquis la science de l'aéronautique: nous nous en servons pour bombarder des villes. Nous avons appris à naviguer sous l'eau: nous en profitons pour massacrer des marins. Nous maîtrisons les produits chimiques: c'est pour en faire des explosifs ou des gaz asphyxiants. Tout va de mal en pis. Actuellement, chaque nation sur la terre recherche secrètement comment elle peut le mieux empoisonner les autres. Est-ce que Dieu a créé la planète pour cette fin, et est-il vraisemblable qu'il tolérera une pareille dégradation?

— Est-ce que c'est toi ou Miromar qui parle maintenant?

— Ma foi, j'ai beaucoup médité là-dessus, et toutes mes pensées s'accordent avec ses conclusions. J'ai lu un message spirituel écrit par Charles Mason: « Pour un homme comme pour une nation, le danger commence à partir du moment où l'intelligence se développe au détriment de l'esprit. » N'est-ce pas exactement l'état actuel du monde?

— Et comment cela arrivera-t-il?

— Ah! là, il n'y a que les paroles de Miromar! Il dit que tous les mauvais philtres se répandront sur la terre: nous aurons la guerre, la famine, la peste, un tremblement de terre, des inondations, des raz de marée... le tout se terminant dans une paix et une gloire indestructibles.

Les grandes banderoles pourprées traversaient tout le ciel. Vers l'ouest s'étendait une lueur rougeâtre, avec des éclats cuivrés menaçants. Enid frissonna.

— Nous avons appris une chose, dit Malone. C'est que deux âmes en qui existe l'amour véritable poursuivent leur éternité sans être séparées à travers toutes les sphères. Pourquoi dès lors toi et moi redouterions-nous la mort? ou craindrions-nous ce que la vie ou la mort peuvent nous apporter?

— Pourquoi, en effet? murmura-t-elle.

APPENDICE

Note au chapitre II La clairvoyance dans les temples du spiritisme

Ce phénomène, tel qu'on peut le voir dans les temples du spiritisme, varie grandement en qualité. Il est si incertain que de nombreuses congrégations l'ont complètement abandonné, car il devenait plutôt une cause de scandale que d'édification. En revanche, en diverses occasions — les conditions étant bonnes, l'assistance en sympathie et le médium bien disposé — les résultats ont été surprenants. J'étais présent le jour où M. Tom Tyrell, de Blackburn, ayant été appelé soudainement à Doncaster, ville qu'il ne fréquentait pas, obtint non seulement les descriptions mais même les noms de plusieurs personnes qui furent reconnues par les différents assistants à qui elles étaient désignées. J'ai entendu aussi M. Vout Peters donner quarante descriptions dans une ville étrangère (Liège) où il n'avait jamais mis les pieds, avec un seul échec qui s'expliqua par la suite. De tels résultats dépassent de loin les coïncidences. Leur vraie raison d'être reste à déterminer, quelle qu'elle soit. J'ai eu quelquefois l'impression que la vapeur qui devient visible comme un solide dans l'ectoplasme peut dans son état le plus volatil remplir la salle, et qu'un esprit venant dans elle peut faire acte de présence, de même qu'une étoile filante invisible se fait voir quand elle traverse l'atmosphère de la terre. Cet exemple n'est évidemment qu'une analogie, mais il suggérera peut-être une ligne de pensée.

Je me rappelle avoir assisté en deux occasions dans Boston, Massachusetts, au spectacle d'un clergyman donnant de la clairvoyance avec plein succès sur les marches de l'autel. Cela me frappa en tant qu'admirable reproduction de ces conditions apostoliques où on enseignait « non seulement par le verbe, mais aussi par le pouvoir ». Tout ceci doit être réintégré dans la religion chrétienne pour que celle-ci soit revitalisée et recouvre son prestige. Ce n'est pas, toutefois, l'œuvre d'un jour. Nous avons moins besoin de foi que de savoir.

Note au chapitre IX Les esprits liés à la terre

Ce chapitre sera peut-être considéré comme sensationnel, mais en fait il ne contient nul incident dont je ne puisse citer la référence. L'incident de Nell Gwynn, mentionné par lord Roxton, me fut relaté par le colonel Cornwallis West, qui me certifia qu'il s'était produit dans l'une de ses maisons de campagne. Des visiteurs avaient rencontré l'apparition dans les couloirs, et ensuite, lorsqu'ils ont vu le portrait de Nell Gwynn suspendu dans le salon, s'étaient écriés: « Voilà la femme que nous avons rencontrée! »

L'aventure du terrible occupant de la maison désertée a été tirée, avec très peu de modifications, d'une expérience de lord Saint-Audries dans une maison hantée près de Torquay. Ce vaillant soldat a lui-même conté l'anecdote dans le *Weekly Dispatch* (décembre 1921), et elle a été admirablement reprise par Mme Violet Tweedale dans *Phantoms of the Dawn*. Quant à la conversation entre le clergyman et l'esprit lié à la terre, le même auteur en a décrit une semblable dans son récit des aventures de lord et de lady Wynford au château de Glamis (*Ghosts I have seen*, p. 175).

D'où un tel esprit tire-t-il ses ressources d'énergie matérielle? C'est un problème qui reste à résoudre. Il les tire probablement d'un individu médiumnique du voisinage. Dans le cas intéressant cité dans le récit par le Révérend Charles Mason et très attentivement observé par la Société de recherches psychiques à Reykjavik, en Islande, la formidable créature liée à la terre a proclamé d'où elle avait tiré sa vitalité. L'homme, de son vivant, était un pécheur au caractère rude et violent; il se suicida. Il s'était attaché au médium, le suivait dans les séances de la société, provoquait des frayeurs et des troubles indescriptibles; il fut enfin exorcisé par les moyens que j'ai reproduits dans mon récit. Un long compte rendu a été publié dans *Proceeding of the American Society of Psychic Research*, et aussi dans l'organe du Collège psychique, *Psychic Research*, de janvier 1925. Signalons que l'Islande est très en avance pour la science psychique: si l'on tient compte de sa population et des possibilités, elle est probablement à la tête de tous les pays du monde! L'évêque de Reykjavik préside la Société psychique: voilà une leçon pour nos propres prélats, dont l'ignorance de problèmes pareils frise le scandale. Bien que ce sujet traite de la nature de l'âme et de son destin dans l'au-delà, on trouve moins de gens pour l'étudier parmi nos guides spirituels que dans toute autre profession.

Note au chapitre X Les cercles de sauvetage

Les scènes contenues dans ce chapitre sont tirées de l'expérience personnelle ou de rapports émanant d'expérimentateurs consciencieux et dignes de foi. Parmi ceux-ci, je citerai notamment M. Tozer, de Melbourne, et M. McFarlane, de Southsea; tous deux ont tenu des cercles méthodiquement voués à ce but: procurer de l'aide aux esprits liés à la terre. Des récits détaillés d'expériences que j'ai personnellement vécues dans ces cercles figurent dans les chapitres IV et VI de mes *Wanderings of a Spiritualist* [1]. Je puis ajouter que dans mon cercle familial, avec ma femme pour médium, nous avons eu le privilège d'apporter de l'espoir et du savoir à quelques-uns de ces êtres malheureux.

Des comptes rendus complets d'un certain nombre de ces entretiens dramatiques pourront être trouvés dans les cent dernières pages du livre de feu l'amiral Usborne Moore, *Glimpses of the New State*. Il doit être précisé que l'amiral n'était pas personnellement présent à ces séances, mais qu'elles lui furent racontées par des gens en qui il avait toute confiance et que la confirmation lui en fut donnée par les déclarations manuscrites des assistants. « Le caractère supérieur de M. Leander Fisher, a dit l'amiral, suffit à témoigner de leur authenticité. » Le même compliment peut s'appliquer à M. E. G. Randall, qui a livré à la publicité beaucoup de cas semblables: il est l'un des plus grands avocats de Buffalo, et M. Fisher est professeur de musique dans cette ville.

[1] Voir le dernier chapitre de *Souvenirs et Aventures*.

L'objection naturelle est que, compte tenu de l'honnêteté des enquêteurs, toute l'expérience peut être de quelque façon subjective et n'avoir aucun rapport avec les faits réels. Traitant de cela, l'amiral déclare: « J'ai fait des recherches pour savoir si l'un de ces esprits, amenés pour comprendre qu'ils avaient pénétré dans un nouvel état de conscience, avait été identifié de manière satisfaisante. La réponse est celle-ci: beaucoup ont été repérés, mais, après que plusieurs vérifications aient été faites, on a jugé inutile de poursuivre les enquêtes touchant les parents et les lieux d'habitation sur terre des autres. De semblables recherches exigent beaucoup de temps et de peine; chaque fois qu'on y a procédé, elles ont toujours abouti au même résultat. » Dans les cas cités (Op. cit., p. 524), il y a le prototype de la femme du monde qui mourut pendant son sommeil, comme mon récit l'a dépeinte. Dans tous ces exemples, l'esprit qui retournait sur la terre n'avait pas réalisé que sa vie terrestre était terminée.

Le cas du clergyman et du marin du *Monmouth* a été soulevé en ma présence au cercle de M. Tozer.

Le cas dramatique où l'esprit d'un homme – c'était le cas de plusieurs à l'origine – s'est manifesté au moment même de l'accident qui a provoqué sa mort, et où les noms ont été ensuite vérifiés dans un article de journal, est donné par M. Randall. Un autre exemple, fourni par la même source, fera peut-être réfléchir ceux qui n'ont pas réalisé combien l'évidence est manifeste, et comme il nous est nécessaire de reconsidérer notre opinion sur la mort. C'est dans *The Dead have Never Died* (p. 104):

« Je rappelle un incident que je dédie aux matérialistes à l'état pur. J'étais l'un des exécutants testamentaires de mon père; après sa mort et le partage de ses biens, il me parla de l'au-delà et me dit que j'avais négligé un détail qu'il tenait à me signaler. Je répondis:

» – Vous avez toujours eu l'esprit axé sur la thésaurisation. Pourquoi occuper un temps qui est si limité à discuter de votre bien? Il a été divisé et réparti.

» – Oui, m'a-t-il répondu. Je le sais, mais j'ai trop durement travaillé pour amasser de l'argent, et je ne veux pas qu'il soit perdu; il y a un avoir qui subsiste et que tu n'as pas découvert.

» – Eh bien! fis-je, si c'est exact, donnez-moi les détails.

» Il m'a dit:

» — Quelques années avant ma mort, j'ai prêté une petite somme à Suzanne Stone, qui habitait en Pennsylvanie, et je lui fis signer un billet à ordre au vu duquel, d'après les lois de cet Etat, j'étais autorisé à réclamer un jugement tout de suite sans procès. J'étais vaguement anxieux à propos de ce prêt: avant que la date ne fût venue à expiration, j'ai pris le billet à ordre et je l'ai expédié au greffier d'Erie, en Pennsylvanie; il a obtenu aussitôt le jugement, qui s'est traduit par une hypothèque sur sa propriété. Dans mes livres de comptes, il n'y a aucune référence à ce billet ni au jugement. Si tu te rends chez le greffier d'Erie, tu trouveras le jugement enregistré, et je tiens à ce que tu récupères la somme. Il y a encore beaucoup d'autres choses que tu ne connais pas: en voilà une.

» Ce renseignement, venu par un tel canal, me surprit grandement. Je réclamai une copie du jugement; il avait été enregistré le 21 octobre 1896, et, avec la preuve de la dette, j'obtins du débiteur soixante-dix dollars avec les intérêts. Je me pose une question: quelqu'un avait-il été au courant de la transaction en dehors des signataires du billet à ordre et du greffier à Erie? Moi, en tout cas, je l'ignorais. Je n'avais aucune raison de soupçonner qu'elle avait existé. La voix de mon père a été en cette occasion parfaitement reconnaissable. Je cite cet exemple à l'intention de ceux qui mesurent tout du point de vue de l'argent. »

Les plus frappantes, toutefois, de ces communications posthumes sont relatées dans *Thirty Years Among the Dead* par le docteur Wickland, de Los Angeles. Ce livre, comme beaucoup d'ouvrages de valeur, est en vente en Grande-Bretagne à la Psychic Bookshop, dans Victoria Street, S. W.

Le docteur Wickland et son héroïque épouse ont fait un travail qui mérite de la part de tous les médecins aliénistes la plus vive attention. S'il poursuit son idée, et tout porte à croire qu'il le fera, non seulement il révolutionnera toutes nos conceptions sur la folie, mais encore il modifiera profondément notre système de criminologie: il montrera que nous avons puni des gens comme criminels alors qu'ils étaient plus dignes de compassion que de réprimandes.

Il a formulé l'avis que de nombreux cas de folie étaient dus à une obsession d'entités non développées; et il a trouvé, par une méthode d'investigation qui ne m'apparaît pas clairement, que ces entités étaient excessivement sensibles à de l'électricité statique, quand celle-ci traverse le corps qu'elles ont envahi. Il a basé son traitement sur cette hypothèse, et il a obtenu des résultats remarquables. Le troisième facteur dans son système a été la découverte que ces entités acceptaient plus facilement de se laisser déloger si un corps vacant se trouvait à proximité pour leur offrir un refuge temporaire. Et là s'explique le qualificatif « héroïque » que j'ai accolé au nom de Mme Wickland: cette dame charmante et cultivée s'assied en transe hypnotique à côté du sujet, prête à accueillir l'entité quand elle est chassée de sa victime. Et c'est à travers les lèvres de Mme Wickland que se déterminent l'identité et le caractère des esprits non développés.

Le sujet est attaché sur une chaise électrique; il faut l'attacher, car beaucoup de fous sont violents; le courant est mis et passe; il n'affecte pas le malade, puisqu'il s'agit d'électricité statique, mais il cause de gros soucis à l'esprit parasite, qui court se réfugier bientôt dans la forme inconsciente de Mme Wickland. Alors s'engagent les stupéfiantes conversations qui sont rapportées dans le livre. L'esprit est mis par le docteur sur la sellette, admonesté, instruit, et finalement renvoyé soit sous la garde d'un esprit secourable qui supervise l'interrogatoire, soit à la charge d'un assistant plus solide qui lui fera échec s'il ne se repent pas.

Pour le savant qui n'est pas familiarisé avec les problèmes psychiques, une argumentation semblable paraît insensée, et je ne saurais moi-même certifier que le docteur Wickland a prouvé en fin de compte sa théorie; mais j'affirme que nos expériences dans les cercles de sauvetage tournent autour de la même idée générale, et qu'il a effectivement guéri des cas désespérés. De temps à autre une confirmation formelle se produit: ainsi, dans le cas d'un esprit femelle qui se lamentait parce qu'elle n'avait pas assez pris de phénol la semaine précédente, le nom et l'adresse avaient été correctement donnés.

Apparemment, tout le monde n'offre pas un champ libre à cette invasion: seuls sont disposés à l'accueillir les hommes et les femmes qui sont d'une manière ou d'une autre des sensibles psychiques. Quand cette découverte sera pleinement vérifiée, elle sera à la base de la psychologie et de la jurisprudence de l'avenir.

APPENDICE

Note au chapitre XII Les expériences du docteur Maupuis

Le docteur Maupuis du récit est, comme tout amateur de recherche psychique l'aura deviné, feu le docteur Geley, auquel un travail splendide assure une réputation immortelle. C'était un cerveau de premier ordre, et son courage moral lui permettait de faire face avec tranquillité au cynisme et à la légèreté de ses critiques. Avec un jugement rare, il n'alla jamais au-delà du point où les faits le portaient, mais il ne recula pas d'un pouce du point le plus extrême que justifiaient sa raison et l'évidence. Grâce à la munificence de M. Jean Meyer[1], il avait été placé à la tête de l'Institut métapsychique, qui était admirablement équipé pour le travail scientifique, et il utilisa à plein cet équipement. Quand un Jean Meyer anglais apparaît, il n'obtient rien contre son argent s'il ne choisit pas un cerveau ouvert au progrès pour diriger sa machine. La grosse dotation faite à la Stanford University de Californie a été pratiquement gaspillée parce que ses dirigeants n'étaient ni des Geley ni des Richet.

L'histoire du pithécanthrope est tirée du *Bulletin de l'Institut métapsychique*. Une dame bien connue m'a décrit comment ce monstre s'était placé entre elle et sa voisine; elle avait osé poser sa main sur la peau aux poils hirsutes. Un compte rendu de cette séance a été inséré dans le livre de Geley: *L'Ectoplasme et la Clairvoyance* (Félix Alcan, p. 345). Sur la page 296, on voit une photographie représentant un étrange oiseau de proie sur la tête du médium. Il ne saurait évidemment pas être question ici d'imposture.

Ces divers animaux peuvent prendre des formes très bizarres. Dans un manuscrit non publié du colonel Ochorowitz, que j'ai eu le privilège de lire, il y a des descriptions de développements qui sont formidables, mais qui ne présentent aucun signe de parenté avec les créatures que nous connaissons.

Puisque des formes animales de cette nature ont été matérialisées sous le pouvoir médiumnique aussi bien de Kluski que de

[1] Traducteur et éditeur de *The Vital Message*, en français en 1925 *Message vital*. Il publia aussi une déclaration de Sir Arthur dans son *Compte rendu* du Congrès spirite international, qui s'était tenu à Paris du 6 au 13 septembre 1925.

Guzik, leur formation semble dépendre plutôt de l'un des assistants que du médium, à moins que nous ne puissions les disjoindre entièrement du cercle. Un axiome est très répandu chez les spirites: les visiteurs spirituels d'un cercle représentent en gros la tendance mentale et spirituelle du cercle. Ainsi, en près de quarante années d'expériences, je n'ai jamais entendu un mot obscène ou blasphématoire à une séance, parce que ces séances étaient conduites d'une manière respectueuse et religieuse. Une question peut donc se poser: les assistants qui viennent pour des buts purement scientifiques et expérimentaux, mais qui ne reconnaissent nullement la signification religieuse qui coiffe tous ces phénomènes, ne suscitent-ils pas les manifestations les moins désirables du pouvoir psychique? Cependant, le tempérament supérieur d'hommes tels que Richet et Geley permettait d'escompter que la tendance générale serait bonne.

Sans doute avancera-t-on qu'un problème qui implique des possibilités pareilles devrait être laissé de côté. La réponse serait, me semble-t-il, que ces manifestations sont heureusement assez rares, alors qu'au contraire le réconfort qu'apportent les esprits illumine quotidiennement des milliers de vies. Nous n'interromprons pas notre exploration parce que le pays exploré contient quelques créatures néfastes. Renoncer à l'étude des phénomènes psychiques équivaudrait à les abandonner aux forces mauvaises, tandis que nous nous priverions de ce savoir qui nous aide à les comprendre et à en mesurer toutes les conséquences.

La Machine à désintégrer

The Disintegration Machine

Traduction française de
BERNARD TOURVILLE

Le professeur Challenger était d'une humeur épouvantable. Devant la porte de son bureau, j'avais déjà une main sur la poignée et les pieds sur le tapis-brosse quand j'entendis un monologue qui ressemblait à ceci, les mots étant autant d'explosifs qui détonaient et se répercutaient à travers toute la maison:

– Oui... Je vous dis que c'est la deuxième erreur! La deuxième de la matinée. Est-ce que vous vous imagineriez par hasard qu'un homme de science a le droit d'être dérangé dans un travail capital par l'intrusion continuelle d'un idiot au bout du fil?... Je ne le tolérerai pas! Passez-moi le directeur... Ah! c'est vous, le directeur! Hé bien! pourquoi ne dirigez-vous pas?... Tout ce que vous êtes capable de faire, c'est de me déranger dans un travail dont l'importance dépasse naturellement les limites de votre intelligence. Passez-moi le directeur général!... Il n'est pas là? J'aurais dû m'en douter! Je vous assignerai en justice si pareil fait se reproduit. J'ai bien assigné des coqs qui chantaient!... Oui, et ma plainte a été reçue. Si elle a été reçue pour des coqs qui chantaient, pourquoi pas pour des sonneries détraquées? L'affaire est claire... Des excuses par écrit? Très bien... Je les prendrai en considération. Au revoir!

C'est à cet instant précis que je me hasardai à entrer. Hélas! Il me fit face tout en raccrochant le téléphone: un vrai lion en colère! Son imposante barbe noire frémissait, l'indignation soulevait son torse puissant... L'arrière-garde de sa fureur me fusilla de deux yeux gris arrogants, dominateurs, invincibles.

– Stupides coquins de l'enfer! tonna-t-il. Et trop payés par surcroît! Je les entendais qui riaient pendant que je me plaignais... Tout conspire à me nuire, puisque à présent vous voilà, jeune Malone! Votre arrivée couronne une matinée désastreuse... Puis-je vous demander si vous venez de votre propre chef, ou si c'est votre feuille de chou qui vous a délégué pour obtenir une interview? L'ami sera le bienvenu; mais que le journaliste aille au diable!

J'étais en train de tâter mes poches à la recherche de la lettre de McArdle quand un nouveau grief lui revint subitement en mémoire. Ses énormes mains velues bouleversèrent les papiers qui se trouvaient sur son bureau jusqu'à ce qu'elles tombassent sur une coupure de presse.

– Vous avez eu l'amabilité de faire une allusion à moi dans l'une de vos récentes élucubrations! fit-il en agitant un index menaçant. Oui, oui! Dans votre article, assez plat d'ailleurs, sur la découverte dans les schistes de Solenhofen de vestiges de sauriens... vous avez commencé un alinéa par ces mots: « Le professeur Challenger, qui est l'un de nos plus grands savants vivants... »

– Je ne m'en dédis pas, monsieur...

– Pourquoi ces qualifications et ces limitations? Elles sont odieuses! Peut-être consentirez-vous à me citer les noms de ces autres savants que vous proclamez mes égaux voire mes supérieurs, qui sait?

– Je me suis mal exprimé. Bien entendu, j'aurais dû écrire: « Notre plus grand savant vivant... » J'en conviens. J'en conviens d'autant plus que je le crois honnêtement. Un *lapsus calami*...

– Mon cher jeune ami, n'allez pas croire que je sois exigeant. Mais entouré comme je le suis de collègues querelleurs et déraisonnables, il faut bien que je me taille ma part. L'outrecuidance n'est pas dans ma nature; toutefois, je dois tenir ferme contre mes contradicteurs... Bon! Asseyez-vous! Allons, quel est le but de votre visite?

Il ne me restait plus qu'à m'aventurer avec circonspection, car je connaissais mon lion: pour un rien, il se serait remis à rugir. J'ouvris la lettre de McArdle.

– Me permettez-vous de vous lire ceci, monsieur? C'est une lettre de mon rédacteur en chef, McArdle.

– Je me rappelle ce nom... Comme échantillon de sa profession, il y a pire.

— Il vous a voué, au moins, une très haute admiration! C'est toujours à vous qu'il fait appel quand il a besoin d'un avis éminent dans une enquête. Et aujourd'hui encore...

— Que désire-t-il?

Sous la flatterie, Challenger se lissait les plumes. Il appuya les coudes sur son bureau; il noua ses deux mains gorillesques; il pointa de la barbe; et il me couva avec bienveillance de ses gros yeux gris à demi occultés par des paupières alourdies. Comme il était énorme en tout, sa bienveillance était encore plus accablante que sa truculence.

— Je vais vous donner connaissance du petit mot que j'ai reçu de lui, monsieur. Voici ce qu'il me dit:

Voudriez-vous aller voir notre très estimé ami, le professeur Challenger, et lui demander son concours pour l'affaire suivante: un Letton, du nom de Théodore Nemor, habitant White Friars Mansions, Hampstead, affirme qu'il a inventé une machine très extraordinaire capable de désintégrer n'importe quel objet placé dans sa sphère d'influence. La matière se dissout et retourne à son état moléculaire et atomique. Un procédé inverse permet de la recomposer dans l'état exact où elle se trouvait avant sa désintégration. Cette affirmation paraît extravagante; néanmoins il semble qu'elle repose sur une base solide, et que son auteur soit tombé par hasard sur une découverte remarquable.

Je n'ai pas besoin d'insister sur le caractère révolutionnaire d'une semblable invention, non plus que sur son importance extrême en tant qu'arme de guerre. Une force capable de désintégrer un cuirassé ou de réduire une armée — même pour quelque temps seulement — en une collection d'atomes, mettrait le monde à sa merci. Pour des raisons sociales et politiques, il faut aller jusqu'au bout de cette affaire sans perdre un instant. Le Letton est amateur de publicité, car il tient à vendre son invention; aussi l'approcherez-vous facilement. La carte ci-jointe vous ouvrira sa porte. Ce que je désire, c'est que vous et le professeur Challenger alliez le voir, examiniez son invention, et écriviez pour la Gazette *un compte rendu motivé sur la valeur de la découverte. J'espère avoir de vos nouvelles ce soir.*

R. McArdle.

— Telles sont mes instructions, professeur! ajoutai-je en repliant la lettre de mon rédacteur en chef. Je serais très heureux si vous consentiez à m'accompagner; car comment moi, avec mes modestes capacités, pourrais-je émettre une opinion motivée.

— Exact, Malone! Exact! opina le grand homme. Vous n'êtes pas totalement dépourvu d'intelligence naturelle, mais je vous accorde que pour cette affaire vous ne faites pas le poids! Des imbéciles, au téléphone, ont saccagé ce matin mon travail; si bien que je ne suis plus à un dérangement près. Je suis obligé de répondre à ce bouffon italien Mazotti, dont les vues sur le développement larvaire des termites tropicaux ont excité mon ironie et mon mépris; mais je puis attendre jusqu'à ce soir pour démasquer cet imposteur. Je me mets donc à votre disposition.

C'est ainsi qu'un matin d'octobre je me trouvai avec le professeur Challenger dans le métro qui fonçait vers le nord de Londres pour m'entraîner dans l'une des expériences les plus singulières de ma carrière pourtant fertile en événements.

Avant de quitter Enmore Gardens, j'avais pris la précaution de m'assurer par ce téléphone si décrié que notre homme était chez lui, et je l'avais averti de notre visite. Il habitait un appartement confortable à Hampstead, et il nous fit attendre pendant une bonne demi-heure dans son salon; nous l'entendîmes poursuivre une conversation animée avec un groupe de personnes; aux adieux qui furent échangés dans l'entrée, je compris que c'étaient des Russes. Je les aperçus à travers l'entrebâillement de la porte; ils me donnèrent l'impression d'individus florissants et intelligents: ils avaient des cols d'astrakan sur leurs manteaux, des hauts-de-forme étincelants; ils avaient tout à fait cette allure de bourgeois bien nantis que le communiste qui a réussi affecte si facilement. La porte de l'entrée se referma derrière eux, et Théodore Nemor pénétra dans le salon. Je le revois encore tel qu'il se tenait: debout dans un rayon de soleil, frottant ses longues mains minces et nous accueillant d'un large sourire... sans oublier pour cela de bien nous observer avec des yeux jaunes, rusés.

Il était court, épais; son corps suggérait une difformité, mais il était difficile de la localiser; on aurait pu dire qu'il ressemblait à un bossu sans bosse. Sa tête évoquait l'idée d'une boulette pas assez cuite: elle en avait la couleur et la consistance humide; les boutons et les pustules qui la décoraient se détachaient agressivement sur un arrière-plan blafard. Au chat, il avait emprunté ses yeux et sa moustache mince, longue, luisante; sa bouche lâche bavotait constamment. En dessous des sourcils roux, tout était vulgaire et répugnant; mais au-dessus le Letton arborait une voûte crânienne comme j'en ai rarement vu: elle était splendide; elle n'aurait pas déparé Challenger lui-même. A ne regarder que le bas du visage, on aurait pu prendre Théodore Nemor comme un vil conspirateur en maraude; mais d'après le haut, il était à situer parmi les plus grands penseurs et philosophes du monde.

– Eh bien! messieurs, nous dit-il d'une voix de velours qu'altérait à peine un léger accent étranger, si j'ai bien compris le sens de notre petite conversation sur le fil, vous êtes venus pour en savoir davantage sur le désintégrateur Nemor?

– Parfaitement.

– Puis-je vous demander si vous représentez le Gouvernement anglais?

– Pas du tout. Je suis journaliste à la *Gazette*, et je suis venu avec le professeur Challenger.

– Un personnage célèbre... Célèbre dans toute l'Europe!

Ses crocs jaunis se découvrirent pour manifester une amabilité obséquieuse.

– J'allais vous dire que le Gouvernement britannique a perdu sa chance. Il se rendra compte peut être plus tard de ce qu'il a perdu d'autre: son empire, par exemple... J'étais résolu à vendre au premier gouvernement qui m'offrirait un prix convenable; si mon invention est tombée à présent entre des mains que vous jugerez sans doute impures, c'est à vous-mêmes qu'il faut vous en prendre.

— Alors vous avez vendu votre secret?

— Au prix que j'ai fixé.

— Et vous croyez que l'acheteur en a le monopole?

— Indiscutablement il l'a!

— Mais d'autres que vous connaissent le secret?

— Non, monsieur! répondit le Letton en touchant son large front. Voici le coffre-fort dans lequel le secret est soigneusement enfermé; ce coffre-là vaut mieux que n'importe quel acier, et on ne l'ouvre pas avec une clé Yale. Certains peuvent connaître tel ou tel aspect du problème. Mais personne au monde ne le connaît dans son ensemble: personne sauf moi.

— Vous, et les acheteurs!

— Non, monsieur. Je ne suis pas si sot que de céder mon secret avant d'en avoir touché le prix. Une fois qu'ils l'auront payé, c'est moi qu'ils auront acheté, et ils emmèneront ce coffre-fort...

De nouveau il se tapa le front.

— Avec son contenu où ils le désirent. C'est alors que j'accomplirai ma part du marché. Et je l'accomplirai loyalement, impitoyablement. Après quoi l'histoire se fera.

Il recommença à se frotter les mains, et son sourire immuable se tordit dans une sorte de rictus affreux.

— Je vous demande pardon, monsieur! éclata Challenger, qui n'avait encore rien dit mais dont l'expression reflétait un désaccord fondamental avec Théodore Nemor. Mais nous voudrions, avant de discuter, être bien assurés qu'il y a quelque chose à discuter. Nous n'avons pas oublié un cas récent: un Italien prétendait pouvoir faire exploser des mines à distance; après enquête, on s'aperçut qu'il s'agissait d'un fieffé coquin doublé d'un imposteur. L'histoire peut se répéter. Comprenez, monsieur, qu'en tant qu'homme de science j'ai à maintenir ma réputation... Réputation que vous avez eu le bon goût de qualifier d'européenne, quoique j'aie de solides raisons de croire qu'elle n'est pas moins établie en Amérique. La prudence est une qualité scientifique, un attribut de la science; aussi, avant que nous puissions sérieusement examiner vos prétentions, je vous prierais de nous administrer vos preuves.

Les yeux jaunes du Letton dardèrent sur Challenger un regard particulièrement véhément, mais un sourire de bonne humeur s'épanouit sur sa figure.

— Vous faites honneur à votre réputation, professeur! J'avais toujours entendu dire que vous étiez le dernier à se laisser duper... Je ne demande pas mieux que de procéder à une démonstration qui ne manquera pas de vous convaincre; mais auparavant je tiens à vous dire quelques mots du principe général.

» Vous comprendrez que l'appareil expérimental que j'ai aménagé ici dans mon laboratoire est un simple modèle; pourtant, dans son cadre restreint, il fonctionne admirablement. Je n'éprouverais par exemple aucune difficulté à vous désintégrer et à vous recomposer, mais ce n'est pas pour un but pareil qu'un grand gouvernement est disposé à payer un prix qui se chiffre par millions. Mon modèle est un jouet scientifique, tout simplement. Ce n'est que lorsqu'on fait appel à la même force sur une plus large échelle que l'on obtient des effets pratiques énormes.

— Pouvons-nous voir ce modèle?

— Non seulement vous le verrez, professeur Challenger, mais vous bénéficierez sur votre propre personne, si vous avez le courage de la mettre à l'épreuve, de la démonstration la plus concluante qui soit.

Le lion commença à rugir:

— Si...? Ce « si », monsieur, est insultant au plus haut point!

— Allons, allons! Je n'avais nullement l'intention de mettre en doute votre courage. Je vous indique uniquement que je vais vous fournir une occasion de l'exercer. Mais d'abord je voudrais vous donner quelques précisions sur les principes qui sont à la base de mon affaire.

» Quand certains cristaux, du sel ou du sucre par exemple, sont placés dans de l'eau, ils se dissolvent et disparaissent. Impossible de savoir qu'ils y ont été mis. Puis, par évaporation ou autrement, vous réduisez l'eau; alors, de nouveau voilà vos cristaux, visibles une fois de plus, les mêmes qu'auparavant. Pouvez-vous concevoir un processus selon lequel vous, un être organique, pouvez être d'une manière analogue dissous dans le cosmos, puis, par une subtile inversion des conditions, être recomposé dans votre état premier?

— Votre analogie est fausse! s'écria Challenger. Même si j'admets l'hypothèse monstrueuse d'une dispersion de nos molécules sous l'effet d'un pouvoir dissociant, pourquoi se rassembleraient-elles exactement selon l'ordre antérieur?

— Votre objection est normale. Je ne puis vous répondre que ceci: elles se rassemblent effectivement jusqu'au dernier atome pour recomposer votre structure. Il y a un coffrage invisible: chaque brique revient à sa vraie place. Vous pouvez sourire, professeur, mais votre incrédulité et votre sourire feront bientôt place à une émotion tout à fait différente.

Challenger haussa les épaules et déclara:

— Je suis prêt à tenter l'expérience.

— Il y a autre chose que je voudrais vous mettre dans la tête, messieurs, et qui vous aidera peut-être à saisir mon idée. Vous avez entendu parler, aussi bien à propos de la magie d'Orient que de l'occultisme occidental, du phénomène de l'apport, grâce auquel un objet est subitement apporté d'un lieu éloigné et apparaît à un nouvel endroit. Comment expliquer ce phénomène autrement que par le relâchement des molécules de l'objet, leur transport sur une onde de l'éther, et leur rassemblement, chacune exactement à sa place et toutes obéissant ainsi à une loi irrésistible? Transposez ce raisonnement à propos de ma machine: il me paraît juste.

— Vous ne pouvez pas expliquer une chose incroyable en vous référant à une autre chose incroyable! répliqua Challenger. Je ne crois pas en vos apports, monsieur Nemor, et je ne crois pas en votre machine. Mon temps est précieux: si nous devons avoir droit à une démonstration, je vous serais obligé d'y procéder sans plus de cérémonies.

— Alors faites-moi le plaisir de me suivre! conclut l'inventeur.

Il nous fit descendre l'escalier intérieur de son appartement et traverser un petit jardin derrière la maison. Il ouvrit la porte d'un grand appentis, et nous entrâmes.

Imaginez une vaste pièce aux murs blanchis à la chaux;

d'innombrables fils de cuivre tombaient du plafond en guirlandes; un très gros aimant était posé en équilibre sur un socle. En face de l'aimant, quelque chose qui ressemblait à un prisme en verre: un mètre de long, trente centimètres de diamètre. A droite, une chaise placée sur une plate-forme en zinc; au-dessus d'elle, suspendu, un capuchon en cuivre poli. De lourds fils étaient attachés au capuchon et à la chaise. Sur le côté, il y avait une sorte de cliquet avec des butées numérotées; le levier gainé de caoutchouc se trouvait à présent devant la butée zéro.

— Le désintégrateur Nemor! annonça l'étranger en désignant la machine. Voici le modèle qui est promis à la célébrité, puisqu'il détruira l'équilibre des forces entre les nations. Son possesseur est assuré de régner sur le monde... Maintenant, professeur Challenger, vous m'avez gratifié, si j'ose m'exprimer ainsi, d'un certain manque de courtoisie et d'égards: oserez-vous prendre place sur cette chaise, et me permettre de démontrer sur votre personne les capacités de cette force nouvelle?

Challenger avait le courage du lion; le moindre défi le poussait au paroxysme. Il se précipita vers la machine, mais je l'empoignai par le bras et le retins.

— Vous n'irez pas! lui dis-je. Votre vie représente une valeur trop haute. Ce serait monstrueux! Quelle garantie de sécurité avez-vous? L'appareil qui ressemble le plus à celui-là est la chaise électrique que j'ai vue à Sing-Sing.

— Ma garantie de sécurité, répondit Challenger, est que vous êtes témoin, et que cet homme serait certainement inculpé d'homicide par imprudence s'il m'arrivait quelque chose!

— Belle consolation pour le monde de la science! Vous laisseriez inachevée une œuvre que personne ne pourrait terminer à votre place. Laissez-moi, au moins, y aller le premier; si l'expérience s'avère sans danger, vous irez ensuite.

Jamais la perspective d'un danger personnel n'aurait ému Challenger; mais l'idée que son œuvre scientifique pourrait ne pas voir le jour le frappa au cœur. Il hésita. J'en profitai pour m'élancer et m'asseoir sur la chaise. Je vis l'inventeur poser sa main sur le manche, j'entendis un bruit sec; après quoi, pendant quelques instants, j'éprouvai une sensation de trouble avec un brouillard devant mes yeux. Quand le brouillard se fut dissipé, l'inventeur se tenait devant moi, souriant du même sourire odieux; penché par-dessus son épaule, Challenger n'avait plus une goutte de sang dans les joues.

— Eh bien! allez-y! commandai-je.

— C'est fait, répondit Nemor. Vous avez admirablement réagi. Levez-vous; le professeur Challenger va certainement prendre votre place maintenant.

Jamais je n'avais vu mon vieil ami pareillement bouleversé. Ses nerfs d'acier avaient flanché. Il me saisit par le bras d'une main tremblante.

— Mon Dieu, c'est vrai, Malone! dit-il. Vous avez été désintégré. Pas de doute! Pendant quelques secondes il y a eu du brouillard, et puis plus rien: le vide!

— Combien de temps ai-je disparu?

— Deux ou trois minutes... J'étais, je l'avoue, horrifié! Je ne pouvais pas supposer que vous alliez revenir... Il a poussé ce levier, en admettant que ce soit un levier, vers une nouvelle butée, et vous avez reparu sur votre chaise: vous aviez l'air un peu ahuri; à part cela, vous n'aviez pas changé. Ah! j'ai remercié Dieu quand je vous ai revu!

Il épongea son front moite de sueur avec son gros mouchoir rouge.

— Maintenant, monsieur? interrogea l'inventeur. A moins que vous n'ayez pas les nerfs solides...

Visiblement, Challenger se raidit et banda ses muscles. Puis, écartant ma main qui voulait le retenir, il s'assit sur la chaise. Le levier fut poussé au chiffre trois. Plus de Challenger!

J'aurais été épouvanté si l'inventeur n'avait témoigné d'un parfait sang-froid.

— Intéressant processus, n'est-ce pas? observa-t-il négligemment. Quand on réfléchit à la formidable personnalité du professeur, il est stupéfiant de penser qu'il n'est plus à présent qu'un nuage moléculaire suspendu quelque part dans cette pièce. Le voici, bien entendu, tout à fait à ma merci. Si je décidais de le laisser en suspension, rien sur la terre ne pourrait m'en empêcher.

— Je trouverais bientôt un moyen de vous en empêcher!

Le sourire fit place, encore une fois, à l'affreux rictus.

— Vous ne supposez pas, j'espère, qu'une telle idée me soit venue en tête? Grands dieux! Pensez à la dissolution permanente du grand professeur Challenger... Evanoui dans l'espace cosmique sans laisser de traces! Terrible! Terrible! Au fait, il n'a pas été aussi courtois qu'il aurait dû l'être. Ne croyez-vous pas qu'une petite leçon...?

— Non. Je ne crois pas!

— Eh bien! nous allons nous livrer toutefois à une démonstration peu banale. Quelque chose qui vous donnera la matière d'un alinéa passionnant dans votre article. Par exemple, j'ai découvert que le système pileux du corps est sur une vibration tout à fait différente de celle des tissus organiques vivants; je puis donc l'inclure ou l'exclure dans ma recomposition structurale. Or cela m'intéresserait de voir ce sanglier sans sa soie. Regardez!

Il y eut un bruit sec du levier. Un instant après, Challenger reparaissait sur sa chaise. Mais quel Challenger! Un vrai lion tondu! J'avais beau être furieux de la plaisanterie dont il était victime, je ne pus pas me retenir: j'éclatai d'un rire inextinguible!

Sa tête énorme était aussi chauve que celle d'un bébé, son menton aussi lisse que celui d'une jeune fille. Privée de sa glorieuse parure de poils, la partie inférieure du visage n'était que bajoues et jambons. Il ressemblait à un vieux gladiateur, cabossé et ballonné. Ses mâchoires de bouledogue saillaient sur le menton massif.

Peut-être est-ce ce qu'il lut sur nos visages — car je suis sûr que le méchant sourire de mon compagnon avait dû s'élargir devant ce spectacle... Quoi qu'il en fût, la main de Challenger se porta à son crâne, et il se rendit compte de son état. Dans la seconde qui suivit cette découverte, il avait bondi de sa chaise, attrapé l'inventeur par la gorge, et il l'avait projeté à terre. Connaissant la force immense de Challenger, j'étais persuadé qu'il allait le tuer.

— Prenez garde, au nom du Ciel! m'écriai-je. Si vous le tuez, nous ne pourrons jamais remettre les choses en état!

L'argument prévalut. Même dans ses pires moments de folie, Challenger était toujours accessible à la raison. Il se releva, tirant avec lui l'inventeur qui avait cru que sa dernière heure était arrivée.

– Je vous donne cinq minutes! bégaya-t-il en haletant de fureur. Si dans cinq minutes je n'ai pas recouvré ma condition première, j'extirpe la vie de votre misérable petit corps!

Il n'était guère prudent d'argumenter avec Challenger en fureur. Cet homme aurait fait reculer devant lui les plus braves, et M. Nemor n'avait apparemment rien d'un courageux. Au contraire, les pustules et les boutons qui fleurissaient son visage étaient devenus plus visibles, car la couleur de la peau tout autour avait viré du mastic au ventre de poisson. Il tremblait de tous ses membres; à peine put-il articuler quelques mots:

– Réellement, professeur! balbutia-t-il en caressant sa gorge endolorie, la violence n'est pas nécessaire. Il ne s'agissait que d'une plaisanterie... D'une plaisanterie inoffensive... Entre amis... Je voulais vous démontrer tous les pouvoirs de ma machine. Je m'étais imaginé que vous souhaitiez une démonstration complète. Je ne voulais pas vous offenser, je vous en donne ma parole, professeur!

Pour toute réponse, Challenger regrimpa sur la chaise.

– Surveillez-le, Malone! Ne tolérez aucune privauté, n'est-ce pas?

– Je veille, monsieur.

– A présent, arrangez-moi ça. Sinon vous en supporterez les conséquences!

Terrorisé, l'inventeur s'approcha de la machine. La puissance de recomposition fut donnée à plein. En une seconde, le vieux lion avait recouvré sa crinière hirsute. Il se frappa affectueusement la barbe et passa les mains sur son crâne pour s'assurer que la restauration était totale. Puis, avec une solennité infinie, il descendit de la chaise.

– Vous avez pris une liberté, monsieur, qui aurait pu entraîner pour votre personne des suites très graves. Je me borne toutefois à prendre note de votre explication, à savoir que vous auriez agi uniquement dans un but démonstratif. Puis-je à présent vous poser quelques questions directes sur ce pouvoir remarquable dont vous revendiquez la découverte?

– Je vous répondrai sur tous les points qu'il vous plaira, sauf sur la nature de la source du pouvoir. C'est mon secret.

– Et êtes-vous sérieux quand vous nous déclarez que personne au monde ne le connaît en dehors de vous-même?

– Personne au monde!

– Vous n'avez pas eu d'assistants?

– Non, monsieur. Je travaille seul.

– Sapristi! Voilà qui est intéressant... Vous m'avez convaincu de la réalité de ce pouvoir, mais je n'entrevois pas encore ses capacités pratiques.

– Je vous ai indiqué, monsieur, que c'était un modèle. Mais rien ne me serait plus facile que de construire un appareil sur une tout autre échelle. Vous comprenez que l'action se produit verticalement. Certains courants au-dessus de vous, associés à certains autres par-dessous déclenchent des vibrations qui peuvent désintégrer ou recomposer. Mais le processus peut se dérouler sur un plan horizontal. Dans ce cas, l'effet serait le même, et couvrirait un champ proportionnel à la force du courant.

– Donnez-moi un exemple.

– Supposons qu'un pôle soit dans un petit bateau, l'autre dans un deuxième petit bateau: un cuirassé entre les deux se volatiliserait en molécules! Il en serait de même avec une armée en marche.

– Et vous avez vendu ce monopole à une seule grande puissance européenne?

– Oui, monsieur. Quand l'argent m'aura été versé, elle bénéficiera d'un pouvoir que n'a jamais eu aucune nation. Même maintenant, vous distinguez mal toutes les possibilités de cette arme placée en des mains compétentes, des mains qui ne trembleront pas. Elles sont incommensurables!...

Un sourire d'exultation méchante passa sur sa figure abominable.

– Imaginez un quartier de Londres où mes machines

seraient aménagées. Imaginez l'effet de ce courant porté sans effort à l'échelle convenable...

» Ma foi, ajouta-t-il en éclatant de rire, j'imagine volontiers toute la vallée de la Tamise nettoyée, sans qu'il reste un homme, une femme ou un enfant sur ses millions d'habitants!

Ces paroles me remplirent d'horreur; mais je détestai plus encore l'air triomphant avec lequel elles furent prononcées. Sur mon compagnon, elles semblèrent produire un tout autre effet: à ma grande surprise, il arbora un sourire badin et tendit sa main à l'inventeur.

— Hé bien! monsieur Nemor, dit-il, il nous reste à vous féliciter. Sans aucun doute vous avez découvert une remarquable propriété de la nature, et vous êtes parvenu à la domestiquer pour que l'homme l'utilise. Le fait que cette utilisation soit destructive est évidemment déplorable, mais la science ignore des distinctions de ce genre: elle suit le savoir où il la conduit. Laissons de côté le principe fondamental qui est votre secret; mais vous ne voyez pas d'inconvénient, je suppose, à ce que j'examine la construction de l'appareil?

— Aucun inconvénient. L'appareil est simplement un corps; c'est son âme, le principe qui l'anime, que vous n'avez aucun espoir d'appréhender.

— Soit! Mais le mécanisme me paraît être un modèle de simplicité.

Pendant plusieurs minutes, il tourna autour de l'appareil et en tâta quelques éléments. Puis il hissa sa lourde masse sur la chaise.

— Voudriez-vous partir pour une nouvelle excursion dans le cosmos? proposa l'inventeur.

— Plus tard, peut-être... Plus tard! En attendant, il existe, vous le savez d'ailleurs certainement, une déperdition d'électricité. Je sens distinctement un courant faible qui passe à travers moi.

— Impossible. La chaise est parfaitement isolée.

— Je vous certifie que je le sens.

Il descendit de la plate-forme.

L'inventeur se hâta de prendre sa place.

— Moi, je ne sens rien! dit-il.

– Vous ne sentez pas un chatouillement qui descend le long de votre moelle épinière?

– Non, monsieur, je ne sens rien.

J'entendis un bruit sec, et le Letton disparut. Je regardai Challenger avec stupéfaction.

– Seigneur! m'exclamai-je. Auriez-vous touché à la machine, professeur?

Il m'adressa un sourire à la fois bienveillant et ingénu; son visage n'exprimait qu'une douce surprise.

– Sapristi! J'ai peut-être par inadvertance touché au levier, me répondit-il. Des incidents fâcheux sont toujours à craindre avec un modèle aussi primitif. Ce levier aurait dû être protégé.

– Il est au trois: c'est la butée de désintégration.

– C'est bien ce que j'avais remarqué quand il a opéré sur vous.

– Moi, j'étais tellement énervé quand il vous a ramené sur la terre que je n'ai pas vu le chiffre pour la reconstitution. L'avez-vous noté?

– Peut-être l'ai-je noté, jeune Malone; mais je n'encombre pas ma tête de petits détails; il y a plusieurs butées, et nous ignorons à quoi elles servent... Peut-être aggraverions-nous la situation si nous expérimentions à tort et à travers. Peut-être serait-il préférable de laisser les choses en état?

– Et vous voudriez...

– Exactement! Cela vaudrait nettement mieux. L'intéressante personnalité de M. Théodore Nemor s'est diluée dans le cosmos, sa machine est donc sans valeur, et un gouvernement étranger se trouve privé du savoir grâce auquel beaucoup de mal pouvait être commis. Nous n'avons pas perdu notre temps ce matin, jeune Malone! Votre feuille de chou publiera vraisemblablement une colonne passionnante sur l'inexplicable disparition d'un inventeur letton peu après la visite de son envoyé spécial!... Cette expérience m'a grandement plu! De tels instants jettent des lueurs sur la routine terne de l'étude. Mais la vie a ses devoirs comme ses plaisirs: aussi vais-je revenir à mon Italien Mazotti et à ses vues obscènes sur le développement larvaire des termites tropicaux.

Je me retournai: j'eus l'impression qu'un léger brouillard gras flottait autour de la chaise.

— Tout de même!... insistai-je.

— Le premier devoir du citoyen respectueux des lois, déclara avec force le professeur Challenger, est d'empêcher le crime. Ai-je fait autre chose? En voilà assez Malone! Assez bavardé sur ce thème! Des affaires plus importantes me réclament!

Quand la Terre hurla

When the World Screamed

Traduction française de
ALEXIS REY

Je me rappelais vaguement avoir entendu mon ami Edward Malone, de la *Gazette,* parler du professeur Challenger, en compagnie duquel il avait vécu quelques aventures assez remarquables. Mais je suis tellement accaparé par mon métier, et ma firme est si submergée de commandes qu'en dehors de ce qui touche à mes intérêts personnels je sais mal ce qui se passe dans le monde. En gros, j'avais gardé de Challenger l'image caricaturale d'un génie sauvage, violent et sectaire. Je fus grandement surpris de recevoir de lui une lettre d'affaires, rédigée dans les termes suivants :

14 bis, Enmore Gardens,
Kensington.

Monsieur,

J'ai l'occasion de louer les services d'un expert en forages artésiens. Je ne vous dissimulerai pas que mon opinion sur les experts n'est pas très haute : j'ai maintes fois constaté qu'un homme qui, comme moi-même, est doté d'un cerveau bien agencé, dispose d'une largeur de vues plus grande et plus saine qu'un soi-disant spécialiste, lequel se cantonne dans l'exercice d'un savoir particulier. Néanmoins, je suis résolu à vous mettre à l'épreuve. En regardant la liste des autorités en puits artésiens, une certaine bizarrerie — absurdité, allais-je écrire — dans votre nom a retenu mon attention ; j'ai pris des renseignements, et il s'est trouvé que mon jeune ami, M. Edward Malone, vous connaissait. Je vous écris donc pour vous dire que je serais heureux d'avoir un entretien avec vous ; si vous répondez aux conditions requises — et celles que je requiers ne sont pas minces ! — il est possible que je vous confie une affaire extrêmement importante. Je ne puis vous donner plus de précisions sur l'affaire en question, sinon qu'elle est des plus secrètes; nous en débattrons verbalement. En conséquence, je vous prie de surseoir à tout nouvel engagement, et je compte que vous viendrez me voir à l'adresse ci-dessus vendredi prochain à dix heures et demie. Il y a un décrottoir et un paillasson à la porte; Mme Challenger est très pointilleuse à ce sujet.

Je demeure, Monsieur, tel que j'étais au début de cette épître,

George Edward Challenger.

Je tendis cette lettre à mon secrétaire, et il informa le professeur que M. Parfait Jones serait heureux de se trouver au rendez-vous. C'était une lettre d'affaires parfaitement civile, mais elle commençait par la phrase: *Nous avons bien reçu votre lettre, non datée...* Ce qui provoqua une deuxième missive du professeur; son écriture ressemblait à un réseau de fils de fer barbelés.

Monsieur,

Je remarque que vous soulignez à des fins critiques que ma lettre n'était pas datée. Pourrais-je attirer votre attention sur le fait que, par une sorte de compensation d'un impôt monstrueux, notre gouvernement a l'habitude d'apposer une petite indication circulaire ou timbre sur l'extérieur de l'enveloppe, ce qui notifie la date de la mise à la poste? Si cette indication fait défaut ou si elle est illisible, adressez-vous aux autorités postales compétentes. En tout état de cause, je vous prierais de borner vos observations aux problèmes inhérents à l'affaire sur laquelle je vous consulte, et de mettre un terme à vos commentaires touchant la forme éventuelle de ma correspondance.

Il me parut évident que le professeur était fou. Avant de m'engager plus avant, je me rendis donc chez mon ami Malone, que je connaissais depuis le bon vieux temps où nous jouions ensemble au rugby dans l'équipe de Richmond. Il était aussi Irlandais et aussi gai que jamais; il s'amusa fort de ma première échauffourée avec Challenger.

— Ce n'est rien du tout, mon vieux! me dit-il. Quand tu auras été avec lui pendant cinq minutes, tu te sentiras quasi écorché vif. Pour ce qui est de se montrer désagréable, c'est le champion du monde!

— Et pourquoi le monde devrait-il l'endurer?

— Mais il ne l'endure pas! Si tu faisais le total des procès en diffamation, des bagarres, et des citations devant le Tribunal de simple police...

— Citations pourquoi?

— Pour coups et blessures. Dieu me pardonne, mais il irait volontiers jusqu'à te jeter du haut de l'escalier si tu manifestais un désaccord avec lui! C'est l'homme des cavernes en veston. Je le vois très bien avec un gourdin dans une main et dans l'autre un morceau de silex très tranchant... Il y a des gens qui ne sont pas de leur siècle; lui n'est pas de son millénaire. Il appartient à la période néolithique, ou par là...

— Et il est professeur!

— Voilà le merveilleux! C'est le plus grand cerveau d'Europe, et au service de ce cerveau il emploie une force motrice capable de transformer tous ses rêves en réalités. Ses collègues le haïssent comme du poison, ils essaient de le freiner ou de lui mettre des bâtons dans les roues. Lui les ignore; il fonce sur sa voie à toute vapeur.

Je réfléchis.

— Bien. Une chose au moins est claire: je ne veux rien avoir affaire avec lui. J'annule mon rendez-vous.

— Jamais de la vie. Tu le maintiens, au contraire; et tu arriveras à l'heure... Que dis-je, à l'heure: à la minute! Sinon, tu en entendras parler.

— Et pourquoi, s'il te plaît?

— Ecoute-moi. D'abord, ne prends pas trop au pied de la lettre ce que j'ai dit de mon vieux Challenger. Tous ceux qui l'approchent apprennent à l'aimer. C'est un vieil ours qui n'est pas méchant, crois-moi! Je me rappelle comment il a porté sur son dos un bébé indien qui avait la variole pour le ramener au fleuve après avoir marché dans la brousse pendant cent cinquante kilomètres. Il est formidable en tout, de toutes les manières, comprends-tu? Si tu es régulier avec lui, il ne te fera aucun mal.

— Je ne courrai pas ce risque.

— Ce serait stupide! As-tu déjà entendu parler du mystère de Hengist Down... le forage d'un puits sur la côte sud?

— Il s'agit d'une exploration secrète pour une exploitation de houille, si j'ai bien compris?

Malone cligna de l'œil.

— Si tu veux! Vois-tu, je suis dans les confidences du bonhomme; je ne peux rien dire tant qu'il ne m'en donne pas l'autorisation. Mais je te dirai quand même ceci, qui a paru dans la presse. Un type, Betterton, qui a fait fortune dans le caoutchouc, a légué ses biens à Challenger il y a quelques années, sous la réserve que cet argent serait utilisé dans l'intérêt de la science. La somme est coquette: plusieurs millions de livres. Challenger a alors acheté un domaine dans le Sussex, à Hengist Down. C'était une terre sans valeur, à la lisière nord du pays de la craie; il en a obtenu une grande étendue, qu'il a entourée de fils de fer et de grillages. Au milieu, il y avait un profond ravin, qu'il commença à faire creuser. Il annonça...

Malone cligna de l'œil encore une fois.

— Il annonça qu'il y avait du pétrole en Angleterre et qu'il entendait le prouver. Il construisit un petit village modèle qu'habita une colonie d'ouvriers bien payés qui ont tous juré de rester bouche cousue. Le ravin est protégé par des fils de fer et des grillages, comme tout le domaine; sa surveillance est renforcée par des limiers féroces. Plusieurs journalistes ont déjà failli y perdre la vie, et je ne parle pas de leurs fonds de pantalons! Ces chiens sont bien dressés... Il s'agit d'une entreprise colossale; c'est la société de sir Thomas Morden qui en est chargée; mais là encore tout le monde a promis de tenir sa langue. Il est vraisemblable que le moment est venu où un spécialiste de puits artésiens est nécessaire. Alors serais-tu assez idiot pour refuser un travail pareil? Songe à l'intérêt qu'il représente, à l'expérience que tu acquerras. Et puis, il y aura un gros chèque au bout... Enfin tu te frotteras à l'homme le plus extraordinaire que tu puisses jamais rencontrer!

Les arguments de Malone prévalurent et, vendredi matin, je pris la route d'Enmore Gardens. Je m'attachai si bien à être exact que j'arrivai devant la porte de Challenger vingt minutes trop tôt. J'attendais dans la rue quand je réalisai soudain que la Rolls Royce arrêtée là, avec sa flèche en argent sur la portière, ne m'était pas inconnue: c'était sûrement la voiture de Jack Devonshire, le jeune associé de la grande société Morden. Je l'avais toujours pris pour le plus courtois des hommes, si bien que je fus profondément troublé lorsque tout à coup il apparut, levant les mains vers le ciel et suppliant avec une grande ferveur:

– O Seigneur! jetez-le au diable! Oh! oui, au diable cet homme!

– Qu'est-ce qui ne va pas, Jack? Vous me paraissez irrité ce matin!

– Hello! Parfait! Seriez-vous aussi dans ce job?

– Il y a des chances.

– Hé bien! ça vous fera le caractère!

– Plus que vous n'avez l'air de pouvoir le supporter, hein?

– Oui. Le maître d'hôtel vient de me dire: « Le professeur m'a prié de vous avertir, monsieur, qu'il était occupé à présent à manger un œuf, et que si vous veniez à une heure plus convenable il vous recevrait volontiers. » Voilà! J'ajoute que je m'étais déplacé pour rentrer dans quarante-deux mille livres qu'il nous doit.

J'eus un sifflement.

– Vous ne pouvez pas rentrer dans votre argent?

– Oh! si, pour l'argent, il est parfait. Je rends pleine justice à ce vieux gorille: pour l'argent, il a les mains ouvertes. Mais il paie quand ça lui plaît, comment ça lui plaît, et il se moque du monde. Ceci dit, tentez votre chance: vous verrez bien ce qu'il vous arrivera!

Sur ces mots encourageants, il se mit au volant et démarra.

Je surveillai ma montre; l'heure zéro sonna enfin.

J'ose dire que je suis du genre solide; j'ai été finaliste de la compétition des poids moyens au Belsize Boxing Club. Mais jamais je ne m'étais présenté à un rendez-vous dans un tel état d'énervement. Il ne s'agissait pas d'une peur physique, car j'avais confiance dans mes moyens pour le cas où ce fou inspiré m'attaquerait. Il s'agissait d'autre chose: la crainte d'un scandale public et l'appréhension de rater une affaire lucrative. Toutefois, les choses étant toujours plus simples quand l'imagination cède le pas à l'action, je refermai brutalement le boîtier de ma montre et sonnai à la porte.

Un vieux maître d'hôtel au visage de bois m'ouvrit. Cet homme arborait une expression, ou une absence d'expression, qui donnait l'impression qu'il était tellement habitué aux secousses de l'existence que rien au monde ne pouvait plus l'étonner.

– Avez rendez-vous, monsieur?

– Certainement.

Il compulsa une liste qu'il tenait à la main.

– Votre nom, monsieur?... D'accord, monsieur Parfait Jones... Dix heures trente. Dans l'ordre... Nous devons nous méfier, monsieur Jones, car les journalistes nous ennuient beaucoup. Le professeur, comme vous le savez peut-être, n'approuve pas la presse. Par ici, monsieur. Le professeur Challenger vous reçoit à l'instant.

Je fus donc introduit. Je crois que mon ami Ted Malone a beaucoup mieux décrit le personnage dans son *Monde Perdu* que je ne saurais le faire; je n'insisterai donc pas. Tout ce dont je pris conscience fut un énorme tronc d'homme derrière un bureau en acajou, une grande barbe noire taillée en bêche, et deux gros yeux gris à demi recouverts par des paupières qui retombaient insolemment. Sa tête massive était inclinée en arrière; sa barbe pointait de l'avant; il exhibait par toute sa personne une intolérance arrogante, insupportable. « Que diable me voulez-vous? » Telle était la question qui se lisait dans son regard. Je posai ma carte sur la table.

– Ah! oui, dit-il en la prenant et en la repoussant aussitôt comme si elle sentait mauvais. Bien sûr! Vous êtes l'expert... soi-disant! M. Jones. M. Parfait Jones. Vous pouvez rendre grâces à votre parrain, M. Jones, car c'est votre prénom qui a d'abord attiré mon attention.

– Je suis ici, professeur Challenger, pour une conversation d'affaires, et non pour discuter de mon prénom! articulai-je avec toute la dignité dont j'étais capable.

– Mon Dieu, vous me paraissez bien susceptible! Vos nerfs sont dans un état d'irritation accentuée, monsieur Jones. Il nous faudra marcher à pas feutrés quand nous aurons affaire ensemble, monsieur Jones!... Je vous en prie, asseyez-vous! Et remettez-vous! J'ai lu votre petite brochure sur la mise en valeur de la presqu'île du Sinaï. L'avez-vous écrite vous-même?

– Naturellement, monsieur. Elle est signée de mon nom.

– D'accord! D'accord! Mais ça ne veut pas toujours dire grand-chose, n'est-ce pas? Pourtant j'admets que pour une fois la réalité concorde avec les apparences. Le livre n'est pas exempt de mérites. Sous le style un peu terne percent quelques idées. Même, ici et là, des germes de pensée. Etes-vous marié?

– Non, monsieur. Je ne suis pas marié.

– Alors il y a des chances pour que vous gardiez un secret?

– Si je vous promets de garder un secret, je tiendrai assurément ma parole!

– C'est vous qui le dites. Mon jeune ami Malone...

Il parlait de Ted comme s'il était un bambin de dix ans.

– Malone a bonne opinion de vous. Il m'a dit que je pouvais vous faire confiance. En vérité, cette confiance serait grande; car je me trouve engagé maintenant dans l'une des plus grandes expériences... je devrais dire: la plus grande expérience de l'histoire du monde! Je vous demande d'y participer.

– J'en serai très honoré!

– C'est en effet un honneur. Je conviens que je n'aurais pas dû partager mes travaux avec quiconque, mais la nature gigantesque de l'entreprise exige les plus hauts talents techniques. A présent, monsieur Jones, puisque vous m'avez donné votre parole que vous garderez le secret, j'en arrive au point essentiel, qui est celui-ci: le monde sur lequel nous vivons est lui-même un organisme vivant, doté, comme je le crois, d'une circulation, d'une respiration et d'un système nerveux qui lui sont propres.

Sans aucun doute, je me trouvais en face d'un maboul.

– Je remarque, poursuivit-il, que votre cervelle a du

mal à assimiler cette idée; mais elle finira bien par la digérer. Vous découvrirez par exemple à quel point une lande de bruyère ressemble à la partie velue d'un animal géant. La nature procède souvent par analogies. Puis vous considérerez les exhaussements et les tombées séculaires du sol, qui indiquent une lente respiration. Enfin vous noterez les trémoussements et les grattements qui apparaissent à nos perceptions lilliputiennes sous la forme de tremblements de terre et d'autres ébranlements.

— Mais les volcans? demandai-je.

— Tut, tut! Ils correspondent aux parties chaudes de notre corps.

Je me mis la cervelle en tire-bouchon pour tenter de trouver une réponse à ces assertions ridicules.

— La température! m'écriai-je. N'est-il pas vrai qu'elle s'accroît rapidement lorsque l'on descend, et que le centre de la terre est de la chaleur liquide?

Il balaya de la main cette objection.

— Vous devez probablement savoir, puisque l'enseignement primaire est obligatoire, que la terre est aplatie aux pôles. Ce qui signifie que le pôle est plus près du centre que n'importe quel autre point de la terre, et qu'il devrait donc être affecté par cette chaleur dont vous parlez. Il est notoire, bien sûr, que les conditions aux pôles sont tropicales, n'est-ce pas?

— Première nouvelle!

— Naturellement. C'est le privilège du penseur original d'émettre des idées neuves, généralement mal accueillies par le vulgaire. Maintenant, monsieur, qu'est-ce que c'est que ça?

— A première vue, c'est un oursin.

— Exactement! s'exclama-t-il avec un air de surprise exagérée, comme s'il se trouvait devant un enfant qui aurait résolu contre toute attente un problème difficile. Un oursin!... Un échinoderme banal. La nature se répète dans beaucoup de formes sans regarder à la taille. L'échinoderme est un modèle, un prototype, du monde. Vous constatez qu'il est grossièrement rond, mais aplati aux pôles. Considérons donc le monde comme un gros oursin. Quelles sont vos objections?

Mon objection principale était que ladite « considération » était trop absurde pour être discutée, mais je me gardai de l'exprimer. Je me ralliai à une affirmation moins définitive.

— Une créature vivante a besoin de se nourrir, dis-je. Où le monde pourrait-il satisfaire son gros ventre?

— Un bon point! Un excellent bon point! lança le professeur d'un ton protecteur. Vous avez l'œil vif pour l'évident, mais vous êtes lent pour réaliser des imbrications plus subtiles... Comment le monde obtient-il sa nourriture? Retournons-nous vers notre petit camarade l'échinoderme. L'eau qui l'entoure coule à travers les canaux de cette petite bête et lui fournit sa nourriture.

— Alors vous pensez que l'eau?...

— Non, monsieur. Pas l'eau. L'éther. La terre broute circulairement dans les champs de l'espace; pendant qu'elle se déplace, l'éther passe continuellement à travers son écorce et pourvoit à sa vitalité. Et il y a une quantité de petits mondes oursins qui font la même chose: Vénus, Mars, etc. Chacun de ces mondes possède son propre champ pour paître.

Cet homme était visiblement fou, mais non moins visiblement il n'y avait pas moyen de lui en faire convenir. Il prit mon silence pour une marque d'acquiescement, et il me sourit avec une bienveillance infinie.

— Nous progressons! fit-il. La lumière commence à pénétrer. On est un peu ébloui au début, naturellement; et puis on finit par s'y accoutumer. S'il vous plaît, accordez-moi encore toute votre attention, car j'ai encore deux ou trois observations à présenter au sujet de cette petite bête que je tiens dans ma main... Supposons que sur la coriace écorce extérieure de l'oursin quelques insectes infiniment petits rampent à sa surface; l'oursin se rendrait-il compte de leur présence?

— Non, vraisemblablement.

— Vous pouvez par conséquent imaginer facilement que la terre n'a pas la moindre idée de la manière dont elle est utilisée par l'espèce humaine. Elle ne se rend absolument pas compte de cette poussée champignonneuse de végétation et de l'évolution de ces minuscules animalcules qui se sont rassemblés sur elle au cours de ses voyages autour du soleil, tout comme les bernaches étaient récoltés sur les quilles des anciens bateaux. Tel est l'actuel état des faits: je me propose de le modifier.

Je le regardai avec ahurissement.

– Vous vous proposez de le modifier? répétais-je.

– Je me propose de faire savoir à la terre qu'il existe au moins une personne, George Edward Challenger, qui sollicite son attention... qui, en vérité, insiste pour retenir son attention. C'est le premier avis de ce genre qu'elle a évidemment jamais reçu!

– Et comment, monsieur, vous y prendrez-vous?

– Ah! voilà où nous abordons notre affaire! Vous avez mis le doigt dessus. De nouveau je vous prie de vous intéresser à cette petite bête. Sous sa croûte protectrice, elle est tout nerfs et toute sensibilité. N'est-il pas évident que si un animalcule parasite désirait attirer son attention, il creuserait un trou dans sa coquille afin de stimuler son appareil sensible?

– C'est l'évidence même!

– Ou bien prenons l'exemple d'une puce ou d'un moustique qui explore la surface d'un corps humain. Nous pouvons très bien ne pas nous rendre compte de sa présence. Mais bientôt, quand l'insecte aura enfoncé sa trompe dans notre peau, qui est notre croûte, notre écorce, notre coquille, nous nous rappellerons sans plaisir que nous ne sommes pas seuls au monde. Mes projets commencent sans doute à s'éclairer pour vous? La lumière luit dans les ténèbres...

– Grands dieux! Vous vous proposez de creuser un puits à travers l'écorce terrestre?

Il ferma les yeux sous l'effet d'un ineffable contentement de soi.

– Vous avez devant vous, dit-il, le premier homme qui aura percé cette corne épidermique. Je peux même parler au passé indéfini et dire: qui l'a percée.

– Vous l'avez percée?

– Avec l'aide très efficace de Morden & Co. je crois pouvoir affirmer que je l'ai fait. Plusieurs années d'un travail sans interruption, de nuit comme de jour, effectué par des spécialistes qualifiés de la perceuse, du vilebrequin, du concasseur et de l'explosif nous ont enfin amenés au but.

— Vous ne voulez pas dire que vous avez traversé l'écorce?

— Si vos expressions traduisent de l'émerveillement, je les tolère. Mais si elles traduisent de l'incrédulité...

— Pas du tout, monsieur! Aucune incrédulité!

— Alors acceptez mes déclarations sans avoir l'air de les mettre en doute! Nous avons traversé l'écorce. Elle avait une épaisseur de... exactement 13 200 m. 988. En gros: 13 200 mètres. Au cours de notre percement, nous avons découvert — cela vous intéressera peut-être — des bancs de houille: une fortune! Ils nous permettront sans doute à la longue d'amortir les frais de toute l'entreprise. Notre difficulté principale a été les sources et jaillissements d'eau dans la craie inférieure et dans les sables de Hastings, mais nous l'avons surmontée. Nous en sommes au dernier stade; et à ce stade, c'est M. Parfait Jones qui va jouer le rôle du moustique. Votre perforatrice pour puits artésiens prend la place de la trompe de l'insecte. Le cerveau a fait tout son travail. *Exit* le penseur! Entre le technicien, le parfait ingénieur, avec sa verge de métal... Ai-je été assez clair?

— Vous avez parlé de treize kilomètres! m'écriai-je. Savez-vous, monsieur, que la limite pour le forage d'un puits artésien est approximativement de 1 500 mètres? J'en connais un, en Haute-Silésie, qui a une profondeur de 1 890 mètres, mais il est considéré comme une réussite miraculeuse.

— Vous ne m'avez pas compris, monsieur Parfait. De deux choses l'une: ou bien mes explications n'ont pas été claires, ou bien votre intelligence est rétive... Je n'hésite pas! Je sais parfaitement quelles sont les limites de forage pour les puits artésiens, et il est peu vraisemblable que j'aurais dépensé des millions de livres pour ce tunnel colossal si un forage d'un mètre avait suffi. Tout ce que je vous demande, c'est d'avoir une perforatrice en état, avec une pointe aussi affilée que possible, qui n'ait pas plus de trente mètres de long, et qui soit actionnée électriquement. Un système ordinaire de percussion déclenché par un poids répondra à tous les besoins.

— Pourquoi électriquement?

— Je suis ici, monsieur Jones, pour donner des ordres et non des raisons. Avant que nous en ayons terminé, il peut arriver... C'est une éventualité!... Que votre vie dépende justement du fait que cette perforatrice sera mue à distance par un moteur électrique. Cet aménagement, j'imagine, est dans vos cordes?

— Certainement.

— Alors préparez-le. L'affaire n'en est pas encore au point qu'elle exige votre présence immédiatement, mais c'est immédiatement que vous devez vous préparer... à être prêt. Je n'ai rien d'autre à vous dire.

— Mais il est essentiel, m'insurgeai-je, que vous me renseigniez au moins sur le sol que cette perforatrice doit attaquer. Sable, argile, craie?... Pour chaque sol, il faut un traitement différent!

— Baptisons-le compote, dit Challenger. Oui, supposons pour l'instant que vous ayez à enfoncer votre pointe dans de la compote... Bon! Maintenant, monsieur Jones, j'ai quelques affaires d'importance qui requièrent ma liberté d'esprit; aussi je vous souhaite le bonjour. Vous pouvez établir un contrat en règle, plus un devis, à l'intention de ma Direction des travaux.

Je m'inclinai et je me dirigeai vers la porte. Mais au moment de sortir ma curiosité fut la plus forte. Déjà il était en train d'écrire furieusement avec une plume d'oie qui gémissait sur le papier; il me regarda, quand je l'interrompis, avec mécontentement.

— Monsieur...?

— Eh bien! monsieur, je vous croyais parti?

— Je désirais seulement vous demander, monsieur, quel peut être le but d'une tentative aussi extraordinaire.

— Allez-vous-en! Allez-vous-en, monsieur! s'écria-t-il. Elevez donc votre esprit au-dessus des nécessités mercantiles et utilitaires du commerce! Secouez vos conceptions mesquines des affaires! La science exige du savoir. Laissez le savoir nous conduire où il l'entend; encore faut-il que nous l'ayons! Savoir une fois pour toutes qui nous sommes, pourquoi nous sommes, où nous sommes, n'est-ce pas là la plus grande des aspirations humaines? Allez-vous-en, monsieur! Allez-vous-en!

Il pencha à nouveau sa grosse tête noire au-dessus de ses papiers, et elle se fondit dans sa barbe. La plume d'oie gémit plus âprement que jamais. Alors je quittai cet homme extraordinaire la tête pleine d'un tourbillon de pensées. J'étais maintenant son associé.

Quand je rentrai à mon bureau, Ted Malone m'attendait: un large sourire en disait long sur la joie qu'il espérait tirer de mes confidences.

— Alors? cria-t-il dès qu'il me vit. Rien de grave? Pas de bagarre? Pas de voies de fait? Tu as dû le manier avec beaucoup de tact! Qu'est-ce que tu penses de mon vieux bonhomme.

— Il est l'homme le plus exaspérant, le plus insolant, le plus sectaire, le plus infatué que j'aie jamais rencontré. Mais...

— Voilà! s'exclama Malone. Tous, nous en sommes arrivés à ce « mais... » Naturellement, il est tout ce que tu as dit, et même un peu plus. Mais on sent que c'est un homme si formidable, qu'il ne saurait être mesuré à notre échelle. Et il nous faut supporter de lui ce que nous ne supporterions jamais d'aucun autre mortel. Est-ce vrai, oui ou non?

— Ma foi, je ne le connais pas encore suffisamment pour te répondre. Toutefois, j'admets qu'il n'est pas qu'un simple mégalomane brutal. Et si ce qu'il affirme est vrai, c'est certainement un champion de grande classe. Mais est-ce vrai?

— Bien sûr! Challenger déballe toujours la marchandise! Maintenant, où en es-tu exactement? T'a-t-il parlé de Hengist Down?

— Oui, en gros.

— Ecoute! Tu peux m'en croire: c'est une affaire colossale! Colossale dans sa conception. Colossale dans la réalisation! Il hait les journalistes, mais il me fait confiance parce qu'il sait que je ne publierai rien sans son autorisation. Il a ses plans. J'en connais quelques-uns, sinon tous. C'est un cerveau si profond qu'on n'est jamais sûr d'en avoir touché le fond. De toute manière, j'en sais assez pour t'assurer que Hengist Down constitue un projet pratique, en voie d'achèvement. Je ne puis te donner qu'un conseil: attends les événements, et, entre-temps tiens-toi prêt! Tu auras bientôt de ses nouvelles, soit par lui soit par moi.

De fait, ce fut Malone qui m'apporta des nouvelles. Quelques semaines plus tard, il arriva de bonne heure à mon bureau pour me transmettre un message.

— Je viens de chez Challenger, me dit-il.

— Tu ressembles au poisson pilote du requin...

— Je suis fier de travailler avec lui! Réellement, ce type est sensationnel. Il a tout fait marcher au poil... Aujourd'hui, tu entres en scène. Il est à la veille de lever le rideau.

— Mon vieux, je ne le croirai que quand je l'aurai vu! Mais tout est prêt; le matériel complet est rassemblé sur un camion. Je suis en mesure de démarrer à n'importe quel moment.

— Tout de suite! Je te l'ai dépeint comme un type formidable pour l'énergie et la ponctualité: ne me démens pas! En attendant, descends avec moi par le train: je te donnerai une idée de ce que tu auras à faire.

C'était une adorable matinée de printemps: le 22 mai, pour être précis. Et le voyage que je fis me transporta en un lieu qu'il n'est pas excessif de qualifier d'historique. En route, Malone me remit une note de Challenger, qui contenait ses instructions.

Monsieur,

Dès votre arrivée à Hengist Down, vous vous mettrez à la disposition de M. Barforth, l'ingénieur en chef, qui est en possession de mes plans. Mon jeune ami Malone, porteur de ce pli, sera aussi en rapport avec moi et m'évitera sans doute tout contact personnel. Nous avons procédé à diverses expériences dans le puits, à 13 000 mètres et au-delà; les phénomènes que nous avons rencontrés confirment pleinement mes vues quant à la nature d'un corps planétaire. Toutefois, j'ai besoin de quelques preuves plus sensationnelles encore pour espérer impressionner l'intel-

ligence léthargique du monde scientifique moderne. Ce sont ces preuves que vous êtes destiné à apporter; elles témoigneront. Quand vous descendrez par les ascenseurs, vous observerez — je vous présume muni de cette rare faculté qui s'appelle l'observation — que vous traversez successivement des couches de craie secondaires, des gisements houillers, des traces de dévonien et de cambrien, et enfin du granit à travers lequel passe la plus grande partie de notre tunnel. Le fond est maintenant recouvert de toile goudronnée à laquelle je vous prierai de ne pas toucher, car toute approche maladroite du derme de la terre risquerait d'entraîner des effets prématurés. Selon mes instructions, deux grosses poutres ont été posées en travers du puits à six mètres au-dessus du fond, avec un espace entre elles. Cet espace jouera le rôle d'étrier de serrage pour soutenir votre tube artésien. Quinze mètres de pointe suffiront; six mètres descendront sous les poutres, de telle sorte que son extrémité arrive presque au niveau de la toile goudronnée. Si vous aimez la vie, ne l'enfoncez pas plus loin. Il vous restera neuf mètres qui monteront en l'air dans le puits. Quand vous déclencherez la manœuvre, il faut que douze mètres de votre pointe s'enterrent dans la substance de la terre. Cette substance étant très lisse et douce, je pense que vous n'aurez pas besoin de force motrice, et que le simple jeu du tube, en vertu de son propre poids, permettra de traverser la couche que nous avons mise au jour. Ces instructions suffiraient pour une intelligence ordinaire. Mais je doute fort que vous vous en contentiez. Pour le cas où vous aimeriez avoir d'autres éclaircissements, faites-moi transmettre vos questions par l'intermédiaire de notre jeune ami Malone.

George Edward Challenger.

On imaginera facilement que lorsque nous arrivâmes à la gare de Sorrington, proche de la base septentrionale de South Downs, j'étais dans un état de tension nerveuse considérable. Une voiture rongée par les intempéries nous attendait et nous cahota pendant une dizaine de kilomètres sur des voies secondaires et des chemins qui, malgré l'isolement du pays, abondaient en ornières et en autres symptômes d'une circulation intense autant que lourde. Un camion en pièces détachées gisait dans l'herbe, comme pour indiquer que la route n'était pas goûtée de tout le monde. A un autre endroit, les valves et les pistons d'une pompe hydraulique se profilèrent dans leur rouille au-dessus d'un bouquet d'ajoncs.

– Du travail Challenger! dit Malone en souriant. On a prétendu que cette machine empiétait de quelques centimètres hors du domaine; alors il l'a flanquée sur le côté.

– Avec un procès à la suite, sans doute?

– Un procès? Mon vieux, nous devrions avoir un tribunal rien que pour nous! Nous suffirions à occuper un juge toute l'année. Et le gouvernement aussi! Notre vieux diable ne se soucie de personne. Le roi contre George Challenger, et George Challenger contre le roi: une fameuse valse d'un tribunal à un autre! Nous voici arrivés. Ça va, Jenkins, vous pouvez nous laisser entrer!

Un énorme gardien, avec une oreille remarquablement en chou-fleur, inspectait la voiture d'un air soupçonneux. Il se détendit et salua quand il reconnut mon camarade.

– Très bien, monsieur Malone. Je croyais que c'était l'American Associated Press!

– Ah! ils sont encore en chasse, hein?

– Eux aujourd'hui. Et hier, le *Times*. Oh! ils s'activent proprement! Regardez ça!...

Il montra un point éloigné sur la ligne de l'horizon.

– Vous voyez ce reflet? C'est le télescope du *Chicago Daily News*. Oui, ils nous talonnent de près, à présent! Je les ai vus tous en rang, comme des corbeaux, le long de ces balises-là.

– Pauvre presse! soupira Malone, quand nous franchîmes le seuil d'une porte formidablement défendue par des fils de fer barbelés. Je suis journaliste moi-même; je devine ce que pensent les confrères!

A cet instant, nous entendîmes une sorte de bêlement plaintif derrière nous.

– Malone! Ted Malone!...

Cet appel émanait d'un grassouillet qui venait d'arriver sur une bicyclette à moteur et qui se débattait sous la poigne herculéenne du gardien.

— Voyons, laissez-moi! criait-il. Bas les pattes! Malone, dites à votre gorille de me laisser tranquille!

— Laissez-le, Jenkins! C'est l'un de mes amis, dit Malone. Alors, vieille outre, qu'est-ce qui se passe? Qu'est-ce que vous venez faire par ici? Fleet Street est votre chasse gardée: pas les déserts du Sussex!

— Vous savez très bien pourquoi je suis là, répondit notre visiteur. Il faut que j'écrive un papier sur Hengist Down; je ne peux pas rentrer à Londres sans de la bonne copie!

— Désolé, Roy! Mais vous n'obtiendrez rien ici. Il vous faudra demeurer de l'autre côté des barbelés. Si vous voulez en savoir davantage, allez voir le professeur Challenger, et demandez-lui un permis de visite.

— J'y suis allé! dit tristement le journaliste. J'y suis allé ce matin, Ted!

— Alors, qu'est-ce qu'il vous a dit?

— Il m'a dit qu'il allait me faire passer par la fenêtre.

Malone éclata de rire.

— Et qu'est-ce que vous avez dit, vous?

— J'ai dit: « Pourquoi pas par la porte? » Et je me suis défilé par la porte justement, au moment précis où il allait manifester sa préférence pour la fenêtre. Ce n'était pas l'heure de discuter avec lui. Alors je suis venu sur place. Dites, Malone, avec ce taureau assyrien barbu à Londres et ce Thug ici qui m'a déchiré un col tout propre en celluloïd, vous avez de drôles de fréquentations!

— Ecoutez, Roy: je ne peux rien faire pour vous! Je le ferais si je pouvais. Dans Fleet Street, vous avez la réputation d'un homme qui n'a jamais été battu; mais cette fois-ci, vous touchez des deux épaules. Rentrez à votre journal. Aussitôt que mon vieux bonhomme m'y autorisera, je vous ferai signe: dans quelques jours.

— Aucune chance de pénétrer?

— Pas l'ombre d'une chance!

— Avec de l'argent!

— Vous devriez en savoir assez pour ne pas me poser une question semblable!

— On m'a dit qu'il s'agissait d'un raccourci pour aller en Nouvelle-Zélande...

— Le raccourci sera pour l'hôpital si vous pénétrez, Roy. Allons, bonsoir! Nous avons à travailler maintenant...

» C'était Roy Perkins, le correspondant de guerre, ajouta Malone quand nous eûmes franchi l'enceinte fortifiée. Nous avons fait pièce à sa réputation, car il est imbattable. Sa petite figure poupine innocente lui permet de passer partout. Jadis nous appartenions à la même équipe... Tenez...

Il désigna un rassemblement de coquets bungalows à toits rouges.

— ...voilà la caserne des hommes. Challenger a réuni un splendide échantillonnage de travailleurs spécialisés qui touchent de gros sursalaires. Il faut qu'ils soient célibataires, qu'ils ne boivent pas d'alcool, et qu'ils soient fidèles à leur serment de discrétion. Jusqu'ici je ne crois pas qu'il y ait eu une faille. Voilà leur terrain de football. Cette maison isolée est leur bibliothèque avec une salle de jeux. Oh! je vous en donne ma parole, le vieux Challenger est un organisateur! Voici M. Barforth, l'ingénieur en chef.

Un homme filiforme, mélancolique, long comme un jour sans pain, largement pourvu de rides creusées par l'anxiété, était venu à notre rencontre.

— Je suppose que vous êtes l'ingénieur en puits artésiens, prononça-t-il d'une voix lugubre. On m'avait dit de vous attendre. Je suis heureux que vous soyez là, car je n'ai pas besoin de vous dire que les responsabilités qui m'incombent me portent sur les nerfs. Nous travaillons loin, et je ne sais jamais si c'est un jaillissement d'eau crayeuse, ou un gisement de charbon, ou une giclée de pétrole, ou les flammes de l'enfer qui vont apparaître. Jusqu'à présent, nous avons évité l'enfer; mais peut-être nous le découvrirez-vous?

— Fait-il très chaud en bas?

— Ma foi, il fait chaud! Pas moyen de dire le contraire. Et pourtant il ne fait peut-être pas si chaud que la pression barométrique et le confinement de l'espace ne le laisseraient supposer. Bien entendu, ne parlons pas de la ventilation: elle est abominable. Nous amenons de l'air, mais des équipes de deux heures sont un maximum; et avec des gars pleins de bonne volonté! Le professeur est descendu hier, il a été très satisfait. Joignez-vous à nous pour déjeuner; après quoi vous verrez par vous-même.

Le repas fut frugal et bousculé. Ensuite l'ingénieur en chef nous fit les honneurs, avec une assiduité amoureuse, du matériel entassé dans le bâtiment des machines, et il n'oublia aucun des tas de ferraille dont l'herbe était jalonnée tout autour. Sur un côté, il y avait une énorme pelle hydraulique démontée, qui avait servi aux premières excavations. Puis une grande machine actionnait une cordelette d'acier à laquelle étaient accrochés des plateaux qui remontaient les débris du fond du puits. Dans la station génératrice, plusieurs turbines d'une grande puissance tournant à cent quarante révolutions par minute gouvernaient des accumulateurs hydrauliques qui développaient une pression de sept cents kilos par pouce carré, conduite par des tuyaux de sept centimètres descendant jusqu'au fond du puits, et actionnant quatre perceuses de roc à couteaux évidés. Attenante à la station génératrice, une centrale électrique fournissait la force nécessaire à une très grosse installation d'éclairage. Ensuite venait une turbine supplémentaire de deux cents CV qui actionnait un ventilateur de trois mètres, lequel expédiait de l'air à travers un tube de trente centimètres jusqu'au bas de l'ouvrage. Toutes ces merveilles me furent montrées avec accompagnement d'explications techniques par leur technicien, lequel commençait à m'assommer comme j'assomme peut-être le lecteur. Une interruption heureuse se produisit: j'entendis un rugissement de roues; et je me réjouis de voir mon trois tonnes roulant et virant sur l'herbe, chargé jusqu'au bord de mes instruments et de sections de tubes, et convoyant mon conducteur de travaux, Peters, ainsi qu'un apprenti au visage barbouillé. Tous deux se mirent immédiatement à l'œuvre: ils commencèrent par décharger mon matériel. Je les abandonnai pour me diriger avec Malone et l'ingénieur vers le puits.

C'était quelque chose d'étonnant, bien plus vaste que tout ce que j'avais imaginé. La halde, qui s'entassait par milliers de tonnes, formait un immense fer à cheval autour de l'ouverture. Dans la concavité de ce fer à cheval s'élevait un véritable hérisson de piliers en acier et de roues d'où étaient actionnés les pompes et les ascenseurs. Ils étaient reliés avec le bâtiment des commandes qui était au centre du fer à cheval. Et puis il y avait la gueule ouverte du puits; une fosse immense bâillait: son diamètre atteignait dix ou douze mètres; elle était ceinturée et coiffée de maçonnerie et de ciment. Lorsque je me tordis le cou pour plonger mon regard dans ce gouffre terrifiant dont on m'avait affirmé qu'il avait treize kilomètres de profondeur, mon cerveau chancela sous la pensée de ce que cela représentait. La lumière du soleil éclairait cette gueule en diagonale: je ne distinguais sur quelques centaines de mètres que de la craie blanche, renforcée ici et là par de la maçonnerie lorsque la surface avait paru instable. En regardant de tous mes yeux, j'aperçus au loin, très loin dans l'obscurité, une minuscule tache de lumière, la plus petite tache possible, mais qui se détachait nettement sur le fond noir comme de l'encre.

— Qu'est-ce que c'est que cette lumière? demandai-je. Malone se pencha par-dessus le parapet.

— C'est l'une des cages qui remonte, répondit-il. Assez sensationnel, n'est-ce pas? Elle est à un ou deux kilomètres de nous, et cette petite lueur est une puissante lampe à arc. La cage est rapide; dans quelques minutes elle sera ici.

Effectivement, la lueur devint de plus en plus grosse, et pour finir elle illumina tout le puits de sa radiation argentée; je dus même détourner les yeux pour ne pas être ébloui. La cage d'acier s'arrêta devant le palier; quatre hommes en sortirent et passèrent devant nous.

— Ils sont presque tous à l'intérieur, m'expliqua Malone. Ce n'est pas une plaisanterie de travailler deux heures à une telle profondeur!... Bon: je vois qu'une partie de ton matériel est déchargée. La meilleure chose à faire est de descendre: tu jugeras de la situation par toi-même.

Le bâtiment des machines possédait une annexe où il me conduisit. Au mur étaient suspendus plusieurs costumes amples en tussor extraléger. Je fis comme Malone, je me déshabillai complètement et j'enfilai l'un de ces costumes, plus une paire de sandales à semelle caoutchoutée. Malone, ayant fini avant moi, quitta la pièce. Une minute plus tard, j'entendis un bruit qui ressemblait à celui qu'auraient fait dix chiens furieux en train de se déchirer. Je me précipitai pour découvrir Malone roulant à terre et serrant la gorge de l'apprenti qui devait aider à fixer mon tubage artésien. Il essayait de lui arracher un objet auquel l'autre s'accrochait désespérément. Mais Malone, trop fort pour lui, s'empara de l'objet et le piétina jusqu'à ce qu'il fût réduit en miettes. Ce fut alors que je vis que c'était un appareil photographique. Mon apprenti au visage barbouillé se releva péniblement.

— Le diable vous emporte, Ted Malone! gémit-il. C'était un nouvel appareil qui valait au moins dix guinées!

— Impossible d'agir autrement, Roy! Vous aviez pris des photos. Il ne me restait plus qu'une chose à faire!

— Comment avez-vous pu vous débrouiller pour vous trouver mêlé à mon matériel? interrogeai-je avec une vertueuse indignation.

Le coquin cligna de l'œil et sourit à belles dents:

— Il y a toujours un moyen de se débrouiller! dit-il. Mais ne vous en prenez pas à votre conducteur de travaux. Il a cru qu'il s'agissait d'une farce: j'ai changé de vêtements avec votre apprenti, et je suis entré.

— Et maintenant vous allez sortir! dit Malone. Pas la peine de discuter, Roy. Si Challenger était ici, il lâcherait les limiers à vos trousses. Je connais les exigences du métier et je ne serai pas méchant, mais ici je suis un chien de garde: je suis capable de mordre autant que d'aboyer. Allez! Fichez le camp!

C'est ainsi que fut expulsé notre trop entreprenant visiteur. Le public comprendra enfin la genèse du merveilleux article sur quatre colonnes intitulé: *Le rêve fou d'un savant*, avec comme sous-titre: « Droit vers l'Australie », qui parut dans l'*Adviser* quelques jours plus tard. (Article qui amena Challenger au bord de l'apoplexie, et le directeur du journal à accorder l'entretien le plus désagréable et le plus dangereux de sa vie.) Il s'agissait du récit, un peu trop haut en couleur, des aventures de Roy Perkins, « notre réputé correspondant de guerre », et il contenait des phrases telles que « ce taureau hirsute d'Enmore Gardens », « une enceinte fortifiée gardée par des barbelés, des professionnels du catch, et des limiers assoiffés de sang », et ce passage: « Je fus expulsé de l'entrée du tunnel anglo-australien par deux brutes; la plus sauvage était l'un de ces maîtres Jacques que je connaissais de vue comme l'un des écumeurs de ma profession; l'autre, figure sinistre vêtue d'un costume pour les tropiques, posait comme ingénieur en puits artésiens alors qu'il semblait être venu tout droit de Whitechapel. » Nous ayant ainsi étiquetés, le coquin publiait une description précise de l'entrée de la fosse et d'une excavation en zigzag par laquelle les funiculaires creusaient leur chemin sous la terre. Le seul inconvénient pratique de cet article fut qu'il accrut sensiblement le nombre des badauds qui s'asseyaient sur les South Downs pour guetter les événements. Le jour arriva où ils se produisirent: ce jour-là, les badauds auraient bien voulu être ailleurs!

Mon conducteur de travaux et son faux apprenti avaient déchargé le matériel. Mais Malone insista pour que nous n'y touchions pas et que nous descendions sans plus attendre. Nous entrâmes donc dans la cage et, en compagnie de l'ingénieur en chef, nous nous enfonçâmes dans les entrailles de la terre. Il y avait toute une succession d'ascenseurs automatiques, chacun disposant de son propre poste de commande creusé sur le flanc de l'excavation. Ils fonctionnaient avec une grande vitesse. L'impression, quand on était dedans, s'apparentait davantage à celle que l'on ressent dans un railway vertical que celle que procure le respectable ascenseur anglais.

Comme la cage était à claire-voie et très éclairée, nous avions un excellent aperçu des diverses strates que nous traversions. Je les identifiai toutes. Par endroits, de la maçonnerie avait étayé les flancs; mais dans son ensemble le puits tenait admirablement tel qu'il avait été creusé. On ne pouvait que s'émerveiller du travail gigantesque et de l'habileté technique de l'entreprise. Sous les gisements houillers, j'observai des couches mêlées qui avaient l'aspect de béton; puis nous tombâmes dans un granit primitif où les cristaux de quartz étincelaient et scintillaient comme si ces sombres murailles étaient parsemées d'une poussière de diamants. Nous descendions... Nous descendions toujours: plus bas à présent, qu'à un niveau jamais atteint par un mortel. Les rocs archaïques prenaient des teintes merveilleusement variées. D'étage en étage, et d'ascenseur en ascenseur, l'air se raréfiait et devenait plus chaud; nos légers costumes de tussor devinrent intolérables: sur notre peau la sueur coulait en ruisselets jusque dans nos sandales. Enfin, au moment où je pensais que je ne pourrais pas supporter pire, le dernier ascenseur s'arrêta, et nous avançâmes sur une plateforme circulaire qui avait été taillée dans le roc. Je remarquai que Malone jetait un regard soupçonneux sur les murailles qui nous entouraient. Si je ne l'avais pas connu comme l'un des hommes les plus braves de cette terre, j'aurais dit qu'il avait les nerfs à fleur de peau.

– Drôle de truc! murmura l'ingénieur en chef en passant une main sur le roc.

Il porta ensuite cette même main devant la lampe: elle brillait d'une sorte d'écume limoneuse. Il ajouta:

– Ici en bas, il y a eu des frémissements, des tremblements. Je ne sais pas à quelle matière nous avons affaire. Le professeur a l'air content. Mais pour moi, c'est tout nouveau.

– Je dois dire que j'ai vu ce mur presque ébranlé, déclara Malone. La dernière fois que j'étais descendu ici, nous avons assujetti ces deux poutres pour votre perforatrice; quand nous avons taillé dedans pour les étais, il tressaillait à chaque coup. Vue de notre bonne ville solide de Londres, la théorie de vieux bonhomme paraissait absurde; mais ici, par treize kilomètres de fond, je n'en suis pas si sûr!

– Si vous voyiez ce que recouvre la toile goudronnée, vous en seriez encore moins sûr! dit l'ingénieur. Tout le roc, dans cette partie inférieure, se coupe comme du fromage; quand nous l'avons traversé, nous sommes tombés sur une nouvelle formation qui ne ressemblait à rien sur la terre. Et le professeur nous a crié: « Recouvrez! Recouvrez-moi ça avec la toile goudronnée! » Alors nous l'avons recouvert, et voilà!

— On ne pourrait pas jeter un coup d'œil?

Une expression de terreur passa sur le visage lugubre de l'ingénieur.

— Désobéir au professeur, c'est grave! répondit-il. Il est si malin, aussi, que vous ne savez jamais s'il ne va pas s'apercevoir de quelque chose... Enfin, risquons notre chance et jetons-y un œil!

Il tourna le réflecteur vers le bas: la toile goudronnée brillait sous la lumière. Puis il se pencha et, s'emparant d'une corde qui était attachée à un angle de cette couverture, il découvrit quatre ou cinq mètres carrés de la surface qu'elle dissimulait.

C'était un spectacle à la fois extraordinaire et terrifiant. Le sol consistait en une matière grisâtre, vitrifiée et luisante, qui se soulevait et retombait au rythme d'une palpitation lente. Les battements n'étaient pas directs; ils donnaient l'impression d'une sorte d'ondulation qui se propageait sur la surface. Cette surface n'était pas entièrement homogène; au-dessous, vues comme à travers un soupirail, il y avait des taches blanchâtres, des vacuoles qui variaient constamment en forme et en taille. Cloués sur place, nous considérâmes tous les trois ce spectacle extraordinaire.

— On dirait bien de la peau d'animal, hein? chuchota Malone. Avec son oursin, le vieux bonhomme n'est peut-être pas si loin de la vérité!

— Seigneur! m'exclamai-je. Et il va falloir que je plonge un harpon dans cette bête?

— Ce privilège te revient, mon fils! déclara Malone. Et, triste à dire, à moins que je ne me dégonfle, j'aurai le redoutable honneur d'être à côté de toi quand tu t'exécuteras.

— Oui? Eh bien! pas moi! fit l'ingénieur en chef avec décision.

Et il ajouta:

— Si le vieux insiste, je lui rends mon maroquin. Oh! mon Dieu, regardez ça!

La surface grise se souleva brusquement, montant vers nous comme l'aurait fait une vague observée du haut d'une digue. Puis elle retomba, et ses battements se régularisèrent. Barforth laissa filer la corde et replaça la toile goudronnée.

— On aurait dit qu'elle savait que nous étions là! balbutia-t-il.

— Pourquoi y a-t-il eu des remous dans notre direction? Est-ce que ce ne serait pas un effet de la lumière? s'enquit Malone.

— Et moi, maintenant, que dois-je faire? demandai-je.

M. Barforth désigna les deux poutres qui traversaient la fosse juste au-dessous de l'ascenseur. Entre elles il y avait un espace de vingt-cinq centimètres.

— C'est l'idée du vieux bonhomme, dit-il. Je crois que j'aurais pu mieux les arranger, mais autant essayer de discuter avec un buffle furieux! Il est plus facile et plus sûr de faire exactement ce qu'il veut. Son idée est que vous utilisiez votre pointe de quinze centimètres et que vous la fixiez d'une manière quelconque entre les deux poutres.

— Eh bien! je ne pense pas qu'il y aura beaucoup de difficultés à cela, répondis-je. Le travail sera fait dans la journée.

Il s'agissait, on le devine, de l'expérience la plus étrange de ma vie. Et pourtant j'avais creusé des puits dans les cinq continents! Comme le professeur Challenger avait insisté pour que le déclenchement fût mis en route à distance, et comme je commençais à me rendre compte que cette idée n'était pas totalement dénuée de bon sens, il me fallut mettre au point un dispositif de commande électrique: ce fut assez simple puisque la fosse était garnie de fils du haut en bas. Avec des précautions infinies, mon conducteur de travaux Peters et moi-même descendîmes nos sections de tubes, et nous les empilâmes sur la saillie rocheuse. Puis nous fîmes remonter légèrement le dernier ascenseur pour que nous ayons un peu plus d'espace. Comme nous avions l'intention d'utiliser le système par percussion, car il valait mieux ne pas se fier totalement à la pesanteur, nous suspendîmes notre poids de deux cents kilos à une poulie en dessous de l'ascenseur, et nous adaptâmes nos tubes qui se terminaient en V. Finalement, la corde ordonnant le jeu du poids fut fixée sur un flanc du puits de telle manière qu'une décharge électrique pût la lâcher. C'était un travail délicat, et que la chaleur tropicale rendait difficile. Nous étions surtout obnubilés par l'impression qu'un faux pas ou la chute d'un outil sur la toile goudronnée provoquerait une catastrophe inconcevable. L'ambiance était dantesque. J'ai vu par intervalles, je l'affirme, un bizarre frémissement passer le long des murailles; j'ai même senti quelque chose comme une vague pulsation quand j'y ai promené la main. Ni Peters ni moi n'éprouvâmes de regret à annoncer une dernière fois que nous étions prêts à remonter à la surface, et que nous désirions avertir M. Barforth que le professeur Challenger pourrait se livrer à son expérience dès qu'il le voudrait.

Oh! nous n'eûmes pas longtemps à attendre! Trois jours après l'achèvement de mon installation, je reçus ma convocation.

C'était un carton d'un format ordinaire: on aurait dit une invitation à une soirée. La rédaction était la suivante:

LE PROFESSEUR G. E. CHALLENGER

Membre de la Société royale
Docteur en médecine
Docteur ès sciences
Ex-président de l'Institut de zoologie, et titulaire de tellement de postes et de décorations honorifiques que cette carte n'y suffirait pas

sollicite la présence de

Monsieur Jones (célibataire)

à 11 h. 30, mardi 21 juin, pour assister à un remarquable triomphe de l'esprit sur la matière, à Hengist Down, Sussex.

Train spécial à la gare Victoria, 10 h. 05. Les invités paient plein tarif.

Après l'expérience, un lunch sera servi... ou ne sera pas servi, selon les circonstances.

Gare d'arrivée: Sorrington.

R. S. V. P. (et tout de suite, avec le nom en capitales), 14 *bis*, Enmore Gardens, S. W.

Malone avait reçu la même invitation. Il gloussait de joie en la lisant.

– C'est uniquement pour faire de l'épate qu'il nous l'a envoyée, me dit-il. De toute façon, il faut que nous soyons là, comme disait le bourreau à l'assassin. Mais crois-moi: tout Londres va en parler! Où qu'il se trouve, le vieux bonhomme se fait toujours éclairer au néon!

Et le grand jour arriva. Personnellement, j'avais cru bien faire en allant passer en bas la nuit précédente pour m'assurer que tout était en ordre. Notre perforatrice était posée. Le poids était ajusté. Les contacts électriques pouvaient être déclenchés facilement. J'étais satisfait: la partie que j'avais assumée dans cette étrange expérience promettait d'être exécutée sans anicroche. Les commandes électriques étaient actionnées à cinq cents mètres environ de l'ouverture de la fosse, afin de réduire au minimum les risques de danger personnel. Quand l'aube se leva sur ce jour historique – un jour idéal de l'été anglais – je remontai à la surface à la fois rassuré et raffermi. Et j'escaladai une dune jusqu'à mi-hauteur, afin d'avoir une vue d'ensemble sur le théâtre de l'action.

Le monde entier semblait s'être déplacé pour se rendre à Hengist Down. Aussi loin que je pouvais voir, les routes étaient noires de gens. Sur les sentiers, les voitures cahotaient et dansaient: elles déchargeaient leurs passagers à la porte de l'enceinte fortifiée. Dans la plupart des cas, là s'arrêtait la progression des curieux. Une escouade puissante de gardiens incorruptibles veillait à l'entrée, et il n'y avait ni promesses, ni offres, ni dons qui pussent les séduire: seuls les porteurs de billets jaunes, affreusement jalousés, obtenaient la permission d'aller plus loin. Les autres rejoignaient la foule immense qui était déjà rassemblée sur le flanc de la colline, et qui s'échelonnait jusqu'à la crête. On aurait dit Epsom le jour du Derby. A l'intérieur de l'enceinte fortifiée, certaines zones avaient été entourées de barbelés, et les privilégiés qui y avaient accès étaient parqués dans les enclos qui leur avaient été réservés. Il y en avait un pour les pairs, un pour les députés de la Chambre des communes, un pour les savants célèbres de toutes nationalités — on reconnaissait Le Pellier, de la Sorbonne, et le docteur Driesinger, de l'Académie de Berlin. Un enclos spécial, avec des sacs de terre et un toit en tôle ondulée, avait été réservé à trois membres de la famille royale.

A onze heures et quart, une file de chars à bancs amena de la gare les invités spéciaux, et je pénétrai dans l'enceinte fortifiée pour assister à leur réception. Le professeur Challenger se tenait debout, près de l'emplacement réservé aux gens de qualité. Il resplendissait dans sa redingote et son gilet blanc. Son haut-de-forme étincelait. Il affichait un air de bienveillance excessive, qui pouvait passer pour de l'insolence. Il était bouffi d'orgueil, de contentement de soi, de l'importance de soi. « Encore une victime du complexe de Jéhovah! » écrivit un journaliste. Il aidait au besoin à diriger, voire à pousser ses invités vers leurs places. L'élite se trouvant enfin réunie, il se propulsa sur un tertre qui semblait avoir poussé là par hasard, et il regarda l'assistance de l'air du président qui s'attend à être salué par une salve d'applaudissements. Comme l'ovation ne vint pas, il se jeta à corps perdu dans son sujet. Sa voix tonnait jusqu'aux confins du domaine.

— Messieurs! rugit-il. Cette fois-ci, je n'ai pas besoin de saluer les dames. Si je ne les ai pas invitées à venir ce matin avec nous, ce n'est pas, je vous l'affirme, parce que je n'apprécie pas leur présence. Je puis dire en effet que les relations entre leur sexe et moi ont toujours été excellentes des deux côtés, et même intimes... La raison vraie est que notre expérience comporte un petit élément de danger... pas suffisant toutefois pour justifier cet effroi que je lis sur nombre de visages. Les membres de la presse apprécieront, j'en suis sûr, que je leur aie réservé des places sur la halde qui surplombe le théâtre des opérations. Ils m'ont témoigné un intérêt que j'ai parfois du mal à distinguer de l'impertinence: aujourd'hui, au moins, ils ne pourront pas se plaindre de ne pas être aux premières loges. Si rien ne se produit, ce qui après tout est possible, j'aurai au moins fait de mon mieux pour eux. Si, par contre, quelque chose se produit, ils seront fort bien placés pour voir l'expérience et pour la relater. J'espère qu'en fin de compte ils se montreront dignes de la tâche qui les attend.

» Comme vous le comprendrez aisément, il est quasi impossible pour un homme de science d'expliquer à ce que je pourrais appeler, sans intention péjorative, le vulgaire troupeau, les motifs variés qui le poussent à agir. J'entends diverses interruptions malhonnêtes, et je demanderai au gentleman qui a des lunettes cerclées d'écaille de ne plus agiter son parapluie...

(Une voix: « Votre description de vos invités, monsieur, est des plus déplaisantes! »)

— Oui, il est possible que ma phrase « le vulgaire troupeau » ait hérissé ce gentleman. Disons plutôt, si vous voulez, que mes auditeurs ne sont pas un troupeau banal. Nous ne nous querellerons pas pour des mots. J'allais dire, avant d'être interrompu par cette remarque inconvenante, que toute l'affaire est traitée en long et en large dans mon ouvrage à venir sur la terre, ouvrage que je peux dépeindre sans fausse modestie comme l'un des livres qui feront époque dans l'histoire du monde...

(Tollé général, et cris: « Passez aux faits! Pourquoi sommes-nous ici? Est-ce une plaisanterie? »)

— J'allais vous donner tous éclaircissements souhaitables, mais si je suis de nouveau interrompu, je serai forcé de faire appel aux moyens propres à maintenir l'ordre et la décence, lesquels font cruellement défaut. La question, donc, est celle-ci: j'ai creusé un tunnel à travers l'écorce de cette terre, et je vais essayer un effet stimulatif sur son enveloppe sensible. Cette opération délicate sera dirigée par deux de mes subordonnés, M. Parfait Jones, qui s'est spécialisé avec un style très personnel dans les puits artésiens, et M. Edward Malone, qui en cette occasion me représente. La substance sensible mise à nu sera piquée... Reste à savoir comment elle réagira. Si vous avez l'obligeance de prendre place, ces deux gentlemen vont descendre dans le puits et procéder aux derniers réglages. Puis je presserai le bouton électrique que vous voyez sur cette table, et l'expérience sera déclenchée.

Tout auditoire, après une harangue de Challenger, avait habituellement l'impression que, comme la terre, son épiderme protecteur avait été percé et que ses nerfs étaient à vif. Cette assemblée ne fit pas exception à la règle: il y eut un murmure nuancé de critique et de dédain quand elle prit place pour attendre. Challenger s'assit seul au sommet du tertre, avec une petite table à côté de lui. Sa barbe et sa crinière noire se soulevaient sous l'excitation. Il avait une allure formidable! Mais ni Malone ni moi n'eûmes le loisir d'admirer la scène, car nous nous précipitâmes pour accomplir la tâche qui nous était impartie. Vingt minutes plus tard, nous étions au fond du puits, et nous avions retiré la toile goudronnée.

Sous nos yeux, le spectacle était stupéfiant. Par quelle bizarre télépathie cosmique la vieille planète semblait-elle deviner qu'une atteinte à sa liberté allait être commise? La surface que nous avions découverte ressemblait à une théière en ébullition. De grandes bulles grises montaient et crevaient en crépitant. Les espaces d'air et les vacuoles sous la peau se séparaient puis se refusionnaient ensemble dans une activité fébrile. Les rides et les ondulations qui la traversaient étaient plus fortes, plus rapides. Un sombre fluide pourpre semblait battre dans les anastomoses sinueuses des canaux qui s'étalaient sous la surface. Le souffle de la vie était manifeste!... Une odeur lourde rendait l'air presque irrespirable pour des poumons humains.

Malone poussa un brusque cri:

— Mon Dieu, Jones! Regarde par là!

Je regardai; dans la seconde qui suivit, j'avais mis le contact et sauté dans l'ascenseur.

— Viens vite! lui criai-je. C'est peut-être une course pour la vie!

Ce que nous avions vu était réellement alarmant. Toute la partie inférieure du puits, nous avait-il semblé, s'était mise à participer à cette activité croissante que nous avions observée au fond: par sympathie, les murailles étaient secouées de pulsations et de battements. Mais cette agitation se répercutait sur les trous où reposaient les poutres. La moindre rétraction un peu forte (c'était une question de centimètres) les ferait basculer. Si elles tombaient, la pointe de ma perforatrice s'enfoncerait évidemment dans la terre, tout à fait indépendamment du déclenchement électrique. Avant que cette éventualité se réalisât, il était vital pour Malone et pour moi d'être sortis de la fosse. Se trouver à treize mille mètres de fond sous la terre, avec le risque d'une terrible convulsion à tout instant, était une situation épouvantable. Sauvagement, nous fonçâmes vers la surface.

Pourrons-nous oublier jamais cette remontée cauchemardesque? Les ascenseurs sifflaient et vrombissaient; pourtant les minutes nous paraissaient des heures. Chaque fois que nous atteignions une plate-forme, nous sautions dessus, bondissions dans la cage voisine toute prête, actionnions le mécanisme, et volions plus haut. A travers l'acier grillagé, nous apercevions au loin le petit cercle de lumière qui indiquait la gueule du puits. Elle s'élargissait de plus en plus. Et puis elle devint un vrai cercle. Et puis nos yeux ravis distinguèrent la maçonnerie. Nous montions toujours... Enfin, fous de joie et le cœur plein de gratitude, nous nous échappâmes hors de notre prison et nous posâmes nos pieds sur l'herbe souillée du bord du tunnel. Il était temps! Nous n'avions pas fait trente pas que, du fond des abîmes, mon aiguillon d'acier transperça un ganglion nerveux de notre vieille mère la terre. Instant historique!

Qu'est-ce qui arriva? Ni Malone, ni moi ne fûmes en état de le dire, car nous nous trouvâmes tous deux soulevés par un cyclone, balayés sur l'herbe, tournant et tournant sur nous-mêmes comme deux galets ronds sur de la glace. Au même moment, nos oreilles s'emplirent du plus horrible hurlement qui eût jamais été entendu. Personne, parmi des centaines qui s'essayèrent à décrire ce cri, n'y réussit tout à fait. C'était un mugissement dans lequel la douleur, la colère, la menace, et toute la majesté outragée de la nature se donnaient libre cours et se mêlaient dans un hurlement sinistre. Il dura une bonne minute: imaginez mille sirènes hurlant ensemble. La foule était paralysée. Le hurlement persistait avec fureur et férocité. L'air calme de l'été l'emporta et le retransmit. Il déferla ses échos le long de la côte. Il fut même entendu par nos voisins français de l'autre côté de la Manche. Aucun son dans l'histoire n'a jamais égalé la plainte de la terre meurtrie.

Hébétés, assourdis, nous eûmes conscience, Malone et moi, du choc et du bruit; mais c'est par les autres spectateurs que nous apprîmes les détails de cette scène extraordinaire.

Des entrailles de la terre jaillirent d'abord les cages d'ascenseurs. Les autres machines se trouvant près des murailles échappèrent au souffle; mais les solides planches des cages subirent de plein fouet la violence du courant ascendant. Quand plusieurs boulettes sont successivement introduites dans une sarbacane, elles jaillissent en ordre et séparément. Voilà ce que firent les quatorze cages d'ascenseurs: les unes après les autres, elles surgirent dans les airs, planèrent, décrivirent de glorieuses paraboles: l'une d'elles tomba dans la mer près de la jetée de Worthing, une autre dans un champ aux environs de Chichester. Des spectateurs nous ont affirmé qu'ils n'avaient jamais rien vu d'aussi extravagant que ces quatorze cages d'ascenseurs voguant sereinement dans le ciel bleu.

Puis vint le geyser, sous la forme d'un énorme jet d'une mélasse grossière qui avait la consistance du goudron, et qui grimpa jusqu'à six cents mètres. Un avion de reconnaissance, qui dessinait des cercles au-dessus de notre théâtre, fut pris de convulsions et dut procéder à un atterrissage forcé, le pilote et la machine étant complètement encrassés. Cette matière horrible, dont l'odeur s'avéra aussi infecte que pénétrante, était peut-être le sang de la planète? A moins qu'elle n'eût été, comme l'a suggéré le professeur Driesinger et comme le soutient l'Ecole de Berlin, une sécrétion protectrice, analogue à celle de la mouffette, et dont la nature aurait muni notre mère la terre pour la défendre contre des intrus dans le genre de Challenger. En tout cas, l'offenseur N° 1, assis sur son trône en haut du tertre, s'en tira sans une tache. En revanche, la presse, qui se trouvait dans la trajectoire de l'explosion, fut si maltraitée qu'aucun journaliste ne se hasarda de plusieurs semaines dans la bonne société. Ce souffle putride fut emporté par la brise vers le sud-ouest; il descendit sur les pauvres gens qui avaient si longtemps attendu sur les dunes pour voir ce qui arriverait. Il n'y eut pas de décès. Et même aucune maison dans les environs n'eut à être abandonnée; beaucoup conservèrent par contre un parfum tenace; il s'en trouve encore qui gardent entre leurs murs épais un souvenir plus ou moins vif de ce grand événement.

Puis le puits se combla et se referma. De même que la nature cicatrise lentement une plaie de bas en haut, de même la Terre bouche avec une rapidité extrême les déchirures qui peuvent être faites à sa substance vitale. Un fracas épouvantable, interminable, éclata quand les parois du puits se rapprochèrent: le bruit commença par résonner dans les profondeurs, puis monta de plus en plus haut jusqu'à ce qu'un bang assourdissant annonçât que la maçonnerie qui bordait l'ouverture de la fosse s'était écrasée, soulevée, réduite en miettes; au même moment, une secousse analogue à un petit tremblement de terre projeta la halde dans les airs; elle retomba sous la forme d'une pyramide de vingt mètres de haut; toutes sortes de débris s'élevaient ainsi sur l'endroit où la fosse avait été creusée. Non seulement l'expérience du professeur Challenger se trouvait terminée, mais ses vestiges avaient désormais disparu aux yeux des mortels. Si la Société royale n'avait pas érigé un obélisque à cet endroit, nos descendants seraient sans doute bien incapables de déterminer le lieu exact de cet exploit remarquable.

Ce fut alors le grand final. Pendant les minutes qui suivirent immédiatement tous ces phénomènes, un silence s'était établi dans un calme tendu: les spectateurs rassemblaient leurs esprits, essayaient de réaliser exactement ce qui était arrivé et comment c'était arrivé. Mais tout à coup la puissance de l'exploit, la hardiesse fantastique de sa conception, le génie qui avait présidé à son exécution leur apparurent. D'un seul mouvement incontrôlable, ils se tournèrent vers Challenger. De partout jaillirent des cris d'admiration. Et lui, sur son tertre, contemplait cet océan de visages levés dans sa direction, cette mer de mouchoirs agités en son honneur. Avec le recul, je le revois mieux que je ne le vis sur le moment. Il se leva de sa chaise; ses yeux étaient mi-clos; le sourire du mérite conscient rayonnait sur ses traits; il avait la main gauche sur la hanche; il enfonça la droite dans le croisement du gilet blanc. Cette image a été immortalisée, car j'entendais les déclics des caméras: on aurait dit des criquets dans un champ. Le soleil de juin l'auréolait de sa lumière dorée. Gravement, il s'inclina devant les quatre points cardinaux, lui, Challenger le supersavant, Challenger l'archipionnier, Challenger le premier homme de tous les hommes que notre mère la terre eût été forcée de connaître.

Un dernier mot. Il est notoire que l'effet de cette expérience a été universellement ressenti. Certes, nulle part en dehors du point précis où elle fut piquée, la planète blessée n'émit un hurlement pareil! Mais par son comportement général elle se révéla une entité. Elle cria son indignation par toutes ses fissures, par tous ses volcans. Hekla gronda, mugit, et les Islandais redoutèrent un cataclysme. Le Vésuve se décapuchonna. L'Etna cracha d'énormes quantités de lave, et un procès de cinq cent mille lires de dommages et intérêts fut intenté contre Challenger devant les tribunaux italiens, car les vignobles en pâtirent. Même au Mexique et dans l'Amérique centrale la colère plutonienne se manifesta. La Méditerranée orientale retentit des grognements du Stromboli... De toute éternité, l'ambition des hommes est d'obliger le monde entier à parler d'eux. Mais il appartenait à Challenger, et à lui seul, de faire hurler toute la terre.

TABLE DES MATIÈRES

PREMIÈRE PARTIE
Récits fantastiques, ésotériques et d'aventures

Tome 1

Contes de terreur
Contes d'aventures
Le Parasite

Tome 2

Contes de mystère
Le mystère de la vallée de Sasassa
et autres contes

Tome 3

Contes du ring
Contes de médecins
Autres contes

Tome 4

Le mystère de Cloomber
Mystères et aventures

Tome 5

Contes du camp
Contes de l'eau bleue
Amoureux

Tome 6

Contes d'autrefois
Contes de pirates
Autres contes

Tome 7

Contes de crépuscule
L'épicier au pied-bot
Danger !

Tome 8

Le Professeur Challenger/1 :
Le monde perdu
La ceinture empoisonnée

Tome 9

Le Professeur Challenger/2 :
Au pays des brumes
La machine à désintégrer
Quand la Terre hurla

Tome 10

Le gouffre Maracot
Rodney Stone

Tome 11

La tragédie du Korosko
Raffles Haw

Tome 12

Le dernier tireur
Contes inédits

DEUXIÈME PARTIE
Romans historiques

TROISIÈME PARTIE
Les aventures de Sherlock Holmes

QUATRIÈME PARTIE
Essais, souvenirs et divers

ÉDITION ORIGINALE

Cet ouvrage
a été reproduit
et achevé d'imprimer
en octobre 1987
par l'Imprimerie Floch
à Mayenne
(25949)

Éditeur : nº 449
Dépôt légal : octobre 1987
Imprimé en France